王朔——著

知道分子

北京出版集团公司
北京十月文艺出版社

目录

我的几个国庆节

1958 年我出生时这个国家刚刚建立九年，比我晚一年出生的孩子很多都叫“国庆”或“十庆”。1959 年的国庆我没有印象，只在后来看了不少那一年拍摄的电影，都是歌舞升平的那种，跟别的年份拍的片子不一样。“文化大革命”批判了这批电影，说这批电影表现了“资产阶级人性论”，证据是有的片子的女主角爱上了男主角，有的片子的女主角很爱自己的父亲。在当时那是不允许的，每个人都应该只爱毛主席，其他都叫“无缘无故的爱”。现在的官方说法，那是中国电影的“第一次高潮”。

1971 年，我参加了国庆游行的儿童组字排练。按照计划，我和其他数万名儿童要共同组成那次游行的背景，当军队和彩车走过天安门观礼台时我们就一齐打开手中的彩色大纸本子顶在头上，向着天空拼出巨大的标语：“中华人民共和国万岁！全世界无产者联合起来！”为此，我们从夏天开始停课，每天在学校集合，走十几公里路到天安门广场排练。很多小孩中暑，尿裤子。广场旁边的便道上有一排排铁盖子，掀开围上的帐篷就是临时厕所。

有时我在里面尿半截儿，尿急的女孩子们就提着裤子冲进来占领了身后所有的茅坑，我只好从另一出口仓皇逃出。有的男孩正在大便，起也起不来，四周蹲满女孩，又羞又无奈，气得掉下眼泪。

等我们排练好了，这年的国庆游行取消了，党的副主席林彪乘飞机出逃苏联，在蒙古坠机身亡。毛主席很受打击，从那以后身体一天不如一天。那年国庆日改在各公园庆祝了，我第一次去了颐和园，皇家园林的美景令我目迷神乱。在颐和园后山我迷了路，听到山外的阵阵管弦就是走不出去，穿山度林时被乱石绊了一跤，右手背上至今留着一块小伤疤。

以后的每年国庆我们都是发票游园，文工团在公园里搭台表演节目，唱京剧，演杂技，还有女战士的集体歌舞。我那时正在当小流氓，逢此场合便和另外一些小流氓到公园里结交其他小女流氓。节日的公园里到处可见独自或结伴游玩的良家少女，我们就上前或尾随其后用轻浮的话挑逗人家，博人一笑，最终达到与人结识的目的。我在那些公园里有过很多次美好和不堪回首的精神恋爱。

1979 年，建国三十周年，我在青岛海军的一艘小船上当水兵，10 月回家探亲，家里有一张人民大会堂国庆联欢晚会的票，让我去了。那是中国改革开放的头两年，到处洋溢着乐观的气氛，晚会的节目很丰富，除了歌舞、京剧，还放外国电影。在宴会厅还组织了大型舞会，无数穿戴时髦的青年男女在跳华尔兹，大厅里响彻《蓝色多瑙河》、《维也纳森林》这样的圆舞曲和中国民乐改编的《喜洋洋》、《步步高》等舞曲。我不会跳舞，我穿着军装，我说不出我有多压抑，我感到世道变了，我和我身上这身曾经风靡一时令我骄傲的军装眼下都成了过时货。正在跳舞的人们已经穿上了高跟鞋、喇叭裤、尼龙衫，烫了头发，手腕上戴着电子表，大概还有人在说英语。回到部队，我不再继续写入党申请书，也不再抢着打扫厕所替战友洗衣服表现自己多么努力地在学雷锋。我跟我们头儿说我有办法买到日本产的彩色电视机，揣着部队养海带挣出来的三千块钱去广东倒走私电器去了。

建国三十五周年，天安门恢复了阅兵，我在家看电视。邓小平穿着没有军衔的陆军军装站在一辆“红旗”敞篷车内，露着一张很红润的脸，面前支着一个麦克风，宣誓一般举着右手缓缓驶过集结在长安街上的陆海空三军部队行列。还有坦克、还有火炮、还有导弹……他的声音通过麦克风传出来：“同志们好！同志们辛苦了！”那些战士一起喊：“首长好！为人民服务！”当他回到天安门城楼上，电视中出现了他和当时的总书记胡耀邦站在一起的镜头。我看到胡耀邦向他跷了跷大拇哥，意思好像是说：“真牛！”那天还发生了一件后来被广泛宣扬的事，经过天安门广场的学生突然打出一幅标语，上面写着“小平你好”四个字，这简短亲切的问候在很多年里感动了大家。

建国四十周年，我在一间租来的房子里打麻将。那几天我刚刚不那么担心了。一个有内部关系的朋友告诉我：“都查清了，你没事。你去了广场，但没说什么。”还对广场上一些年纪偏大的纠察队员是不是学生表示了疑问，都录下来了，证明我当时就有一个正确的态度。在此之前，我非常担心情况混乱，情报工作跟不上。我们都知道，再好的情报机构也会出现错误，我可不想事后得到道歉，因而不敢住在家里。街上部队和坦克已经撤走了，据说有一位将军向中央进言，说“和尚不能老不待在庙里”，中央听了。那段时间，我一撒尿就觉得疼，尿的颜色也不那么澄澈，我以为我得了性病，到医院一检查是前列腺的问题。医生讲是老骑自行车硌的，歇一歇就好。那以后我的身体也一年不如一年。

今年是建国五十周年，时间过得真快。听说他们要热闹一番，恢复阅兵和游行。应该，全世界最大的广场不能老闲在那儿，好像我们不会过节似的。这些天北京在拆违章建筑，我常去的两家酒吧都拆了，我住的地方门前的一片小商店也都扒了。一帮帮民工在换便道上的方砖，布置绿地，节日气氛已经提前到来。我希望他们利用这个节日把北京弄得干净点，有些渣土和垃圾没有国庆永远没人清理。还有那些盖不完的楼房修不完的道路，我希望他们也能在国庆前竣工一部分。到时候我会坐在家里看电视，看看这个城市是否配得上这样一个难得一遇的日子。

小时候，五十年是很大的数字，遥远得无从想象。我曾经以为日子是过不完的，未来是完全不一样的。现在，我就待在我自己的未来，我没有发现自己有什么真正的变化，我的梦想还像小时候一样遥远，唯一不同的是我已经不打算实现它了。五十年的时间已经使我习惯了一个国家。也许说“国家”是用词不当，应该说“政权”。我们国家有五千年文明史，这五十年由这个政权统治。

我基本接受很多人的一种说法：这个政权要没了，国家就会像俄罗斯一样混乱衰弱，吃亏的还是老百姓。“我们都不希望国家乱吧?”一听到这样的问话，我就无言以对。

我的文学动机

我是个没受过完整教育的穷小子，有很强的功利目的拿小说当敲门砖提升自己的社会地位，所以小说基本是写实的。最初是艳情。那时我正值青春期，男女之事对我很有吸引力，既希望赢得美丽少女的芳心，又不愿过早结婚，这在奉封建道德为美德的中国社会很容易被指为流氓，于是只好安排女主人公意外身亡，造成经典风格的爱情悲剧。

如果说这些艳情小说帮我建立了早期的名声，也是因为这种安排暗合了中国男女流氓们的期许和幻想。当然这都是欺人之谈。中国的死亡率到底有多高我不知道，反正多数失去魅力的恋人不管你怎么想，他都活得很硬朗，一定要你把最难听的话说出来，彼此撕破脸才恨恨而去。这样写小说也不见得卑鄙，说一套做一套正是中国文人的强项。我写不下去的原因是中国社会越变越实在，少男少女已不把性交看成往马或牛身上烙印那样严酷的事，风行全国的道德法庭也陆续解散，如此再用牺牲别人成全自己的模式编织故事就显得过于浪漫。我自己对情感描写的热忱随着年纪增长也越来越为一种黑色的想法所代替。再写下去我怕我对女性的崇拜会受影响。

在我的生活中，对我起了坏影响的都是男性。在中国并不丰富的文学传统中，男性角色大都是伪君子、卑鄙小人和迫害狂。这些脍炙人口的坏蛋恰恰不是女作家的有意控诉而均出自男作家笔下。可见人对自己的堕落的包容是有限的。明白地讲，我在成年过程中也不例外地变成了一个十足的坏蛋。进入写作提供了我太多的自省机会，使我无法面对自己。我看到的自己的肮脏内心使我失去了谴责任何人的力量。我不知道这算哪门子的觉悟。反正我由此陷入了较深的罪恶感难以自拔，任何试图拯救自己的努力都是渎神和妨碍正义的。作为一个濒临绝境的人，我首先本能的反应是寻找替罪羊，转嫁责任。

我写了一批被认为是确立了风格的小说。开开社会的玩笑。有评论认为我这批作品玩世不恭。我以为恰恰这批东西入世过深。以我之偏见，中国社会最可恶处在于伪善，而伪善风气的养成根子在知识分子。中国历代统治者大都是流氓、武夫和外国人。他们无不利用知识分子驭民治国，刚巧中国的和尚不理俗务，世道人心，精神关怀又皆赖知识分子议论裁决，这就造成知识分子权大无边身兼二职：既是神甫又是官员。绝对的权力导致绝对的腐败。信仰与利益，超凡成圣和过日子往上爬，再伟大的知识分子也难以自处二者兼得或割舍其一。于是伪善便成了普遍的选择。中国有很多神话，最大的神话就是知识分子受迫害。英勇无辜为国为民的知识分子先烈充斥史书文献。那些令人发指的罪行使人无不同情如果称不上是争相效法，结果掩盖了自相残杀的实质。杀知识分子的都是知识分子。说难听点，这就像两只狗为争一根骨头打架，你不能说被咬的那只不是狗咬的。对一只旁观的羊来说，那是狗们的私仇。即便这只狗是牧羊犬，到处跟人说它是为保护羊群受的伤。我自知罪孽无望故而在道德上持极端立场：你要装神弄鬼你就不许哪怕是看骨头一眼。否则你就失去了说话的权利，人人得以喊打。作为一个中国人从小到大所感受到的，制度的严苛还是第二位，首先令人郁闷的就是层层精神榜样和恰成对照的无处不在的趋利避害。

我年轻的时候有改造社会、开一代风气的雄心，文学可视为武器。对知识分子的嘲弄批判使我大有快感同时也失去最后的道义立场。站在知识分子立场批判知识分子亦是伪善，很难不沦为同党。站在小市民或政客立场又不免乌鸦落在猪背上，净看见猪黑了。这么走下去很难不走到反党反社会主义的道路上去，实在危险。更主要的是，攻击别人并不能开脱自己。我的个人生活一团糟。快感并不能支持我度过余生。和别人的丑恶比，我自己的丑恶形象更触目惊心。如果我还有起码的真诚，首先应该面对自己才是。我对写别人写社会失去了兴趣。

中国文学传统标榜“铁肩担道义”，也只有圣人配，我不敢当。“为工农兵服务”抽去政治目的也正是那些流行艺术正大肆做的，有我不多，没我不少。

中国是个极其阴柔的民族，审美趣味却像纳粹，偏好崇高壮美，一意孤行，误了几代人，应该还其本来面目。我将一路退到自己内心最阴暗的深处，从自我描写开始新写作。如果由此玷污了中国人的形象也是活该。我需要对自己进行一番心理治疗。你可以把这当做我的文学动机。

| 这个人不是特别自我炫耀 |

赵波的小说不注重故事，有时候通篇看下来也看不出一个清晰的来龙去脉，似乎作者有意不追求戏剧性的效果。她的文字也不是所谓特别饱满的那种，不能说是平淡吧，而是比较老实的那种文字。不知不觉就看进去了，也许不知不觉就看困了，但是醒来的时候还可以捡起来继续看。她的小说我看的时候没有太多想法，但搁下来以后会有点亲切感。就像听一个女孩在那儿说她自己的那点事儿，说得也挺干净，也没有什么乱七八糟招你烦的东西。她倒是有能力捕捉到现在这种城市中人们情感中的触发点。所以说看她的作品的时候，也会觉得有时候她描写自己的某一段心境，你似乎也体察过，曾经有过，起码是在年轻时有过。如果说有什么不满足的话——就是跟阅读时的期待感不一样。了解赵波的写作风格后，看她的小说我不期待那些激烈的，剧烈的，特别刺激性的东西。我觉得比较适合——在傍晚的时候约不着人吃饭，自己一个人吃饭，天儿黑得还挺晚，吃完饭呢电视也没多少意思，可以看一段赵波的小说，赵波这种故事线索比较淡的小说，也适合一段一段地读。其实她的小说有时候偏于散文，但是不会为了炫耀自己这是美文在里头拼命增加字词的色彩。

我觉得赵波写小说的态度还是比较舒服的，不是特自我炫耀。比方说有些人的小说就特别炫耀自己的文采，或者特别炫耀自己的知识，掉书袋什么的；还有些人特别炫耀自己的情感，好像自己无比极端，只有自己的感情最伟大或叫最有力量，很多男女往往都陷到这里头。赵波还算是有节制，其实现在这些年轻的女作家，并非个个张扬，也有比较能稳得住神的，譬如赵波。

赵波的写作破了一个神话——通常认为写小说的人都是非常特别的，比如说有天赋，比如说有很长时间的知识准备，其实假如我本身不是一个写作者，看赵波的小说我会产生那样的感受，就是——我也可以写小说。确实我觉得中国的小说，文字发展到今天，它的神秘感已经完全剥开了，没有什么神秘感，它就是一个人的自娱自乐，只要你掌握的文字量够描述自己情感的，写出来，这就是小说。文无定法，只有传统小说有一些规矩，比如说你要塑造典型人物、典型环境，比如说你要有完整的故事，故事线索的进入你要讲究结构，我觉得在今天这都可以说是古典小说的路数了。今天的小说，我觉得，包括赵波在内的一些作家，他们的作品都出现一种——那种文体我现在无法命名，反正就是想到哪写到哪的这么一种文体。把这个自然段写精彩了，下一自然段另开，你可以看她小说里，感觉是有一百个开头在里面。我倒觉得这倒符合现代人的情感结构：都是一段段的，谁都没在追求一个完整的故事。

我不知道这是不是一种新文体的诞生，就是它这种小说与散文，真实与虚构，个人与社会这个界限越来越模糊了。实际上我觉得到 21 世纪以来，创作中出现一个特点，就是写整个社会，全民族的所谓大题材、古典题材像托尔斯泰的《战争与和平》这种题材的作家越来越少了。我倒不认为这是作家的关心面窄了，相反我认为这是作家的关心面宽了。我们开始写作那会儿都被教导文学要反映社会，反映人类，所以大家都在追逐大题材。今天的每个人相对来讲个性都更独立了，更完整了，我看书，我更希望看到的是另一个人的活生生的自我，而不是关于我身处的这个社会由某个也许并不比我高明的家伙再给我饶舌地描述一遍。我相信这种新文体是将来文学发展的方向之一：越来越个人化。这个东西恐怕你再不喜欢也好，你认为再背离文学的宗旨也好，它就是一个方向。在今天这个社会，个人表达可能是最重要的，每个人的声音都很重要。其实每个人就是一个社会，就是一个完整的单位，这里面的事儿自己都没弄明白，就虚头巴脑地关心别人，关心社会，那不是小说应该承担的东西。电视，纪录片，新闻报道，纪实文学，这些东西就可以反映社会上的问题，不像19世纪，只有小说这样一种形式，所以小说也被要求有反映现实的功能。

在上世纪80年代初期，刚改革开放的时候，那时候的人看小说当红头文件看，每一个新小说的出现，那会儿称它为报春鸟，就好像代表一种新的领域的禁区又被打开了，比如说你表现爱情，所有人都“哦”，可以谈情说爱了，变成了一种号召，是一种宣告式的。今天实际上没有一个人的生活会因为一个小说怎样描写而改变，小说不再是作为一个通行证来下达准许令的东西存在了。人作为一个有机体，活一辈子，会产生无穷无尽的想法，无穷无尽的感受，我觉得这在过去的文学中是没有穷尽过的，我们所说的过去的文学名著中，大概只有《红楼梦》是有描写一些个人的想法的，像《三国》呀，《水浒》这都表现的是一些历史上发生的事件，像农民起义，群雄割据，表现的是事件本身，真正深入到人的内心的大概就只有《红楼梦》，所以我觉得在这一块是远远没有被开掘到的。

谁要赵波去讲我们国家怎么回事？我们改革开放的路该往哪走？中国人的民族应该具备什么样的素质？不用赵波来教。我觉得赵波对我们的价值就是——今天存在过赵波这么一个人，她想过什么事，她经历过什么事，她有过什么感受，这个可能更重要。

|痛、病——快乐着|

一天早晨，我随手打开电视看新闻，换了几个台，大约是湖南卫视,看到白岩松在接受访问,谈他的新书《痛并快乐着》和他自己。第一感觉是这个人很得意，虽然眼镜遮住了他的眼神，使他的表情看上去有些暧昧，仍能直观到他情绪的饱满，若是小说中人物，便可形容为顾盼自雄。他的眼睛始终是冲画面右上方闪烁的，尽管画外有一个提问者，应该彼时彼刻跟他同在，他的视线却给人旁若无人的印象，甚至也不看镜头——观众，假若那不是在电视上，我们完全可以把这当做是一个人在自言自语。

他称自己是理想主义者，业余足球健将，幸福的父亲，“坐在第一排的人”，简言之，一个对自己很满意的人。这满意流露在他的用词上，频繁使用“一定”、“总是”、“应该”这些不容置疑的句式前缀，我已经不能复述他的原话了，但对他种种突如其来的断语和始终如一的自信过目难忘，他像是一个早已洞悉生活真相并具有超常理解力的能者，几乎对任何事情都有一个明确的态度并能迅速给出当然的解释，这在他谈到自己的职业时尤甚，那个时候他甚至像一个政府发言人。

《痛并快乐着》这本书我是在书店买的，这之前有一个朋友曾向我做了热情的推荐，说白岩松“有真东西”，而且确实是自己写的。我们都知道他们台某些主持人写的行销一时的自传是别人代笔，这是公开的秘密，有经历而无书写能力找人代笔，并不违反出版业的游戏规则，只要传主本人不要冒充作家就好。

这书我看了百十页就搁下了，搁下的原因不在文字水平，大多数书看不下去是见作者有话说不出来，说不利索，替他着急。白岩松的文字能力在中等偏上，老实一点就好看很多。他写自己，个人境遇，无论是“痛”还是“快乐”都算情真意切，遣词造句也还工整，一进单位，语涉同事和军国大事，话就见大，特别懂事、特别见得人、说到哪儿都理直气壮的广播词儿就出来了。在这儿，你能感到作者笔风陡转，仿佛摁了切换键，从正常人变成转播机器。

我注意到在电视台混的人都爱提大事件和大人物，好像他们知道得更多，离中枢更近。白岩松也未能免俗，书中照片和行文处处透出得亲天颜的兴奋和沾沾自喜，什么“我第一个鼓掌”，对不起，我要说这是谄媚，似这等宫闱秘闻，在你固然可喜可贺，我不关心！

离什么近，就像什么，质量越重，引力越大，沾边不沾边的都以为自己是其中一部分。在白岩松自夸的那些方面，我最不明白是“坐在第一排”这句话。我们都进过剧场。第一排和站在后边的有什么差别，不都是观众吗？只不过你看得更大，听到的锣鼓更震耳，什么演出需要第一排的观众站起来向后排观众解释剧情？你能看到什么内幕的后台的东西？怎么委婉怎么客气，也没别的词——自作多情。

写这篇小文当中，我又看了一次白岩松主持的《东方之子》，采访余华，这是他的正科，我想这里大概有更多他的本来面目，于是仔细观察此人。过去我还认为他的严肃和一本正经是对文艺节目主持人的嬉皮笑脸和哗众取宠的有意反驳，以正视听，现在我认为这仅仅是做作，因错觉导致的拿不准“范儿”，如果他自认为这是真诚，那就是骨子里的做作。

他的眼睛始终不看交谈者，对方认真回答他的问题时，他的脸上偶尔浮起一些挂在嘴角的微笑作为回应，表示他在听。他在哪儿学的这一套？他不是一个学生出身的热血青年一个热爱运动和音乐的普通人吗？我相信那些问题不是他想问的，何其愚蠢，逼得余华也只得加倍愚蠢地回答。一个聪明人强迫另一个聪明人在大庭广众之下与他一起露怯，做肤浅、不着四六的交流，怎么还会有那么强烈的优越感？

你真有你显得那么重要吗？我不相信电视主持人是一个独立观点的表达者，我更接受广播学院学生自己的说法：肉喇叭。白岩松在电视上皱着眉头议论了好几年中国的事儿，除了“为民请命”、“关心民间疾苦”这些社会共识，我不记得他还有过什么个人观点。在这样的位置上，做成这样已经是最好，但要当真，既让别人当真自己也当真，就是存心欺世了。

| 数你最思想 |

有朋友讲：你别装思想家！你有什么思想啊！你就是有话不好好说，结果给老实人说急了，一驳你，倒显得你与众不同，加上这里有一些腐朽昏聩之辈坏事，谁被他们攻击，谁就显得激进。一激进，就显得尖锐；一尖锐，愤世嫉俗的家伙就给你拍巴掌，当你后面藏着深刻。其实谁不知道你那一套，就是诸事唱反调，语不惊人死不休。

我说：诸事唱反调算不算思想？

朋友说：最多只能算方法，像削苹果皮，中国人囫囵个地削，老外切成四瓣削。

什么是思想？我打听。

苹果。你育种你栽树你浇水你剪枝——最后算你的。你说，从文学到人生，这么一大片观念的林子，哪株是您栽的？你只是吊在现成的大树上，荡来荡去，猴了吧唧。朋友说。

好好好，我承认，我没思想。我问——谁有思想？

谁也没有思想。朋友说，中国人两千年前就思想完了。百家争鸣乱想了一通，给自己立了无数规矩，后两千年争的都是解释权。净你这样的，无事生非，有话不好好说，把明白照糊涂了说，方法和方法打架，你说是桃，我非说是杏，林子里挤的都是花儿匠，林子外是等着长途贩运的。

鲁迅呢？我问。

他是一砍树的。朋友说，大家这儿丰收得没完没了，他烦了，抡着板斧抢进林子，一通嚷：你们也别这臭美了，我把这树全伐了！那帮猴在树上的又吃又拿的全傻了，外面那帮等着贩运的齐声喝彩：深刻！

这百十年来的那帮……志士仁人呢？

那是国际贸易，从外国林子里批来果子，到岸分装，音译商标，冲击国内市场。这帮倒还老实，是谁的代理商就说是谁的，销售手段各有花招，品牌还得用人家的。当然会外语就像会唱歌，本身也可以小小牛一下，再也没有比把外国话说成中国话更像胡说八道的了。所以，朋友总结说，关键不在于怎么想，而在怎么说。你譬如孔子，搁今天就是一傻帽，“有朋友从外地来，能乐得不知道自己姓什么。”“三个人里准有一个人能教我。”“我知道的就说知道，不知道的就说不知道，那没准还有人以为你都知道呢。”——这不是傻帽吗？搁今天哪个宝贝说这么一顿大实话，谁会给他出书？还当祖宗敬着，招来一大堆更傻帽的人认真学习？

朋友拍着我肩膀勉励我：你小子路走对了，就这么胡闹下去吧。我等着看笑话，我跟你打赌，一定会冒出一帮糊涂蛋夸你：数你最思想。

| 女的是怎样练成的 |

关于女人，男人中流行着很多神奇的说法，最著名的大概要算贾宝玉说的“水做的”。对于我这种没什么诗意的人来说，事情就是明摆着的，什么女的也是肉做的，除了生殖系统和男的十分不同，其他地方也没什么新鲜的，套用陈村的话说“都是自然现象”。

既然是自然现象，就应该以自然的态度对待，什么是自然的态度？那也无非是拿人当人。说到女的不是正经人，我觉得女的似乎比男的更认可这点，无论是最放荡的女流氓还是最本分的小家碧玉，一谈起自己就特别愿意强调和男人——别人的区别，似乎她们是一个特别的物种，有独到、旁人闻所未闻的品质，好的方面，说自己更感性，直觉特别灵，很为只会形象思维而发愁；缺点：娇气，脆弱，易变，明知不对也不能不去爱“一切美好的东西”。我见过不少女孩笑着承认：是是，我是有点水性杨花。

强调差异，目的显然有一个，寻求照顾和维持现状不变，不单是女的，凡是我们觉得有些东西不好变，变不得，变了要坏事的，往往要强调其独特，这是一把锋利的刀子，一切诘问迎刃而解，然后安于独特，以致明明与别人没什么不同，也要把这作为话语盾牌，堵那些不想变不喜欢变的人的口——这都是跟女的学的。

女的真的有什么独到的禀性可令她们迥异于人类？这话恐怕经不起推敲。感性，那只是和理性对应的说法，谁最感性？疯子最感性，一切服从感官，想起一出是一出，完全罔顾人类禁忌和社会公德，热了，就在大街上脱衣裳，饿了，捡起什么都往嘴里塞，喜欢谁就掀谁裙子，烦了谁见面就打。

次一级是艺术家，对月长叹，见风流泪，放着好好的日子不过，折腾。再次一级是流氓，信邪教的。凡是说不清自己为什么跟大伙作对的都可说比较感性，哪儿有女的什么事啊？大疯子大艺术家大流氓大教主都是男的。

直觉？不识字的农村老太太直觉才厉害呢，能打卜算卦，知道你们家东西丢了往哪个方向去找。原始民族会依赖直觉，猜天猜地猜祸福。与其说女的比男的更直觉，不如说女的更信这个，女的直觉大部分是往男的身上用，直觉他是个好人，直觉他与我有缘，直觉他外边有人儿了。什么事儿也禁不住这么琢磨，朝思夜想，幻觉就来了，其实是瞎猜，好的坏的都想到了。我做过小测验，发现自称有直觉的人都有一个特点：猜对了就说是直觉，猜错了，不算。这概率是一半对一半，总有蒙对的时候吧。

女的还特爱猜别人的品质，常见妻子对老公说某人是坏人，劝他离他远点，小起波澜便唠叨：我说什么来着？你就傻吧，以后你还得吃亏。我有很多朋友，妻子都是明公，经常在丈夫遭了朋友或生意伙伴算计之后洋洋得意地四处散布：不听我的，哼——女的看人最准！好像她们的丈夫都是傻瓜，老实疙瘩，天底下最厚道的那个人。就我所知，她们的丈夫没一个是省油的灯，女的这么说只知其一不知其二，谁不知道社会上净是坏人？问题是做事能跟好人做吗？有本事的全是坏人，做事就是坏人和坏人过招儿，最后看谁把谁黑了。老是把别人黑了，那也不公平，十次里六次你得了手，就算成功人士。况且，有时吃点亏是可以转化成商业信誉的，都知道你老实，没心眼儿，其他坏人才敢来找你，机会也就来了。我认识的生意做得大的，都装老实人，说起来净挨坑了。什么亏都不吃的，道儿越走越窄，谁愿意跟鸡贼共事啊？

形象思维，这个只怕也不是女性专利，全靠形象思维撑着的所谓艺术，玩出花儿来的还是男的比女的多。说某人只会形象思维，只有形象思维这根筋，我觉得跟说这人是瞎子差不多，只会听，摸着桌子叫桌子，摸着椅子叫椅子，最后也数不齐一堂家具，只会形象思维也不代表形象思维就发达，都说盲人耳朵好使，我就不信，再好使也不如眼睛耳朵一起上连看带听知道得清楚。所以，别拿这当优点说了，你有的别人也全有，你没有的别人还比你多一样，吹什么？

娇气、脆弱，光女的这样吗？我就很娇气、怕疼、怕痒、不爱劳动、怕虫子、怕冷、怕晒，到哪儿都想走得舒服、住得舒服、有热水澡、有好吃的、有时累着了吓着了吃多了也当众昏倒。俩月前我还在史铁生家不留神吃晕过去一次。脆弱，那就更别说了，为八竿子打不着的别人的一句闲话还难过半天呢，天天傍晚黄昏有月亮的夜里都不想再活到第二天，赶上阴天下雨更是在心里闹得死去活来，脸上也起疙瘩，饭量也小了，更觉得自己委屈，亲近的人都得重视我，稍微不待见我一点，就恨，发毒誓不原谅人家，最喜欢的乐器是笛子，最喜欢的表情是忧郁。

易变，这个我确实要替男性打抱不平了，上下五千年，方圆九百六十万平方公里，谁老变呀？见一个爱一个，是好的就想往家里抱，著名的陈世美，广大的嫖娼爱好者，包二奶的，都是什么性别？问问那些夜晚出没在夜总会桑拿的“性工作者”们，是一对一吗？一晚上接多少客呀？有一只鸡，就要有一百个“养鸡专业户”才供得过来（我没统计过，我这是瞎说的）。我是男的，我有资格讲这个话，就绝对人数来说，就感情易变而言，男性百倍于女性，加上心里叛变的，一个没跑，基本上是百分之百在论。忠诚，如同男人没有子宫，那根本就不是男性的零件。别看有的人和老婆一辈子白头到老，其实心里不知憋了多少坏，晚上看着老婆打呼噜要是杀人不偿命不定掐死她几百遍。如果拿男人、女人、狗这三样东西的忠诚排一个次序，肯定是倒数。

“水性杨花”，只是女的不那么傻了，老实了好几千年，刚出来瞎搞几天，有点不好意思，把爱好说成了性格，这我要说点瞧不起妇女的话了，水性杨花？你们差远了，我们男的才是好手呢，什么叫出神入化？就是玩习惯了，玩成本能了，跟老司机开车似的熟得换挡都不过脑子了。更好的，能完全忘了自己拆过的烂污，还以为就数你们不正经呢。

以性情论，女的异于男性，不过是人群中体质较为柔弱的，皮肤较为细腻的，头发长一点的，爱穿花衣服的，爱看点时装杂志的，说话比较尖声尖气，专门负责生孩子的一种人，这最后一条十分重要，差不多是男女区别的唯一要点了，前面那些特点男的努努劲儿，也能弄个差不多，譬如同性恋，除了不会生孩子，女的能干的他们也都能支应一番，意思还都在。

不要以为只有女的爱打扮，描眉画鼻子，所谓“爱美”是天性，看看动物界，其他哺乳动物就知道，这不说是反人性的也是反自然规律的。人家都是男的漂亮，公狮子，公鹿，公孔雀，公鸡，一个赛着一个花哨，都是自己长的，要是人也都不穿衣裳，在野地里乱跑，其他动物瞧着可能也得说男的好看，谁身体好谁吃得好啊，像刘易斯那样，都跑出肌肉来了，老一点的，腿脚不利索的，那些不好看的，都叫老虎打扫了，女的，生存环境不那么险恶，不是猴在树上就是猫在洞里，难看的也没人吃，踏踏实实活着，晒得倍儿黑，滚得一身泥，走哪儿老老少少一大帮，基本都没法瞧。估计那时候也跟动物世界似的，一帮女的只有一个男的，用完就当药渣儿倒了，母系社会嘛，谁好看女的就欢迎谁。她们阴在黑不溜秋的洞里，男的在洞口争奇斗艳，插根羽毛，围块豹子皮，脸画得跟花脸猫似的，搞不好还要又撕又咬照死干一架。说来也是一本血泪账，从猿到人几十万年，男的一直给女的当全活儿保姆，受尽歧视和压榨，她们还搞愚民政策，南边哪个少数民族发现的“女书”就是证据，只要你干活，不给你认字。

直到后来，男的奋发图强，会种庄稼了，秋后收了一大把麦穗，过冬有得吃了，第一个男的长了志气，不再回山洞当苦力兼性奴隶，用今天的话说“走自己的路”去了。那年冬天大雪，各山的猿人全断顿儿了，第一个女的从山洞里饿出来了，伸手跟坐在麦垛上的男的要，男的瞧她那德行也不爱搭理她，不给！为了给庄稼汉一好印象，这女的抓把雪，把那脸嘎巴擦干净，觍着这张新脸问：“还不给吗？”第二个女的饿出来了，瞧见了同伙的表演，不屑，黑着脸就过来了，有一个干净的在一边比着这位还能看吗？男的审美活动这就开始了，第二个女的还没熬过这冬天，在一个晴朗寒冽的日子生生饿死在洗了脸的姐姐身旁，开春以后，您猜怎么着？都到小河边洗脸去了。有那花花肠子的，洗过脸又摘了朵野花插那头乱毛上，更个别了，男的都爱，舍得给她吃。这么着，权力开始转移，母系社会崩溃了，到交配季节，年轻女的都开始洗脸，插花，撇下又老又穷的女酋长一个人在洞里叫天天不应叫地地不灵。再往后，都拧过来了，乱别头发，乱穿衣裳，叫什么发型、时装——起初就为一口吃的。

现在是不愁吃不愁穿，可毛病坐下了，不往脸上涂点东西，穿成蜻蜓那样，就难受。也是先天长相不如男的，后天就要找补，随便从大街上抓十个男的十个女的，都给洗了，摆一块儿看看，就显出谁返祖现象来了。

说半天说什么呢？说时代一直不同，男女一直一样，哪有天生的女的？都是惯的。多少妇女在发奋？多少男的在乔装打扮？为什么有些男的会让人觉得像女的？他也是头一回洗脸的女猿人那一套，或油头粉面，或粘一肚子假胸毛，甭管照细了扮还是照糙了扮，都为骗吃骗喝。从找饭辙再不用拼体力时起，就不能拿性别说事儿了。再往后，我想就没人再用“男的”、“女的”这样含糊的，从生殖系统出发的，随便就冤枉了几百万人的命名划分人群了，科学的方法应该用“吃自己的”和“吃别人的”这样食物来源的不同，区别人口。像《世界都市》这类给那些爱洗脸的人看的杂志也不该叫“女性刊物”，那不是对本身供着小白脸自强不息的女性的侮辱吗？一律叫“吃别人的刊物”得了。

有没有“吃自己的”主儿也看呢？有，我信。我也看，看画儿，练眼睛，上大街好瞧得清什么叫“裹得乱七八糟就出来了”。

都不是东西

有的时候我也不懂自己为什么这么阴暗，把别人干的事儿一律往坏处想。穷人出本书认定这人不甘寂寞，不守本分；名人说两句闲话就认定这人是装孙子，没话找话；媒体报道某人某事就说是炒作；导演拍部片子，卖钱了是傻子，不卖钱还是傻子。说来说去，就是不相信这人目的就是他正在干的这件事，一定要去打探、猜他后面的真正动机。其实自己想象力也有限，猜来猜去，无非是“名利”二字，某人想钱想疯了，某人想出名想疯了，得出这个结论，自己也踏实了，觉得把人家看穿了，进而把纷纭世相也看破了，如同小孩子问人吃的饭都到哪里去了，一定要追到厕所，追到粪坑，掀开粪井盖子看到鸡鸭鱼肉化作一池粪便，才算满足了求知欲。

有人问过我，你为什么这么苦大仇深？谁怎么你了？小时候遭了什么罪，为什么对一切都透出这么一股狠劲儿？

还真问住我了。我确实是没饿过肚子，没挨过暴打，想干吗干吗，一辈子净占便宜了，按一报还一报的古义，我应该感恩，施舍，到处说拜年话，见谁都笑眯眯，为来世垫砖铺路，当大善人才对。

想来想去是本性，本能，本人的德性。我是人，追名逐利的人，因而所有人都是追名逐利的人，就是这么一个简单的逻辑。我发现自己不是一个好人，而且被再三证明，于是十分失意地接受了现实。这时能多少对自己有些抚慰，不至于因此不爱活了的唯一有效的方法是将同一逻辑逆推：所有人都不是好人，我是人，所以我只能不是好人。这么想显得事情有商量，一切都先天的，与人格品质无关的，不是不想当好人，是当不成，甚至可以把这归为人性，这样才算全乎人儿，好人才没人性呢！

实际上是自己先预备了答案，再去套所有人，非要列出和自己答案相等的算式，否定别人就是肯定自己，不说自己比别人优越吧，起码不比别人更坏——千万别有例外。

这么想惯了，好好的便眼露凶光，谁也没招你谁也没惹你就觉得已经被人严重对不起了。

这听上去像自我批评，准备改，不，我不是这意思，我坚持自己的观点：没一个好东西，怎么想别人也不过分。所有自夸的、自以为正确的、在外招摇的，都是暗中夹带自己私利的，必须有人出来给他们添点恶心，别让他们觉得有一手遮天的好事，占多大便宜现多大眼，这不是洒狗血，是行使自然规律。

应该立法，取消所有公众人物的名誉权、隐私权，造成一种共识：公众人物，即是供公众嚼舌头的人物。这样，就剩下无耻之徒了，起码可以少一些爱得了便宜卖乖的假正经。

|从一个流言说起|

有人传，张艺谋的影片要被树成样板了。为了保他，有人做了手脚,使他的影片成为去年威尼斯和今年柏林两次影展唯一合法送展的大陆影片。这个流言中引述了一些因此失去机会的导演的抱怨，猛一听言之凿凿，细一想死无对证，闹开了，打起官司，只怕还是张家人赢。像大多数流言蜚语，这个流言也在传播过程中不断增加新的内容。当我第二次听到人家讲这个事，树张为样板已被说成一种国际安排，流言中点了美国哥伦比亚电影公司，说包括巩俐的柏林主席都是这家公司一手推动的，这就有点匪夷所思了，越来越像一个标准谣言了。欧洲的文化事情能为美国人操纵，似乎是反常识的，但谁又能说钱、关系在“廉洁”的西方就不起作用？搞院外活动、替利益集团游说在美国也是一个合法的兴旺的行业。

这就是流言的可怕力量，它像科学幻想一样开拓人的思路。

在柏林开奖前，这个流言就预测：张肯定会得一个奖。传言者貌似了解内情，甚至援引参加过国际电影节评奖的专业人士的话讲：在一个评委会里，只要有一个评委坚持，就会平衡给他一个奖。外国人也是人，也不独中国人才讲面子。

《我的父亲母亲》果然得奖了，各报的报道十分混乱，《晨报》说是“特别奖”，评委会大奖给的是文德尔斯的《百万美元旅馆》；《晚报》则说张是“大奖”，文德尔斯得的是干巴巴的“评委会奖”。显然颁了两个评委会奖，到底谁是正经的“大”奖，谁得的只是一个安慰奖，大概要查德文原文了。流言立刻批准了《晨报》的译文，因为这个译法更合适流言进一步发展，于是流言有新说：此“特别奖”等于中国举办亚运会特设的武术项目，是巩俐为张艺谋争取的。我特别问了一个在德国报纸服务的朋友，请她查了德通社的稿子，证实《晨报》译错了，张得的是“评审团大奖”，即整个电影节的二奖，文德尔斯得的是“评审团特殊艺术成就银熊奖”，可译成“特别奖”。这就破了流言的新说，于是流言又立即跟着修正，把话题转向张此次得的另一个奖“世界天主教评审团教会奖”，这奖明摆着是超艺术和表扬现象的，“世界天主教”听上去像是一个国际阴谋，或叫“国际大合唱”。这是流言的另一强大所在：它总是能自圆其说。

流言的真正生命力在于它暗合了人们的期望，譬如我，就发现自己非常乐意相信这个流言，我对张的两部影片《一个都不能少》和《我的父亲母亲》的看法和流言制造者的立场非常接近。这两部片子我都认为很差，根本不值得作为好影片向公众推介，再有一百个评委会给奖也改变不了我的看法。我和流言制造者的区别仅在于我是用另一个思路、自己的方式去否定这事儿：评委会是什么？也无非是随机选中的几个闲人，他们过去再大的成就也不能使他们今天具有当然的权威，我们早已告别了迷信权威、大家公用一个头脑一双眼睛的时代——他们肯定张的片子，只能说明他们臭，这个电影节不够水准。

简单就是简单，用什么“简洁”之类的文字游戏遮羞也是枉然。诗意，不是乡村美丽的风景和年轻女孩子脸蛋那种挂历般的柔媚；从漂亮看出美好，不是发现，不过是一个老头把破碎的老梦醒着、强努着再做一遍。感人，讲的就是刻意的效果，凡是打算鱼目混珠的作品都在疯狂追求这个，而且大家都选择最笨（也许是无奈）的方法，回避所有可能引起尴尬的事实，只挑最软最腻的地方反复揉搓，同唱一首歌“我说你世上最善良”。不老实叙事，只宣传意图，那还用拍电影吗？

我觉得张艺谋近年的创作受一种强烈主观意图支配，那就是想讨人——讨所有人喜欢。近期他对媒体的谈话中很是流露出左右逢源后的自得和能继续“活着”的自信。生存当然是重要的，要付出代价，但要小心——再小心，像做小本生意，不要把本钱搭光，仅仅会“活着”，算不得什么说得出口的本事。张多次讲《一个都不能少》是他最好的作品，《我的父亲母亲》是“返璞归真”，他的严肃相和正经劲儿使人不得不相信他这样讲的诚意，假若这是真的，那我就要相信这之前的另一个流言了：他过去影片中的态度都是别人教的，是潮流的产物。进而得出结论：他一直就是一个投机分子。

一个人，东西差了，替他讲话的声音却响亮了，本来不是那么无懈可击，却为所有人称道，很难不怀疑在他背后有一股势力，有人在实施控制。我就知道有一个人，到处为张艺谋打理舆论，起码有三个记者跟我讲过，他们写了批评张艺谋电影的文章，便接到他的“文学策划”王斌的电话纠缠，此人以朋友的身份、讨论的口气对这三位记者逐次进行长达数小时的说服和激辩。我不相信王斌的做法是张的授意，我更愿意相信那只是一个人对另一个人的热爱和主动捍卫，但这同样是令人作呕的。我不想掩饰我对这事的义愤，我要说，这激起了我对张及他那一伙的极大蔑视。我认为王斌的做法破坏了一项相当重要的游戏规则，即：不得对文艺批评进行人身追究。

这么干，不出流言才怪呢！

当我看到大大小小的教授、记者列队出游，一会儿在东报上扎个堆儿，一会儿在西报上扎个堆儿，恶吹张的烂片，一个谣言油然而生我心，这都是拿了钱的。

你们以为你们是什么人？不管你们能动员多少有效资源，一手遮天这事儿想也不要去想。电影是越来越像一单生意，电影圈中人也越来越学会了使用商业手段自我经营，去为你们的产品做花样百出的广告吧，也许有一天你们会像汉堡包或可口可乐那样知名——那也别想让所有人喜欢。为什么不能现实一点，尽管拍自己想拍的片子，用想出名那样的坚忍毅力，忍受所有不喜欢自己的人的批评。

批评成风，流言才不会有空间。

|吃错药引起的爱情|

爱尔兰王后为了让即将嫁给马克国王的女儿绮瑟爱上丈夫，给她配了一剂春药，结果被马克国王的侄子特里斯丹和绮瑟一起喝了，于是改为这俩人强烈相爱，不顾伦理，不顾君王的尊严。马克国王惩罚了他们，将特里斯丹驱逐，他二人怀着思念死去，死后合葬，坟头上长出两棵枝叶相连的树。这是12世纪诺曼人的浪漫诗篇《特里斯丹和绮瑟》的情节，可说是欧洲的《梁祝》。

中西爱情，都有悲剧传奇，大都是社会地位的悲剧，怎么好上的，并不重要，省事的方法一见钟情，用力全在怎么交配不成，送了性命，这也说明人同此心，坚持两性相悦的生物性，凭此一点，去造文化的反。道德的目的，在于隔离社会各阶层，把上帝的归上帝，恺撒的归恺撒。道德总是很雄辩、很成功的，唯独无法使各阶层人民停止互相吸引，把自己的归自己。革命的种子就是这么种下的，每一次社会革命都包含人对自己自由交配权利的主张，所以每一次变革成功，社会上就显得道德败坏，个人的选择就被赋予了功利的色彩，似乎自由恋爱只是为了反社会，而悲剧总是旧制度造成的。

在《特里斯丹和绮瑟》里，悲剧是一服药造成的，这有点像爱情的真实状况了，只是一场无所谓对象的化学反应。更悲剧的是马克国王，他眼睁睁看着自己的自然权利被一个意外排斥了。他甚至很难怨恨侄子和老婆，因为他们看上去也很无辜、没想到和身不由己。他们一直抵抗这个爱情，在森林里同居三年没发生关系，床中间一直搁着一把剑。在这里，爱情露出了它的另一面，把别人的也归于自己，在没人需要它的时候也要插一手，直到毁了相信它的人还以胜利者的姿态在他们的坟上长出两棵大树，继续占有死者的灵魂。

人类相信很多东西，赞美很多东西，视这些东西为增进自己幸福的必需，或干脆将这当做自己天性的一部分，赋予其神话般的崇高地位，没有也要牵强附会，以讹传讹，以使自己显得比其他动物懂意义，是为更高的目的存在。人比其他动物傲慢，在于他们以一种盲目的信仰接受一切他们不理解的东西，并从中得到快乐。

听说一台由皮尔·卡丹先生出资的法国音乐剧《特里斯丹和绮瑟》四月份要来北京保利剧院演出。这一定有人们关于爱情的全部想象，美妙、神秘、伤感；还会有音乐剧的华丽、炫耀、动听；当然也少不了皮尔·卡丹先生的法国派头、时尚和一大堆漂亮衣服。快乐的小资们又有机会快乐一次了。

把刀插在朋友肋上

咱们刚从树上下来那会儿，直起腰四下一看，草原上、大河边、森林里，到处走的都是大野兽，猛犸呀、剑齿虎呀、恐龙什么的。想吃口肉太难了，一个人打猎，十有八九让人家当猪打了。这就要交朋友，一群哥们儿傍着肩儿出去找吃的，喊呀，追呀，逃啊，砍石头啊，说是打猎，更像是打群架。社会是怎么形成的？就是一帮猿人在共同的群架生涯中觉得彼此再也分不开了。

即便这样，一帮哥们儿有福同享，有难同当，心往一处想，劲儿往一处使，也不见得每天能打着东西。据阿城说，那帮猿人打猎也是个幌子，成群结队出去其实是捡骨头，大牲口吃完肉，这帮孙子冲上去捡一些骨头砸开了含在嘴里狂吸，所以发明了石斧，所以山顶洞里一地一地的骨头渣子。在那个年代，人一点都不高级，只是食物链最后的一环，打扫餐厅的。生活多残酷啊！有朋友的尚且如此不堪，没朋友的，估计只能默默地饿死，生下来就没吃着过东西，生扛几年，也就默默地回去了。

这之后，几十万年过去了，大牲口基本都给打光了，活着的也都当了俘虏，关进动物园，再出门，满视野走的都是衣冠楚楚的人，虽说也是些衣冠禽兽，但还没听说有像豹子的，看见身子骨弱的，当街就追，直到咬死而后快，生命安全不那么悬了。生活也好了，只在兜里揣着几张印着头人相片的纸条，想吃肉，进饭馆，买生的回家做也行，总而言之，用不着齐心协力搞饭吃了。这时朋友在实用意义上其实已经没用了，剩下的理由都是扯淡，分享快乐呀，分担痛苦啊，朋友多了好办事啊，多个朋友多条路啊，都不是要命的事儿，都是闲的。或者是不踏实，内心没有安全感，对人类没信心，还是估计有一天，早晚轮到人吃人，多交些朋友预备着。还是那个远古记忆难以磨灭：人，一旦走了单儿，什么东西都能吃了你。

从那时起到如今，人改了很多生活习惯，穿衣裳了，刷牙了，进屋敲门了，不见一个办一个随便往地下躺了，想拉想撒也知道到指定的地点行事了。就是这种好扎堆儿，好往一块凑，不敢一人待着的习惯没改。谁最累呀？朋友最累，你的事就是他的事，你结婚了，他来喝酒，你有钱了，他来帮着花，你进监狱，他没影儿了。这叫“炒豆大家吃，炸锅一个人的事”。

第二累，他的事就是你的事。他闷了，你得陪他说话；他要做事情，你要向他交关系；他找了一蜜，甭管什么德性，你得当嫂子，维着；他跟谁急了，等于你也急了。你还当自己人缘广呢，他那里已经替你和一片人绝了交。现在社会已经文明了很多，法院也开始管人民的鸡零狗碎了。我年轻的时候，人民内部矛盾都是人民自己解决，经常有这等事发生，你老实巴交在屋里待着，你一铁哥们儿哭着进来，说被谁欺负了，你没有别的选择，必须立刻低头满世界找砖头，义无反顾跟着他出门，外面是刀是枪等着你，那全看你的运气了。这叫为朋友两肋插刀一把刀插在朋友肋上。

知道分子

有一孩子，从小爱学习，人也不苶不傻，老师讲什么，家长讲什么，社会上闲杂人等讲什么，孩子听了都往心里去。后来认够了字，也比比画画会写了，见书就看，拿小本子就抄，历代名人的胡说，招三不招两的话，只要话够大，理想啊，生命啊，都记。知道的是抄别人的话，不知道的还以为孩子自己爱想问题，人见人夸：这孩子出息。夸得多了，孩子自己也觉得这叫出息了，越发不可收拾，小学，中学，大学，硕士，博士，博士后，一念就是二十多年；然后摇身一变，助教，讲师，副教授，教授，博导，又是二十多年；俩二十多年一加，五十多年；再加上前面还有六七年不懂人事的岁月，孩子奔七十了。

你以为孩子这一辈子白过了？孩子一天没闲着，除了把中国字认了一溜够，一闭眼好几万字，外国字也认了十几门，一门结结巴巴能说的，两门扳着字典能读的，三四门看着眼熟，五六门会说“哈啰”，还有全世界各种版本的“我爱你”和“ ×你妈”。这孩子还了得吗？可天下的事什么他不知道？可天下的人但凡有一号的都是他熟人，特别是死了的，越死的时候长，越跟大伙没关系，孩子就越熟。孩子的心和他们是“相通的”。

仗着这帮死人，孩子开始教训活人。只有他知道死人说过什么。孩子门儿清“太阳底下没有新鲜事”，不光是咱们这一辈人好议论爱想事，早八辈子的人都是这么爱说爱琢磨事，是道理，都让死人说遍了，全是现成的，重抄一遍就是了。什么叫“彪炳千秋”？什么叫“万古长青”？就是一千年一万年前说对，一千年一万年后再说，还对——这千万年当中，大家就闭嘴吧。印第安人有一个信仰，认为每个死去的人都会给世界留下一个生命的纪念，一绺头发，一颗牙齿，甚至一摊粪便，以传达他了解的知识，也是个保佑后人的意思。中国读书人也有这么一个信仰，孩子就是他们留下的头发、牙齿和粪便，当然他们不这么叫，叫“读书种子”。有孩子在，不肯死或死不甘心的读书人就觉得留了一点东西给后人，就觉得自己没全死而快乐了。

和伟大的人搞惯了，有一个问题，就是以为自己也很伟大，或者他老大，我老二。抄惯了别人的宏论，也有一个问题：不知道哪句不是自己的。其实这很容易分辨——哪句也不是你的。

第一个人说的，叫“知识分子”。第二个，第三个，还有不知道隔了多少代隔了多少辈，俗称“八竿子打不着的”，都叫“知道分子”。

附注：分辨“知道分子”小常识：写伟人传记的；为古籍校订注释的；所有丛书主编；所有“红学家”和自称鲁迅知己的。

次一等：好提自己念过多少年书的；死吹自己老师和老老师的；爱在文章里提他不认识的人和他刚看过的书的。

“知道分子”代表刊物：《读书》；代表作：《管锥篇》。

| 阳光灿烂的日子追忆 |

1991 年我搬到那儿才知道姜文也住在那儿，马路对面。

1992 年《动物凶猛》发表，我送了一本《收获》给姜文看。当时他正在争夺《红粉》，我在他家见到苏童。有两个导演说，不知道《动物凶猛》怎么拍成电影。有一个导演说，姜文拍不了这个东西。

记不太清在这之前还是在这之后，在刘晓庆家里见到文隽。姜文说这是个不错的香港人。他们正在合作拍《龙腾中国》。文隽是制片人。

在我家或他家经常谈起《动物凶猛》这小说。姜文东问西问，打听这小说的背景、原型，为什么一定要这么处理某些事件。我拒绝做编剧。我刚刚写完大量小说和电视剧本，写作能力陷于瘫痪。尤其痛恨给有追求的导演做编剧，惨痛经历不堪回首。我无法帮助姜文把小说变为一个电影的思路，那些东西只能产生于他的头脑。

到今天我都认为电影导演应该自己写剧本。你要拍什么，怎么拍，自己先搞清楚，犯不着照死了折磨编剧，在编剧的尸体上提高自己。

接着他去美国拍《北京人在纽约》。次年回来要拍《我是你爸爸》。

在美国他打回几个电话，流露出要放弃拍《我是你爸爸》的意思。

1993 年他从美国回来，开始写剧本，名字改为《阳光灿烂的日子》，非常印象的感觉。我去重庆饭店看他，已经有了剧组人员，制片主任、剧务什么的。房间里贴满了毛主席、林副主席、红卫兵们的照片。有一面墙贴的都是美丽少女和酷似姜文的半大小子的照片。

文隽从港台两地筹集了一些钱，国内一家公司出了一笔钱，三等分，凑成不大不小的投资规模。

剧本写了几个月，拿出来时比小说还长，大概七万多字。我学习了一下，知道电影剧本怎么写了。可叹我混了这么些年，确实有些时候是欺世盗名。

开了个座谈会，谈了些什么意见忘记了。

夏雨已经定了。还集中了一些浑小子。让他们穿上军装，住进部队营房，与世隔绝每天看西哈努克访问中国，听毛主席语录、诗词歌。苏雷给他们讲了传统。

副导演们每天都去各中学、各部队大院找演员，普遍反映找不到印象中的男孩子女孩子。包括已经进组的孩子都觉得也不知哪儿有点不对。我印象中那时候我们都很漂亮、纯洁、健康。一个朋友还保存着一些那时候的照片，黑白的，135 相机拍的，很小的那种。看了照片才发现印象错误，那时我们都不漂亮，又黑又瘦，眼神黯淡、偏执，如果算不上愚昧的话。我以为我们纯洁，其实何曾纯洁？所以找不着印象中的我们。现在城市中的孩子已没有那种眼神，不复存在那种劲头。那是农村少年的形象。尽管如此，我还是认定印象中的女孩子是真实的。其他人也这么认为。似乎现在的街头还能时而看到那样的清纯少女的身影一闪即过，所谓惊鸿一瞥。可是找来的一群，细细一看，又都不是。似乎那少女只在朦胧间是清晰的，努力去看，化脓化水化为俗物。可见此物难寻、珍稀，也许只是我们心灵的一个投影。

开机那天，按香港习俗，供了冷猪头、瓜果梨桃什么的，放了很多鞭炮，硝烟弥漫。

那以后北京便禁放烟花爆竹。女演员仍未定，拜四方时三个姐儿都上去一字排开。有这等胸襟，我是自愧不如。

最后定了宁静。

之后他们拍戏，我混日子。冯小刚拍“老师”那场戏时我去101中学看热闹。一遍又一遍，姜文、顾长卫拍得认真，我在一旁看得无聊。

因为无聊，我开始戒烟，脑子里只有一个念头：抽还是不抽！

因为虚荣，我答应在戏中扮演一个角色。去卢沟桥拍第一场戏时我就开始后悔，大冬天北风呼啸拍夏天的戏。冻得我又流鼻涕又蹿稀，斯文扫地。

自行车是附近工厂工人们的。工会主席趁工人们在上班，让剧组用大卡车偷偷拉走。

拍完戏我坐在姜文和制片主任二勇的车上在河滩旷野上疾驶，远远只见一个汉子扬着手跑过来追车，可怜地扒着车窗往里看跟着车跑。他就是工会主席。拍戏用的几百辆自行车被砸坏不少，有的甚至被大卸八块，他没法向下班的工人们交代。

第二场戏是在“莫斯科餐厅”。我有一句台词。开拍前我紧张得烟瘾大发，一个月的戒烟成果毁于一旦。喝了一整瓶干白葡萄酒一点感觉都没有。

我差不多被那群武警军官扔了整整一夜，不断地抛上天空，又掉下来。最后所有人都筋疲力尽了，有一次我掉下来，百十号人居然没有一个人伸手接一下。幸亏在落地前有个善人伸出一只脚，我掉在他脚上才幸免于难。在空中我无数次地问，问自己：你这是何苦呢？有意思吗？难道就不能安于当个观众看电影吗？

第二天清晨从“老莫”出来，我知道我的明星梦破灭了。

又过了很长时间，听说剧组资金出了问题，文隽找不着了，戏还在拍。二勇到处赊账，一些他们拍过戏的景点，再有摄制组去一律不接待。再后来听说姜文拿出自己的钱应付摄制组开支。

年底，在北京饭店的一个饭局上见到姜文，没精打采的样子。大家都问戏什么时候拍完。一个演员开玩笑说听说片子改名叫《大约在冬季》。姜文差点急了。

又一次见到姜文，他说前两天刚喝醉了一次，现在还难受。

1994 年，片子停机了。文隽没来结账。那几天二勇最盼望想见的人就是文隽，他把剩下的钱都用来给文隽打电报了。有人带来文隽的消息，他在香港演三级片挣钱呢。

片子后期做到一半一分钱也没了。

姜文到处找新投资人，我跟着见了一些莫名其妙的大款。

这时，让·路易和王薇来北京筹拍《摇啊摇，摇到外婆桥》。让·路易看了双片，以法国人的作风给姜文写了洋洋七张纸的观后感，盛赞。他以取得该片德国版权为条件，安排姜文去德国做后期。

九月，片子去了威尼斯。一天夜里，我的呼机响了，上面打出一行字，于是我知道片子得了最佳男演员奖。

1995 年片子在上海首映。鲜花、五星酒店、新闻发布会。我以演员的身份参加了上述活动。

接着是北京、天津。

《阳光灿烂的日子》取得了 1995 年国产影片最好的票房纪录。

这一切最后以“阳光灿烂”影视公司成立而告结束。

|榜样的力量是无穷的|

知道世上有铁凝这人是很久以前，那时我还年轻，生活空虚前途悲观基本上是在瞎混，主要娱乐方式是看小说，像今天的年轻人听歌。一天闲翻当时的流行杂志《小说月报》，上面有一篇叫《没有纽扣的红衬衫》的小说，看完心情很不好，再看到后面的作者简介：铁凝，女，二十六岁。终于按捺不住一腔嫉妒发作，人家怎么那么有出息？从此立志赶明儿也像她这样生活，扬名立万让大伙羡慕再不蹉跎岁月。心里有点把铁凝当个方向，觉得超过她或叫追上她是个奋斗目标。还特别扭地去看了根据那篇小说改编的电影《红衣少女》，演姐姐的那位演员好像是罗燕，很端正很文静有点拿着的劲儿觉得这就是铁凝。

后来自己也有了成绩，心胸开阔了一些，不那么小心眼气人有笑人无也颇顾盼自得，看到铁凝的《哦，香雪》《麦秸垛》写猫写冰心的小文章更觉宽心：到底是女作家终不免掉进美好的俗套。一直偏激地认为创作乃指对人性的发现而非对人性的肯定，人情温暖是孩子的情感，在我们这里又常常用来粉饰太平难逃肤浅之嫌。之间也听到些铁凝的八卦，又升了，同时当着三四种“主席”。我拍手称快：好好好，一当官这人就废了。

一天不留神看到她写的《玫瑰门》，受了一惊，差一点又是个好东西。过了几年又是一不留神看到了她的一个小说，本来是不看她的东西了，也没思想准备，结果受到了严重的精神打击，这小说就是《对面》。不想说她写得有多好了，什么时候一提这事对自己都是一个刺激，还记得那几天的消沉和郁郁寡欢，生活真残酷，居然不光自己写得好，真叫人灰心、怨恨、活着没劲。

说这么热闹还是只闻其声没见过真铁凝。偶尔在一些杂志上看见她的照片模模糊糊知道一大概其细节不十分准确，只感觉这人挺爱打扮也挺会做人的，可能是名字的原因还觉得人挺厉害的弄不好还挺正经的。估计是早晚能碰上，当了一回作家不认识铁凝也挺遗憾，提醒自己万一见面悠着点。

上上个礼拜“三联书店”首发河北教育出版社出的《女作家影记》，去凑热闹，远远就看见人堆里铁老师在活生生地笑左右逢源地说话。我是好久没参加作家圈的正经活动了，当时去的是一大帮人，老奸巨猾的王蒙老师中奸小猾的刘震云貌似忠厚的莫言还有她们一起出“影记”的张抗抗陈染方方池莉迟子建等一帮女的，各见精神，瞧着心里都挺痛快的。说过不少糟践作家这行当的话，其实心里感觉挺近关系也一直好有共同语言的还是这帮写字的，像是一党同志平时都在各根据地（指各人家）坚持斗争有共同的理想共同的追求拴着一见面就是个团结的大会。我这人有一病，满心欢喜时话就有点密，怎么说也是影响过自己的人，加上1998年是掏心窝子年，我确实有点儿上赶着跟人铁凝臭贫来着。那铁凝老师确实没架子，也没因我是后进青年就不爱搭理我。往下我就不细说了，左不过开会、发言、吃饭花插着胡扯抖机灵见一个夸一个祝贺乔迁祝贺新婚宣布谁又被盗版打听谁又挣钱了，也忘了隔着人和铁凝说什么了被池莉训了一句：“你就像一小流氓。”可能是我自吹呢。

说不上来铁凝的反应，你瞎逗她也会意，你无聊她也坦荡，也不是不卑不亢也不是一盆火似的迎上来你说一句她说十句，很稳得住神儿的样子。回来琢磨半天，想找一比喻来形容一下，想了几个都不太合适。胡乱翻她的影记，发现人家小时候就是一挺深沉的孩子，照相时也不笑，眉是眉眼是眼盯着镜头；稍大也一直严肃地绷着脸目光如烛好像没停了思索人生……突然想到这是那种学习成绩好挺骄傲的女生的眼神，对对就是那种聪明懂事上上下下都是大红人的好孩子，中学小学每班都有一两个这样的。

再往后看都是笑的，今儿东明儿西到哪儿跟谁都是美不滋儿的一脸明媚。一次是在地里扛着大萝卜，跟一九十多岁老太太拉拉扯扯，好像是人家城里大孙女，也乐，喜不自禁，扛着人参似的。有几回明显笑大发了，晃了自己的范儿，脸上表情稀里糊涂眼睛半闭不闭嘴似张非张感觉是刚美过一场突然空白了。其中一两张也红装素裹规规矩矩坐在桌前站在门口手托腮或摸着耳朵作愣神状安静状，都不太像，心闲气浮还不如直接东张西望这我又不知道像什么了。

其实我也是多余。人家像什么到底怎么回事也不干我事，说多了也有点小是小非背后议论人挺俗的。说正经的，明天准备去逛书店，挨家挨户嚷嚷：“有铁凝新书吗?”一是义务宣传假装很多读者在找；二是真打算买她的《无雨之城》和《午后悬崖》看看。群众反映这两本新作又跟她以前的东西不大一样了。只怕看完印象又变了。

回忆陈吾二三事

认识陈吾是二十多年前，陈吾在人民大学念法律，我在白塔寺药店当伙计。陈吾有个同学叫段毅，是我们院小孩，这个段毅是个侃爷，平生最爱把一帮人聚齐就着酒高谈阔论。他们这个班是那种“文革”后的大龄班，多一半是在社会上混过的，又憋着当律师什么的，去法庭上耍嘴皮子，能说会道者甚多，陈吾就是其中之一。他是那种人，永远笑着，赶着人说话，张了嘴就拦不住，滔滔不绝，收音机一样。饭桌上有他和段毅两个人，就像同时收听两个台的广播节目，谁也摁不住谁，各自说，各自乐，那个乱，经常有饭馆经理跑进来，以为打架了。

陈吾的能说是无极限的。有一次我们一帮乌合之众同去爬雾灵山，那是春天，漫山遍野开着杜鹃，一帮人稀稀拉拉，走走停停，散了一山。只见陈吾前奔后突，同时和所有行军小组暴侃，刚才还在下面攀花折柳，转眼又在前面盘踞在顽石上眉飞色舞。爬到下午，山顶在望，大部分人都痰喘了，口里只剩游丝之气，互相只有吠吠打手势的份儿，哪里还说得出话。这时陈吾居然唱起来了，各种北方梆子，还有大段方言念白，陕西的、山西的、河南的。他见大家都没了说笑的力气，自己在那里呛着风，逗自己玩。

当晚，我们宿在林场小屋，陈吾出去捡了树枝，给大伙煮面。他在农村插过队，会烧柴灶。屋里只有一扇炕，女的和女的指定的一些老实人睡炕，其他人睡地上。陈吾是睡地一族，在地上还叽叽呱呱说个不停。半夜，我先把睡我旁边的女的挤坐起来，接着自己也被左右夹击挤下炕，我踩着陈吾的肚子走出去，他一声没吭。

秋天，我们去爬海坨山，那一片原来是八路的平西根据地，很多村子被日本人烧得只剩石头地基，我们住的老乡家还当过八路的房山县政府。在山上我们犯了一个方向性的错误，没有沿着山脊走，而是下了看似近的山涧。这一下坏了事，沟太深，下到月亮出来也没到底。人都走散了，前后相差四个小时的路，脚力健的已经进了村，队尾的还没踩着平地。我以为我们几个是落在最后的，开始还一边走一边喊，前面还有回应，后来就没声了。后来又听见后面似乎隐隐有人喊，停下来等，只听杂树棵子一通响，我们还嘀咕别是野兽。陈吾一头钻出来，张着嘴咝咝吐着气，一脸惊恐从我们身边蹿过去，埋头往前奔，被我们齐吼叫住。我们说你怎么一人落后边了。他说，就撒了泡尿，再抬头怎么喊都没人答应了。还问我们，大部队呢。我们说，我们也把嗓子喊劈了，前面再没人了。见了人，陈吾恢复了发声功能，又开始说，太可怕了，一个人丢这山里，好像全山的野兽都知道了，喊喊就不敢喊了，谁知道把谁喊来了。然后他又乐了。海坨山是动物自然保护区，据说有大牲口，走在前边的人还蹬了村民下的夹子。

那是中秋，月亮很大，黑影很重，沟底全是鹅卵石，每一脚都放不平，起码硌俩石头，都打了血泡，跟火烧似的，腿也软了，低一步都要蹲着下，走走我们就集体出了幻觉，看见沟边一座房子，怎么看怎么是，有窗户有电视天线，摸过去，是一巨石。水也没了，嗓子干得冒烟，陈吾一路动员大家喝自己的尿，像上甘岭的志愿军战士一样。我都被他说动了，脑子里开始认真考虑这事，幸亏及时发现一潭死水，落的全是树叶，还有鱼虫，大家也顾不上了，狗一样趴在地上吹吹就喝了。

陈吾毕业有一阵在《法学周报》，办公室租的我们院老段府的房子，我们院另一孩子也是这单位，大家混得更熟。我还给他当过一次差。我在家都睡了，他给我打一电话，说他新买了一电视，往家扛缺一帮手。我从玉泉路坐地铁出来，他蹬一三轮，我和电视坐车上，拉到他们家，搁桌子上。我问他怎么蹬三轮蹬得这么油。他说工资太少，他下班蹬三轮送货挣点外快。好像还说累出个好歹，什么病记不真了。那年头的人，真是什么都干。

后来他去海关了。其实他干什么我也不知道，我们见面全是在酒桌上，一般是段毅从深圳杀回来大宴群朋。二十年里这个格局没变，大家还是狂喝胡聊，转眼之间酒喝累了，人也老了，一班熟人变成生人。

最后见陈吾是在张小刚的涮肉馆，去年，还是这帮人，他们一帮老同学加我们院一帮老孩子。他来得晚一点，听说他刚动了心脏手术，看不出来，还是满面笑容，灌酒，说个不停。这时我哥刚死，梁左也刚死，话虽有趣，笑不太动。

王燕打电话说陈吾猝死于深圳，我觉得2001年这年太凶了。追悼会我没去，因为我刚办了件损事，在“宜家”停车场撞了辆车，跑了，车号被群众举报，事主大怒，到交通队查到这辆车，当天上午要我去解决问题。这是个理由，更重要的是我心里也不想去，不想去八宝山遗体告别室，我不迷信，但那地方让人窝心。在此特表歉意。

对于死者，我不知说什么。说人的一生太短了，说我们会怀念你们，说祝你们在天堂安息，都让人说过了。想想这一切挺没意思。以前朋友的消息是谁结婚了，谁又生了，现在是谁又离了，谁又死了，也不知下一个该谁了。都死光了，这些回忆存往何处？

灿烂的文明在哪儿

小的时候我就被告知，我国是一个有悠久文明史和丰富文化遗产的古国。一讲起古代劳动人民的发明创造老师的眼睛就要闪闪发亮，于是我也跟着胡乱激动，优越感沛然而起，瞧世界任何一国都是傻帽。后来，长大了，却变成一个民族虚无主义者，崇洋媚外。自己也觉得纳闷，不应该呀，顺着这么一条自我夸耀的路走下来应该下出一个自尊自大的蛋才对，怎么反过来了？

闲得无聊，就在屋里脑子里倒带子，想想是在哪儿走偏的道儿。

这些悠久文明和灿烂文化都是什么呢？我先问自己。从中小学课本中看，实在的就是四大发明、万里长城、丝绸之路、赵州安济桥、西安大雁塔，还有一故宫，明摆着的，九千多间房子，世界上最大的宫殿。还有一些人，李白、杜甫、苏东坡什么的，那是从小知道的，也知道他们写过什么，算文明中的一部分。

除了诗人，别的再想，心里就含糊了，想来想去，五千多年没一个雕塑家。也没有音乐家，只知道有一曲子《高山流水》，一叫高渐离的古代人弹过，全中国就一个人爱听，两千多年前老高就把琴摔了——急的。舞蹈家有一个公孙大娘，听着是一老太太，习惯看到跳舞的都是小姑娘，上三十在台上脸盘子就大一圈，也不相信一“大娘”能好到哪儿去。

画家，全是只知其名没见过画，知其名也都是因一些跟画不沾边的野故事，唐伯虎，大流氓；郑板桥，老不正经；王冕，放牛娃。写字的，我是说书法，从来不觉得那是本事，全世界也没听说光会写字，傻写，就写出钱来的。噢，就仗着中国字笔画多，花花草草的，你们再给写乱点，就告我们这是艺术？

这有什么？当然还有很多，列目录大概也要出几屋子书，问题是在哪儿呢？不能光凭嘴说，就几十位在大学、研究所里混饭吃的老先生心里门儿清，我要看原件。老实说，就这几十位心里比谁清楚的老先生到底见过这些东西没有我也存疑。你不能光说有，把本该实实在在的文明成果变成一捕风捉影的传说。万里长城多踏实啊，不信是不是？带你去瞧一瞧，在那儿呢，一眼望不到头，漫山遍野的砖头。是，帝国主义抢过我们，历代皇帝陪葬了一些，农民起义烧了一些，最后剩下的一点清宫中的完整文物还被国民党一家伙端到台北去了。可总应该还有一点吧？这几十年，捐献、抄家、挖坟，各省博物馆都在叫苦，透着东西又多了，藏着掖着也是花钱，不如分期分批挂出来，一是敛点小钱，聊胜于无；二是教育教育我这样的没文化不懂历史的。

故宫博物院，那叫博物院吗？九千多间房子空着八千多间，摆出来的那都是什么呀？钟表馆，珍宝馆，里边净是家具金盆银碗和宝石树盆景。这都是无名鼠辈靠笨功夫和花大钱攒出来的奢侈品，供皇家摆阔的，至多算是工艺品。咱不能给世界人民留下中国人只会跟金银财宝较劲，什么材料值钱爱什么这么一土财主的印象吧？

我想教我女儿爱国，从小就给她一“你可生对地方了”这么一感性认识。“中国工艺美术馆”开业，我带她去参观，转遍了，走哪儿哪儿是玉，走哪儿哪儿是象牙，遍地珍珠玛瑙，到处金山银山，随便拿眼一扫，触目皆是巨大的宝贝疙瘩。我女儿出来高兴地跳着脚喊：“我爸带我去看大宝贝喽！我爸带我去看大宝贝喽！”

喊得我心里这臊得慌。

我这民族虚无主义的立场怎么受的打击并因之动摇的？在纽约，大都会博物馆，看了埃及希腊非洲和西方最牛的艺术品后，一副特别服人家的西仔嘴脸，跟同行人热烈夸着人家，贬低着自己国家，不留神撞到中国馆门前。那天中国馆还没开，重新布置，只能看到门口的几座北魏石雕，一眼看到，哑口无言，甭辩论，也不用批判教育什么的，沉默的石雕一下便把我这种傻帽及其傻帽言论回答了，痛斥了。谁说中国没圆雕？ 而且跟谁摆在一起都不寒碜。站在那一大排衣带飘飘、含笑不语、有体温、有内心世界的石头菩萨面前，我如遭迎面一板砖。

|《我是你爸爸》导演阐述|

《我是你爸爸》讲的是关于一个父亲和一个儿子相持不下的故事。谁都知道，尽管我们身边生活着成千上万的人，但和我们关系密切、牵动我们喜怒哀乐的就那么几个人，父亲便是其中之一。父亲犹如阳光是我们无时不需，有时却又要小心躲避的东西，他的重要性仅次于母亲唯有配偶堪与相提并论，配偶可以选择而父亲则无法选择。所以，对一个儿子来说父亲的问题是他首先要解决的问题。在儿童期父子间并无太大问题，年龄的悬殊使之构不成冲突。儿子成年后父子关系演变为两个男人的平等友谊，也很少激烈交锋。矛盾最尖锐、最难以调和的年龄段应该是儿子的少年时代。这个时候的儿子会突然发现一向慈爱的父亲成了一个性格暴躁的人，非常具有攻击性，毫无根据地自以为一贯正确。你要往东他一定要你往西，同他简直没理可讲。反之，在当爹的眼中，一向可爱的儿子也突然变得讨厌、不听话、在外面惹是生非，一句话：欠揍！两个本来是世界上最亲的人成了世界上两个最大的仇敌。父子间相互带来的伤害远超过一般人所能造成的烦恼。人类情感中最伟大、最值得赞美的那一部分一跃变为无法摆脱的痛苦以及绝望的根源。所谓爱之深恨之切。

那么，这一在我看来是无法避免的冲突是否可以调和、转圜，乃至化干戈为玉帛消弭于无形？毕竟是父子嘛！毕竟血浓于水嘛！毕竟不是敌我矛盾！现实生活中很难看到这样一个父子关系的范本，难道不能想象吗？

每个儿子都曾有过一个朴素的幻想：有朝一日成为别人的爸爸。在这个幻想中儿子们想当然地美化了自己，把亲生父亲的那点德行做了一厢情愿的增删修改。

本片中的男主人公马林生便是产生于儿子式的幻想中的一个父亲。

本片开场是基于一个相当严肃的动机促使父亲马林生开展了一连串行动，这位幻想中的父亲对处于紧张状态的父子关系进行了如果算不上英勇也是大刀阔斧的改良。他放下架子，与儿子做朋友，甚至低三下四以求皆大欢喜。但是，这所有努力一经展开便呈现出难以逆料的扭曲：真诚显得荒唐，亲热看似矫情，实实在在的父子关系变成情景喜剧中不真实的演出。更令人估计不到的是，这一切追求效果的逗乐并不可笑。放弃了责任的父亲并没能使家庭出现其乐融融、相亲相爱的局面，反倒使我们看到了事物更本质更可怕的另一面：那就是一旦在任何人与人的关系中失去制约悲剧的发生便不可避免，哪怕是具有强大亲情力量的父子间也同样如是。而不管悲剧发生在谁身上受损失的一定是双方。

结论：打成一片、大相国寺的水浇菜园子绝非上策。垂直关系中只有承认等级才能融洽相处，如同男女关系中只有承认差别才能真正做到平等。

| 看3月12日《实话实说》|

这期《实话实说》的题目是“再谈王海”，因没记住四位嘉宾的名字，姑且以座位顺序名之，左一是一位湖南的律师；左二是一位北京的大学老师；左三是一位上海的商场代表；左四是一位北京的社会学者。

左一和左三是王海的批评者，左二和左四是“王海现象”的肯定者。在王海出场前，我是左二左四的支持者。

左一的主要观点是从执法主体的角度质疑王海职业打假的合法性，认为只有国家工商管理部门才有管辖权，而王海知假买假已违背了《民法通则》中的诚信原则，实际效果也仅仅是增加了造假者的成本，而这一成本最终将由消费者承担，因而在更大程度上损害了消费者。

左一的话受到了左二和现场观众中另一位大学老师的有力反驳，被指为“思维混乱”。我一开始也觉得左一岂止是“混乱”，简直是混账！首先，造假者已然是不“诚信”了，针对他们的任何行为都是正义的，在这儿强调追究者的“诚信”只能是伪善，甚或是居心不良；其次，考虑到制假贩假屡禁不止，以致全民无一不曾受害，我们有理由怀疑国家工商部门的执法能力，把执法权完全交给他们，等于是在极度危险下剥夺人民的自卫权。

左二和左四表述方式各有侧重，但基本立场一致：制假造假大逆不道，误国误民，一日不除，国无宁日。左四态度更激烈一些，引申面更宽一些，有些话到了嘴边儿被崔永元堵了回去。

左二左四都有些慷慨激昂，或叫正气凛然，都是正确的道理和完美的道德观，令人本能地就愿意拥护。相形之下，左三就可怜了，作为商场代表他强调的是商场在进假货时也不尽是故意，也是糊里糊涂，这个个中情由就不要跟消费者讲了，没人会同情你。你站在那儿赚大家钱你就要承担货真价实的义务，罚你就是要你小心，你再故意进假货你就该被逮捕了。

我的心情是在王海出场后产生微妙变化的。这厮一露面就是一副小商人的嘴脸，小开领西服，小方框墨镜，大背头，涂一脑袋铮亮的发胶，就差镶一大金牙再戴一大翠戒就全了。这种打扮的人我一向不信任，小家乍富说的就是这德行。以我的势利看法，这是新时代土鳖的典型装束。什么叫土鳖？就是人家穿坎肩他也穿坎肩。显然，王海这副与其说是打假英雄不如说是造假高手的派头使他的支持者都有些“晃范儿”。他落座后，左二便一个劲儿问他的打假动机，是不是最初、有一点、想当英雄？看来左二多少希望能从王海身上看到一点光明，拼命在帮他找哪怕是口头上的高尚的动机。面对这样起劲的支持者，王海的回答则十分老实：没有，本来就是为了赚钱。左二的失望或说悲愤通过画外的一句话表露无遗：原来是这么一个低俗的人。

左二之后，左四也表达了类似的失望，说“这是对王海崇拜者们的一个打击”，并立即将自己与王海择开，说自己只是支持

"王海现象"，言下之意对王海这个人不敢恭维。

这时王海说了句我很喜欢的话："我们不应该崇拜任何人。"

正是从这句话开始，我再次站到了王海这个人一边，并开始怀疑左二左四这两个人，怀疑自己是不是拥护他们拥护得太草率。

我不认为左二有权利说那样侮辱他人的话，这话已超出对王海行为的评价进而成为对他人格的追究，最善意地想，那也仅代表着一种公众愿望，即希望王海是一个单纯为他们出头的、无私的人，否则，无论他的作为实际上如何有益于社会，他也应该被谴责至少不配得到赞扬。这是道德审判，不是价值判断，所以无论崔永元如何使出全身解数力图控制局面，现场嘉宾和观众都被迫卷入了两场不该放在一起进行的平行争论，一拨在谈"王海现象"的社会意义，一拨在谈王海这个人的道德水准，很快就造成了那种司空见惯的多个中国人一聚在一起谈话就会出现的各唱各的调，都正确、都是真理化身、但谁和谁都不挨着的混乱。这里起搅局作用的往往是那根道德的棍子，只要这个东西一进来，什么像样的谈话也进行不下去，都改痛快一时的情绪发泄了，徒然激昂一把，最后散会时发现什么也没说。谁都知道社会需要公德，每个人也应该尽量提升自己的道德水准，这些都是正确到别提有多正确以至无人想去质疑的大道理，我们说的所谓"大话"就是指这种听上去就无比正确的东西。这种东西极不适合引入日常的谈话，它会使本来平等的对话倾斜，一方突然拥有压倒性的强势地位，如果不想打架，另一方只好沉默。

在这期《实话实说》节目中我注意到左一在表达完自己的观点后便一直沉默，偶尔脸上浮起一丝无奈的苦笑，大概因为他是律师，当发觉这不是要解决问题仅仅是空谈便不肯做无用功了。

节目完了，电视关了，激动的情绪渐渐平复，那些耳熟能详的道德高论像潮水一般退去，律师的观点倒一点点如礁石般露出头来。我想起全国各城市都在推广鼓励的“见义勇为”这件事，那也是有关部门顾不过来，于是打群众主意的一个措施。据报载，有的城市设了奖金，有的城市设了基金，湖北哪座城市还郑重宣布打死车匪不负刑事责任，这等于把执法权交给民众了，民众执法还有一个称呼叫“私刑”。如果刨去情绪化，把执法机关的无能作为另一个问题暂且不论，一个国家人人得以执法，那是一个什么局面？就会有正义吗？从这点说，一个律师会提出这样的质疑：王海的行为算不算以暴易暴？

作为受害者，我们只会以眼还眼以牙还牙，非亲手给施害者一个好看吗？

非常时期搞一些非常措施也是不得已，当新生事物欢呼，将与法理相悖的东西合法化恐怕非国家之福。长此以往，我就要产生一个疑问：那我们还要这么复杂一国家干什么？

|日本病人|

因为是干这行的，认识的作家比什么都多，若干年前见到茅野小姐说是一日本作家也不觉得稀奇。好像还获赠过她写的日文书，也看不懂，只有印象这女人显得年轻很娇气的样子，中国话似懂非懂，跟她说话挺费劲的。她们有一拨日本女的在中国混，人都不错，乐意在中国待着，把她也当成那一伙的，没打算问你们为什么呀，似乎喜欢中国是一件挺深刻的事。后来她大概就跟中国人搞到一起去了，盘问过她准备开她的玩笑，她躲躲闪闪不说实话，中文学了半天还是不灵，扯着扯着就说远了只好说到哪儿算哪儿。觉得她有点多情有点偏幻想的意思，跟大多数爱中国的老外差不多，透着实诚，如果是我女儿我得教育教育她，她不是。听说也在世界各国混了一圈哪就可巧叫咱中国糙汉吃了呢？后来偶尔又听到她的一些悲欢离合，活得挺热闹。这就好，都别糟践了这辈子谁还没点追求啊？后来就没影儿了。

再出现在中国就是来出书的，听说得了一日本小奖，写的东西是跟咱们中国沾边，这边作家出版社就给翻过来了。老实说我不是太爱读日本小说，里边有种语气总像在一唱三叹，看多了非要大声叹口气自个儿给自个儿立正鞠个躬才稳得住神儿做回中国人。看茅野这小说前我也先躺了半天，估计晚上没什么事不见什么人了才正正经经大张旗鼓看将起来。

先说好我没拿茅野钱，不是她雇的托儿，有什么说什么，我也不会奉承人，向全国人民保证："……只说真话。"

这小说确实写得好。我是说好读好看不是说别的。第一翻译得好，没那些日本人似问非问的自言自语和嘁里喀喳的语气助词，中文很流畅，你就是三心二意嗑着瓜子看着电视锅上炖着排骨一小时也看完了，累不着你。第二写得很年轻，感情啊孤独啊自我迷恋啊，当然主要围绕在男女关系上，没那些老泡作家那么些较劲绕脖子的思想包袱，绝对不会让你晚上上床脑子里只剩下一念头——"活着还是死去"。有点儿像法国写《你好忧愁》那位佛朗索瓦·萨冈的东西，也有点儿像中国一些年轻女作家新起的棉棉周洁茹什么的，比程青感性一点儿，比陈染（这不是新秀这是腕儿）直白一点儿，比老张爱玲那强得不是一点儿半点儿。

这本书其实是仨中篇，故事不连贯但人物拿的那劲儿差不多，我是没避免落了把女主人公同作者混为一谈的俗套，更多的兴趣在于了解茅野小姐的内心。我想小说大致可以分为两种，一种是不动声色基于公议的；一种是自我沉浸自我分析的，茅野是后一路子。我比较喜欢这一路子，读后总觉得离一个具体的人近了，特别是发觉每个人都孤独不免窃喜，像癌症患者又发现另一个人得了这病，十分安慰。

茅野小姐笔下的女子不管叫什么都是在日本以外的外国城市穿行，用时髦的话说到处流浪。接触的人也都是各国渣子五花八门没一个原住民，除了在中国。孩子有钱孩子有真情孩子碰到的都是过客孩子挺绝望还想活下去，什么东西经过身旁都情不自禁伸手去抓，这也不难懂这也经常发生在全世界只要你有过青春期，我的困惑是她总是抓住一个中国人或者华裔。本能地难以接受藤井省三先生在《读书》上所言，茅野小说中“重复亚裔人仰视华裔人”的说法正如一向也难接受流行的华裔被全世界所轻视的说法。我相当拒绝中国人有与众不同气质这一种族主义论断不管是说好还是说坏。我个人以为茅野小说之所以总将华裔置于钟情对象纯系偶然和个人际遇所囿，我国有十二亿人，五六千万华裔在全世界游荡，从概率上说和一个中国人或华裔发生关系也比和一个越南人要高。正是这强大的性能力使我们灭了无数历史上的外邦人，至少两次从被征服的命运中翻过身来（当然结合了人民起义）。所以我觉得茅野这样写也没什么特别的深意，仅仅是男人女人的故事。当然读中国人被人待见比读中国人叫人讨厌对中国读者来说心里要舒服一些。茅野显然是亲华的这是我们接受一个日本人的前提，无法想象一个中国女人像她那样亲日而且写下来那也扯不上因为祖国强大了因而炎黄子孙扬眉吐气。

《韩素音的月亮》这篇写的是在中国的事，外国驻华人员的心情写得十分细腻，很多我们习惯的东西被她当新鲜揭发了，倒也帮助我们获得了另一种眼光，不是旅游者光会看到的故宫胡同和寺庙。尽管这样我还是警惕过多谈论中国会歪曲茅野小姐的初衷。其实只有一个主人公那就是茅野小姐自己。严格说中国和中国人只是茅野小姐眼中的自然界，是使她感受生命的参照物，在本书中不重要，甚至可以忽略不计，一水儿换成因纽特人也成立，总而言之没咱们什么事儿，正确的态度应该是秀水雅宝路那些小贩的态度：外国人也是人。

一个人，一个女人，一个病人，一个以为这世上一定存在着另一种活法的并动身去寻找的偏执狂——这是我读后大概的感受。

本来还想谈谈中日关系，谈谈中国男人的德行，想好一句川端康成的话“亲切慈祥的内心”用以自我吹嘘，都没安进去，写写就找不着话头儿了。可见满腔诚意写文章也不一定能倾吐全部心曲，以书量人终不失偏颇，估计茅野小姐很多想法只能烂在肚子里了，谁真能了解谁呀？真了解了又有什么用啊？贾宝玉的话“我也替不了你”。

| 这之后一切将变 |

到上海参加“榕树下”网站搞的“网络原创文学奖”评奖大会。去的时候心里是轻视这个所谓奖的,中国的文艺奖大都是扯淡,一群低级趣味的人在那儿挟私自重,沐猴而冠,一个网站也搞评奖更是资本家和年轻人的胡闹。本来是发誓不跟这些胡闹者沾边的，只是不幸认识了陈村，又是老大哥一辈的，红口白牙跟你张了嘴，不给面子倒像是欠了他的，只得上路，权当去那儿会会朋友，吃几顿正经上海菜，顺便替自己的新书小炒一把。

评委开会那天下午，我因头天晚上没睡，中午又喝了酒头昏眼沉，进了屋又跟王安忆说笑了一番，乱打乱接了一些电话，魂儿根本不在现场。那是一张大桌子，二十几个人围坐在四周也显得零零散散，醉眼蒙眬中看到一些年轻的面孔，听到一些陌生的名字，李寻欢，安妮宝贝，邢育森，宁财神，知道都是网上的名字，我旁边坐着一个高高瘦瘦面色阴沉神情活泼的少年(编者按：此人是 sieg)，他们管他叫“网上思想家”。说来惭愧，我尽管开了个人网站，其实并不上网，网上风云也只是耳闻，这些人中只对宁财神这个名字有印象，我在网上和人聊天时，这厮出来调戏我，使我有一刹那以为遭到同性恋性骚扰，正贫得来劲方寸大乱。财神还算是我喜欢的那种小伙子，小马脸，眼镜，合不拢的大嘴，想事的时候也像是在哈哈笑，真笑起来一肚子坏水往外冒。面对面开聊，又被他涮了一道，怎么听怎么是个北京小油子，问他是北京哪儿的，他告自己是上海生上海长，只不过在北京混过几年。有那么一种人，纵横京沪两地，兼收两地风韵，左右逢源南北开弓，我叫这种人“人中之丹”。这里出了大量人才，我认识的就有王志文、马晓晴、朱伟，电影学院四大教授郑洞天倪震孔都黄式宪和半个党中央。

财神前程未可限量。

第二天正式发奖，照例是记者云集，照例是音乐飘飘，照例是油头粉面的主持人，照例是不尴不尬发奖者和领奖者，中间穿插着不三不四的歌舞，博人一笑的戏剧小品，是司空见惯的场面，连大吼一声将我等逐一揪上台去示众虽心生惊恐也不十分意外，来了，吃人家喝人家，总要给人家看一看。何止我，阿城王安忆余华这样一向庄敬自强的人士，被人吼到名字，也只好嘬着嘴上台，转回头，一脸干笑。陈村怎么样，也拄着拐棍老老实实走进我们行列，大家站作一排，面对会众一笑再笑，就差招手了。接着，是“网络作家”登场，喊到安妮宝贝时，全场掌声雷动，上千网虫欢声四起，以下依次登场的人士莫不如此，于是我领教了，这些面孔稚嫩的小男生小女生莫不是网上红人。据在场人士事后称，当时台上泾渭分明，一边是我们这些“传统作家”，一边是“网络作家”，老的老，小的小，“连穿的衣服都不一样”。“传统作家”是大会主持喊我们上台时所用的称呼，当时我就觉得被他一声喊老了。

到了台下，重新坐好，看最后一个节目，“榕树下编辑部”全体编辑合唱，我才感到自己所受的心理冲击有多大——他们那么年轻，那么自信，而且自成一体——活活是我们之外的一股强大势力。

有记者问：你对网络文学和这些网络作家怎么看？我说他们年轻，有年轻人的所有优点和缺点；说网络为他们提供了前所未有的自由表达自我的机会，使每一个才子都不会被体制埋没，今后的伟大(传统)作家就将出在这其中；说这证明文学并没有陷入低谷，正在以另一种方式繁荣(“榕树下”此次评奖征文有五万来稿)，网络文学代表着文学的未来，一种真正的文学，即每个人都可以自由创作任意发表的文字活动。这任意发表无比重要，是文学本来、原初时的天真模样。说了这么些冠冕堂皇的狡猾话，我没说我的恐惧，过去我们作家是一代取代一代，江山代有人才出，起码到我这一代，走的路是同一条路，只是各自走法不同，姿态不同，还是有章可循的，还是没脱了一小撮经过特殊训练，反复挑选过的人被特别授权发言。这之后一切将变，再也不会有人有权利挑选别人了，不管他叫编辑叫评论家还是叫出版商。我们面对的不是更年轻的作家，而是全体有书写能力的人民。什么叫人民战争的汪洋大海？这就是了。再过一些年，再也没有人因为会写字而被人格外另眼相看就可以混碗饭吃，因为这已经成了生理现象，就像大家都会说话一样，想当大师的人，苦了。

| 有个老头九十多 |

我有个半熟脸的朋友的父亲是“文革”前的著名话剧演员，后来还当过剧院副院长一类的文艺官儿，入过政协什么的，没害过人，没乱搞过男女关系，家庭和睦，教子有方，算得上德高望重，为一方俗人称颂。退休后老头就在家里终日闲坐，也不画竹子也不打麻将，我偶去他家，看老头就是一尊佛，一小时前什么样，一小时后依然什么样，笑眯眯的，盘在椅上，一副对生活再无所求的恬淡。只有一次，听老头口吐真言。那是老头生日，几十大寿我也忘了，原剧院来了一帮好事者，张罗着给老头挂对联，就是那副见艺人就劈头盖脸愣送的大俗联：“认认真真演戏，清清白白做人。”挺遭改的两行毛笔字，几个小戏子带着身段儿往老头家白墙上挂，一个领导模样的家伙还在旁边奉承：“这是您老一生的真实写照。”这时一个小戏子大惊小怪地叫，假装懂：“对联是挂好了，横批是什么呀?”老头脱口而出：“度日如年。”当场众大笑，觉得老头幽默。

又过了几年，老头的老伴死了，老头的女儿叫老头跟她一起过，老头不去。老头的儿子动员老头找一后老伴，说：“我们都特开明，没什么想不开的，哪怕您找一小保姆呢。”他这儿子是一花花公子，认识的女的多，当然他不能把他自己的蜜发给他爸，但一见四十岁朝上，六十岁往下，身体倍儿棒的中老年妇女就往家带。开始我们还不明白，惊问：“你怎么改老少咸宜?”这孙子既得意又神秘地说：“我这是为我爸。”

老头人好，在剧院周围那几座楼里也是有名的，除了他儿子接长不短往他那儿发人，街坊四邻大妈大婶也是川流不息，倒不都是送货上门，多数大妈有爱人，上岁数人也不像年轻人心里那么不干净，说一男一女往一块儿凑就是想身体的事儿，人家那是真诚的人与人的关系，“像春天一般温暖”，同志式的。大妈们去的时候都不空着手，不是一碗红烧肉就是四两饺子，回来也不空手，胳肢窝下卷着老头的脏衣服。老头儿子十分欣慰，还吹呢：“瞧我爸这人缘混的，老了老了有人管饭。不是吹的，我们家现在跟‘百盛’似的，一天到晚净是来逛的，老头比政治局委员还忙。没事时没事，一有事就知道了，咱这社会还是好人多呀。”言罢用水汪汪的大眼睛望着我，不胜感慨系之的样子。

1992年春节前后，老头吃了一把安眠药。一个来送元宵的大妈敲门没人应，把一楼人都闹了起来，砸了几道门进去，把老头送医院叫醒了。

老头的儿子跟老头急了：“您这是为什么呀?”

老头受逼不过，不好意思地说：“太给大伙添麻烦了。”

老头儿子嚷：“您甭不知足！这么多人待见你。我，到您这岁数，还不定趴哪条阴沟里，叫天天不应叫地地不灵。”

隔了仨月，老头对我说：“多烦哪！我这一辈子就想一个人待会儿，谁也不让。”

游戏规则

上世纪末，几个人打算编一本《新诗三百首》，其中一人因对为首者不服，抢先用这书名出了选本，其他人便说他“破坏游戏规则”。此言一出，才发觉“游戏规则”这话早已挂在大家嘴边，每遇纠纷，很少再说对头“逆历史潮流而动”、“不革命”什么的，更爱说“不按牌理出牌”，即“破坏游戏规则”。这是一个进步，尤其是做共同的生意，本与“革命”、“历史”无关，犯不着陷人于国家机器的对立面。

什么是“游戏规则”？一想也糊涂，似不如法律条文国务院行政令北京市民文明公约买卖合同那样清楚，内容不详，但谁要犯规，大家立刻有反应。像什么呢？还是像一个道德约束。所谓游戏，也无非是人与人共事，人的野蛮人心里最清楚，大家住在一起，已经很游戏了，从大家决心结束人吃人的日子那天起，就有了约定：说话算话，要么不答应，答应了便要履约，除非声明收回承诺、认罚，否则这义务便不可解除。这显然是一切契约的基础，人和人避免冲突的基础。我仔细想了想那些曾引起我不满和我使他人不满的事儿，大约爆发点都在言而无信或食言自肥，一件小事引发巨大的愤怒。

日常生活中，特别是朋友之间，很少人但行小事便立合同，其实我也不信合同真有约束力，一个人要决心自利，把合同刻在石头上也没用，大凡恶意违约者都是权衡过的，认定违约所得大过履约所得才执意如此行事。也不是每一项违约都牵涉到大宗金钱和真能造成实在损害，大量的违约失信都是无后果的，仅给当事另一方带来一点情感挫折。我年轻时，不会说“不”，对无兴趣的邀请，往往采取欣然应诺、欣然爽约的放任态度，不知得罪了多少方正之士，以我多年轻诺寡信的经验，不存在实在损害的言而无信，背信者并无太多罪恶感，被指责之后，还会油然而起一种怨恨：怎么着，我欠你？

这文章怎么越写越像讲人生小道理了？这不是我的本意。我本来是想捋一捋我熟悉的文学和影视两个行当中的游戏规则，我感到这里有约定俗成的规矩，但一直是下意识遵守，真写又提笔忘事，不知怎么胡乱归到所有游戏规则是“说话算话”了——就当是一篇好说大话，最后给自己说乱了的范文吧。

继续把胡扯扯完，言而有信是圣人之德，身体力行会把人累死——这个话题又大，以后再说。还是说这言而无信，小的，毁不了人的那种——我这是愣给自己找辙啊——这就像发低烧，难受，但是个警告：你身体有炎症。言而无信就是人品上的一个小炎症，犯了，可以提醒你：此人不可交。谁能全体人民一起做游戏？成长的过程就是把人、不相干的人一把一把往外择。

发现写小说的怎么写文章了吗？讲不通了，就打个似是而非的比方，轻轻绕过。

|犹大的故事|

——根据阿根廷随笔《关于犹大的三种说法》改编

上帝把他的两个儿子耶稣和犹大唤至后花园的喷泉旁，郁闷地对他们说："我犯了一个错误，不该创造人类，我现在准备改正这个错误，想听听你们的意见。"

耶稣低着头，半天说："不妥。"

上帝说："你也知道他们都干了什么。"

耶稣说："知道。"

"那还有何不妥?"上帝问。

"舆论问题。"耶稣说，"您亲手创造的，您亲手毁灭，显得您也不是一贯正确，撒旦又要讲您的闲话了。"

"可是我很生气，我太生气了，很多天了，我无法熄灭心中的怒火。"咔吧——上帝撅断了一枝开得正艳的桃花，长叹一声。

"可以问是什么使您这么生气吗?"耶稣说，"撒谎? 贪婪? 淫乱——这不都是人性吗——不这样他们才奇怪呢。"

"我何尝会同他们计较这些。"上帝叹道，"说来难为情，我也年纪大了，有些事情变得在乎了，他们，有些人，学我……”

上帝红着脸笑起来，耶稣和犹大也轻轻笑。

“学得还挺像，”上帝说着皱起眉，“讨嫌！”

“能不能择而杀之？”耶稣说。

“杀不尽。”上帝望着人间，眼中一片茫然，“这是瘟疫，撒旦制造的，他搞不了我，就把我平庸化，他这手很高明，管，慈悲这个旗帜就打不得；不管，人就蹬鼻子上脸跟我论哥们儿了，怎么做都是撒旦的套儿——给我一个理由，饶了他们，你估计跟他们讲道理他们能听吗？”

上帝热切地望着那耶稣，似乎答案就印在他那瘦长的脸上。

“难。咱们了解他们，当他们认为自己正确时，就像炖老了的母鸡，油盐不进了。”

耶稣嘬着牙花子想了片刻，眼中露出坚定的神态：“给我一千年的时间，做他们的工作，如果到那时他们还不醒悟，您再动手。那时地狱的油锅也烧得热了，咱们挨个细细审他们，不放过一个坏人，也绝不冤枉一个好人——加百列！”

耶稣叫站在远处装作看风景支着耳朵偷听的天使长：“速去安排我下凡之事。”

耶稣跟着加百列匆匆而去，路上还能听到他们商议的只言片语：“中国就算了，找一个人少的地方……”

上帝回过头来注视犹大：“你一句话也没说，你总是这么沉默，你和你哥真不是一个性格。”

“您真认为我哥这是个办法吗？”犹大垂着眼睛小声道。

“不是办法的办法，明知不可为而为，这就是你哥那一盆火似的性格，也算咱们一家对人仁至义尽了。”

“他们会杀死他的。”

“这正是我要的，你以为杀人很容易吗？我要他们先动手。”

“父亲，怎样才能使您的怒火平息啊?”犹大眼里含着泪水。

“孩子，你总是心太软，要是人类中有一个像你这样谦卑的，我也下不了手。”上帝摇头，“他们太骄傲了，不证明给他们看，他们永远不会知道他们不是神，更不是这宇宙的主宰。”

“如果我能证明，与人自证：我们是人，有罪的，在神面前永远抬不起头的人，您能视为整个人类的自省放过他们吗？就让我哥代表您，而我，代表人，他获得永世的尊荣，我获得永世的沉沦，这样撒旦的计谋就破产了，人也有了永远的污点。”

犹大的眼睛像酒精一样清澈，夕阳从反面照过来，映在他那头弹簧般卷曲的金发上，好像他的头颅在燃烧。

上帝捂住眼睛，仿佛被火焰的明亮灼疼。“你会恨我吗?”他说。

犹大在父亲面前跪下，双手扶地，吻着父亲脚下的尘土：“是您给了我奉献的机会，我把这视为无上光荣。”

“永别了，父亲。”犹大在暮色四合中离去。

上帝向儿子离去的方向伸着一只手，悲苦地叫着：“我的孩子，我的心也随你一起去了。”

俄顷，上帝的手垂下。

我讨厌的词

优雅、档次、格调、情结、关怀、巨大、精神、理想、信仰、终极、高贵、贵族、父亲、神圣、清澈、呼唤、难忘、纯粹、追寻、坚守、虚伪、沉默、价值、无比、光荣、自由、民主、民族、奴隶、体制、未来、历史、人文、个体、生命、存在、诞生、诗意、想象、家园、故乡、感谢、献出、爱、热爱、痛苦、幽默、智慧、博学、阅读、文本、尖锐、拒绝、强烈、震撼、穿透力。

香水、丝巾、高脚杯、威士忌、咖啡、香烟、牛排、可乐、三明治、书籍、唱片、时光、男孩、女孩、跑车、热水澡、玫瑰、百合、寂寞、疯狂、刻骨、梦魇、午夜、午后、做爱、优美、体液、汗、气味、眼泪、皮肤、难堪的、淡淡的、苍老、娇嫩、冰凉、透明、柔软、飞快、漫长、堕落、快乐、昏眩、地狱、天堂、怪里怪气、痛哭、了不起、太棒了、天哪。

披头士、贝多芬、凡·高、达利、范思哲、阿玛尼、米兰·昆德拉、博尔赫斯、海德格尔、哈贝马斯、维特根斯坦、玛格丽特·杜拉斯、张爱玲、王家卫、艾略特、金斯堡、贝克特、昆廷·塔仑提诺、伯格曼、斯皮尔伯格。

还有那些英语，一嘟噜一嘟噜的字母。

我一看这些词就晕，就麻蝇，就像碰到了腻友，就料到这本书是什么人写的，大概要讲什么。

这好像是黑话，使用这些词的男男女女似乎都来自同一个背景，受过相似的教育，差不多可算是一伙人，他们对同一种东西那么熟悉、爱好，甚至我猜他们互相睡过觉。这些人及其他们的趣味这两年已成为图书市场上的时髦，一不留神买本书或者杂志就会遭遇这些词，从思想到性交，这些词是无所不能的，都能说得头头是道，并有一种极富装饰性的阅读效果，即这些词本身具有的那般庄严、华丽和西方味道所带来的感染性。

这些词基本来自西方概念的翻译，读之如逛洋货名牌店，除了看到衣服、鞋和手袋这些具体的实物，更重要的是感受店里那种昂贵、优越和来自远方陌生文明的严肃气氛，有一种共享世界文明至少和人家同房一次的踏实。我注意过逛洋店的男女，包括我自己，没有不矜持的，说话细声细气的，全是礼貌用语，生怕现了。那店里所有的商品、店员，甚至灯光墙壁都流露着我认识的一个流氓画家在街上拦截女孩子时惯使的那副嘴脸：你可以拒绝我——但不可以拒绝艺术！

我相信这是一种真诚，十亿农民，欠发达的内地乡村，都不能反证我们没有已经和西方人过上同样日子、关心同样事情和有共同感受的一批人，实际上过西方知识分子或艺术家，特别是颓废艺术青年的生活也不需要太多钱，真有钱的中国人过的倒是像土财主。所以，你也不能说有西方式的情感、爱好西方式的表达方式是装孙子。我同意这样的观点：如果我们现在把外来语和外来的语言影响——翻译体：意译及其生造，统统从汉语中剔除，我们就说不成话了。

我应该高兴是不是？为什么不说这是一次书写革命呢？理性上我是这么认为的，可我无法说服自己的感官反应，我一看到这些词和这些词后面透出的使用者的态度，就讨厌！就觉得沐猴而冠！也许我这是一种更奴才的心态：你们配跟洋人想同一件事儿吗？

另外还有一点怀疑：就算十个里头有九个是真的，总有一个是装的吧？时尚的、人人拥护的东西有时让人丧气就是，你不知哪位是装的。

昆明周记

星期一

飞机在昆明下降是一截儿一截儿沉下去的，人坐在那儿像跳水，忽悠一下心蹦进嗓子眼儿忽悠一下心蹦进嗓子眼儿，脑子一阵阵空白。

这些年已经不爱坐飞机，每次坐，都觉得像被人放了一遍风筝，看空中小姐的眼光也越来越像看活烈士。想过一个坑人的死法，老了包一架飞机，把这辈子的朋友都请来，在空中让驾驶员跳伞，然后请朋友们自便。

本来以为到昆明是一个小团自己玩，临出发才知道那儿是个旅游节，政府接待，要按规定的路线参观。

这个开飞机的一定是个开战斗机的，着陆像落在航空母舰甲板上，乓的一声砸在地上，飞机一通怪叫，边喊边跑，好在没散架，最后全须全尾儿地停下了。

下飞机有风，当地接机的朋友说就是因为刮风，所以飞机在天上才晃。

出了候机楼有旅游局的处长局长们迎上来握手，有一些拿照相机假装媒体的男女在拍照，一帮穿金红旗袍的“礼仪小姐”上来献花一下把我腻着了，我也不知为什么特别反感献花这个动作，可能是觉得自己不配吧，我这种人表示客气握一下手足矣，再多了我先臊了。处长还张罗着我们在大庭广众之下排队照相，我说咱们别扰乱公共秩序了。

小时候在人群后面喊台上的人傻帽喊多了，现在怎么也不习惯往人前站，总觉得还有一个自己远远躲在人后头喊傻帽。

开车进城，看见很多新楼，也没什么新鲜的，和全国各城市盖得一样难看。我大约是老了，自己住得舒服了，为什么不爱看新楼了？原来我也一看新盖的大楼就认为是现代化了。有一座楼盖得像烟盒，转过来看字，果然是“红塔集团”的。一路开到酒店，对昆明的印象像二十年前到深圳，楼太新，树太小，满眼是楼仍觉得这地方荒僻，盖了一半。这么下去有完吗？反正现在谁要说北京是文化古城我跟谁急，明明是浦东郊区嘛。

酒店环境不错，度假性质的，房间也舒服，水是温泉。据说是新加坡人设计的。看过几个新加坡人设计的会所、高尔夫球场，还是透着小国寡民的穷气和算计劲儿。不过贝聿铭又怎么样？香山饭店搁在香山还是看着愣，一副盐商北上的派头。

下午是记者见面会，这是我的强项，“娱记”的思路就是那一套，注意事项就是别跟他们认真，这就百战不殆。

有记者问我对“娱记”怎么看。我说不容易云云。

其实在我看“娱记”等同于长舌妇，人们有飞短流长的生理需要，靠街道老太太拨弄是非已不能满足，非要有专业人士去打听去制造去扩散，以飨天下人耳目，同时赚钱。好的“娱记”应该像古埃及圣物金龟子，也叫屎壳郎，发现粪，勤勤恳恳扒，然后把它做大。不要小看这工作，如果叫扒粪难听，可以换作为广大读者的知情权而奋斗。我见过很多“娱记”在从事这项工作时甚至充满正义感，这样的“娱记”最出东西。

我在两年前一次喝咖啡时的闲聊，被一个朋友整理后拿到上海《艺术世界》登出去了，那里面是对中国美术的一些胡说，有记者问这事儿，我说这事办得很不严肃，第一我不严肃，第二他们不严肃，至于嘛，没的登了？要是底下聊天的话都登，我这还有更邪乎的。

有记者问我是不是“江郎才尽”了，我说是，他们很满意。这些孩子真是天真。

晚上吃饭，在宾馆里，淮扬菜，有官员作陪。官员们都是当过兵的，我和阎连科跟他们一桌。上来就放了心，官员们不喝酒。云南官场这个风气好，不灌人。随便喝了点“云南红”葡萄酒，还行，据说是法国酒分装的。

吃完饭就睡了。

星期二

早上起来觉得空气很好，昆明人老说他们这儿空气干燥，我从北京来不觉得，再干能干过北京吗？用温泉水洗澡，洗完发觉头发染了一层铜黄，若隐若现，跟韩国人似的，不敢相信，问殷红，他说是硫黄。

早餐咖啡很不靠谱，别的还行，我看了一圈，喝了碗豆浆，主要是凑热闹坐着聊天。我吃早餐纯粹是起哄，闲着也是闲着。

我已经长完了，剩下是等死，一点点耗干净，所以已经不需要那么多营养了，每天有一顿晚饭就够。

邱华栋太能吃了，满满两大盘子又是菜又是饭，晚生几年真好，能吃的时候有的吃。像我，1958 年生下来，刚断奶就赶上三年自然灾害，活活饿了三年。好容易大了，挣着点钱，吃饭不是问题了，又得了痛风，除了奶类和蛋类什么也不能吃，接着又得胆结石，炒鸡蛋也不许吃，活到四十岁又改喝奶了，算来算去中间没踏踏实实吃过几年饭。有一大夫让我戒烟，我说您给我留个念想吧。

昨晚有中央的老师下榻这宾馆，外面有很多警察和“奥迪”。中央的老师走后，外面清静了。

吃完早饭去“民族村”看开村表演，每天都来一遍的，像升旗仪式。

广场很大，种了很多假榕树，水泥浇注的，这就是人工景观的尴尬，什么都能造，树来不及长。仪式开始，很多少数民族少男少女轮番冲上来狂舞，主宾坐在斜对面，他们冲着主宾跳，从我站的这个角度看他们就全是侧着身。那些少女真娇小，她们天天在这献舞一定是拿工资的。据说这儿的少数民族歌舞者向全国各地的“民族村”输送，一些小民族差不多拿这个当专门职业了，不知道这么世世代代跳下去，能不能出像黑人摇摆舞那样改变风气的东西。这个广场上跳的舞没什么希望，大家都挺没心没肺的，表达的意思很简单，就是一个欢迎，告诉客人我们很高兴你来。

村里很大，按不同民族安营扎寨，一些衣着华丽的年轻人假装在里面过节。我不大看得出这些寨子的区别，要不是每个寨子门口有牌子，说都是一个民族也说得过去。走在路上，看到一组少女慌慌张张跑过去，跑到池边一块空地忙不迭起舞，再看一行戴贵宾胸牌的西装男人鱼贯走来，少女们于是欢乐地拉住他们共舞。

走了一圈走得很累，在一个凉亭坐了一下，裤子粘上了一块口香糖。有人拿了新出的报纸给我看，上面有昨天记者见面写的报道。我昨天说“任何作品都不是完美的，《红楼梦》也一样”，今天报纸登着“我要骂《红楼梦》”。这“娱记”真专业。有个电视台记者问我和“媒体”是不是共谋关系，我说共谋双方要有利益，我现在不打算干什么，用不着媒体。

最后的节目是几头大象和一个台湾山歌男子组合表演，在同一个马戏场里。我接了一个北京的电话，突然有点不高兴，不明白自己不远千里跑来坐在这儿为什么，图新鲜？大象和台湾歌手都不新鲜；图高兴？我一点都不高兴。那就剩让接待方高兴了，人家好心好意请你来，拿宝给你看，你始终兴致勃勃，让看什么看什么，这就主宾尽欢了。

闹了半天，我出来玩，目的是让人家高兴，这么一想我拧巴了。

中午回宾馆吃饭，休息了一会儿。下午本来要去“世博会”，又是游园性质，大家都不想去，改去昆明市内老城区转转。去了一个花卉市场，那帮女的买了一些干花。又去了一个摊贩市场，卖东西的都是河南人。陪同指给我们看，说聂耳家就住在路边一座破破烂烂的楼里。路过一扇孤零零的大门，说当年蔡锷的护国军就是从这门里出发的。还看到一幢古色古香的别墅，说这是当年龙云的公馆，现在当国宾馆。我这么说别以为老城区保存得很完整，不是，这几件老东西都单立在繁华大街上，已经不成气候了。

还去市博物馆看了一座原地盖顶保护起来的塔。还去看了著名的云南讲武堂。这所军校保存得非常完整，回字形建筑，很像巴黎拿破仑墓后面的法国军事博物馆。我们在那儿照了相，一群不三不四的男女，背景上的军校已经破败，校场上长满荒草。办一所军校就打天下的时代已经过去，谢天谢地，武器有了进步，不是每一颗星星之火都能燎原，少谈些起义，多研究些改良。

晚上省府宴请，处长讲话“国宴”。我们是第四十桌。到了那个酒店，宴会厅台阶上站满穿黑西服两手搭在裆前眼睛炯炯放光的男子，宴会厅里穿金红旗袍的服务员一个挨一个贴墙站了三面足有好几百，看着眼晕。菜做得都跟壁画似的，吃起来是老年人的口味，清淡稀烂。

饭后还要去看旅游节开幕的大型文艺演出，我们都没带请柬，处长很不高兴，忙着去找人填补我们落下的空儿，我们那几张票是第二排很中间的位子，空了很不好看。

我们自己去了酒吧，一个叫“上河会馆”的地方，这是云南艺术家聚集的地方，开这酒吧的之一是著名前辈。酒吧里挂着方力钧、张晓刚等人的画的印刷品。我们还是喝“云南红”。一会儿老板娘出来聊天，她是“文革”时期跟着家里从北京调到云南的，原来住太平路工程兵那个院。提到当年云南那件轰动一时的行刺大员案，她说枪响时，她爸爸第一个冲到隔壁。

喝到夜里，我有点搂不住了，流氓相露出来，开始放肆，说一些轻浮的话，把在座的一个女士得罪了，我也不记得说什么了，好像是攻击了她祖籍湖南，出来时我要和她握手，她愤怒地拨开我的手。

星期三

早晨醒来，想起昨夜喝酒的事儿，内心不安。我最近控制力越来越差，屡屡喝大，放任自流，已经造成很多无法挽回的后果，这种状态真是不适合出门，这种时候就应该一个人在家待着，我有点后悔这次来云南了。

下楼到餐厅，向那位女士道歉，请她原谅我酒后失德。美国人不爱道歉，我跟他们不一样，我道歉没问题。他们看了电视早新闻的人说，美国也道了歉，机组人员今天回家。

今天的日程是去石林参加几个节，接待方找了辆警车在前面开道，说那边堵车，不这样很难准时到。

我们一个男车，一个女车，加上那辆警车上了路。在高速公路开了一会儿又下来了，说是去看一个全国最大的鲜花批发市场，那儿卖花跟卖菜似的。到了，果然大，那帮女的又钻进去了，我没下车。

二十分钟后上车又走，在高速公路上开了一会儿又下来了，说去看一个亚洲最大的高尔夫球场。那个高尔夫球场在几个山头上，很多房子没盖好，搭着脚手架。到了会馆门口，处长去和人家联系，说这帮是旅游节请的客人，领导很重视，让人家带我们参观。人家很客气，让我们一人上了一辆电瓶车，带我们上山。一个来打球的人问球童“他们不打球也能坐这车”。

山上风很大，有点凉，我坐在车上生自己的气，谁也不怪，就怪我自己，贪图蝇头小利，受人摆布。随行的摄影记者回头拿镜头对准我，我跟他说“你能不给我照相吗”。转了九个洞下来，处长又叫我去观景台看湖，我不礼貌地回绝“不看”。我找到徐虹，跟她说我能不去中甸吗，我想十四号直接从昆明回北京。她说行。

再上路就一直开下去了。到石林是中午，在宾馆住下，吃了些简单的饭。这个饭大家都觉得好吃，比较家常。吃完饭后来了两个彝族女孩子导游，穿着民族服装，自称阿诗玛，她们带我们逛了逛石林。这个石林我来过，再看也还是那样儿。导游的幽默都是编好的，民间故事也无非是男欢女爱那一套，听着挺累的。

再回宾馆，休息片刻，准备去看彝族的“赛装节”和“斗牛节”。这时我腹泻了，可能是昨天酒喝多了，也可能是今天中午鸡汤太油，我喝了两碗，从我做了胆摘除手术，我就不能吃太油的东西，一吃就拉稀。我名正言顺请了假，回屋上厕所。确实是腹泻，我把一卷纸都用光了。这中间我就睡觉。

下午他们回来说“赛装节”还挺好的，有些姑娘真是好看，去了不遗憾。

晚上到另一个宾馆吃饭，有官员作陪。这个官员是学经济学出身，话讲得大胆，也生动，有个人见解在里面。谈到云南有些少数民族的走婚制度，他表示不同意那是母系社会的残余。他是从民族溯源看这个问题的，他认为有些少数民族是蒙古人，如果是，那就不可能保留母系社会的习俗。谈到我们的干部选拔制度他也有很生动的比喻。同桌的另一个官员笑着说他是非党的。

饭后去看“火把节”，在一个山坳里，四周安了座椅，有一个多层的主席台。县长介绍来宾，很多副职和“原党组成员”。演出开始是一个团体操化了的改头换面的祭神仪式。音乐中有低沉的咒语，一个男演员方阵晃着膀子入场，他们的表情接近痴迷。

演出完了在场地上生了几堆篝火，山上的人都下去围着火堆跳舞，从山上看下去倒也是人山人海，场面欢腾，有点大型锐舞派对的意思。

回到宾馆，打了个电话，聊了会儿天。出来侦察了一番，发现楼上有个没人的歌舞厅卖酒，约了昨天被我得罪的女士上去坐。聊得还行，误会都消除了，又聊了一些隐私，以示彼此信任，都没拿对方当外人。喝完一瓶“云南红”，下楼睡觉。

星期四

一早出去遛弯，石林中有雾，彝族农民牵着牛在巨石间一小块一小块的红土地上耕种，狗在路上跑，小孩也在路上跑，一幅小家小户单干的情景。几百年前中国画就歌颂这种场面，当做一美，今天再这么画，得叫装孙子了吧。

县长和管文教的副县长来送行，大家一起吃早饭，喝豆浆吃油条，还有辣酱豆腐。两位县长都是少数民族，那位女副县长还穿着民族服装，叫我们猜，后来告诉我们她是佤族。县长是彝族，教师出身，学过中文。他说他的孩子已经不会说彝话了。我说我是满族，也不会说满话。吃完饭大家合影留念，然后上车去另一个地方看溶洞，还是一个男车，一个女车。

这是条村镇间的公路，有些地段是丘陵，车开得很快，也很颠。我们在车上聊天，阎连科说他们老家河南一个复旦毕业的县长如何使尽浑身解数给县里办事的故事非常有意思，直接写出来就是小说。这位县长最匪夷所思的想法是申请贷款去俄罗斯把列宁遗体买回来，放到他们县的森林公园供人瞻仰。初听可笑，待听了他一系列所作所为就觉得这是顺理成章的，在中国很多地方荒诞就是现实。李敬泽讲了一些为老不尊的老作家、地方文霸的荒唐事，听上去恍若隔世，都是左琴科笔下的题材。

开着开着，女车不见了，处长让车在路边停下等一会儿。我跑到田边麦子地撒了泡野尿。等了半天不见女车，处长打手机才知道女车开到我们前面，早已到了，我们于是上车继续走。

这个九乡溶洞风景区修得很气派，有华丽的大门和整齐的停车场，还有一个很像样的贵宾接待室。管理局的局长们和当地县的一位女副县长在等我们，寒暄一番，就带我们下去参观。

溶洞在山涧里，从山上下去先坐电梯，电梯开门是一个小码头，有一些小船，可以划了沿着溪流看崖，几百米长。下了船有一条在崖半腰凿出来的小路，走一会儿就进洞了。洞很大，都有水，有的还在洞内形成瀑布。有的布满钟乳石。这种洞猿人最爱。听介绍这里出土一些古人类啃过的兽骨化石的石器，在一个巨大的号称举办过音乐会的溶洞大厅有这些出土文物的陈列。

坐缆车回到山顶，在风景区大门前大家一通狂照，互相合影。然后又上车去另一个三角洞吃午饭，野炊。

三角洞是假装探险的那种洞，车开不到跟前，要走很长一段田埂小路，过一条小溪，才到。我们把车停在一个山口，下来走路，我们一行二十几个人队伍拉得很长，我和管理局一个叫杨美红的女副局长走在最前头，陈染林白她们几个女的走在最后，间隔多远呢，我都吃完饭了，陈染林白她们才到。

我看到的野炊是当地驻军的几个战士拿着家伙什到洞口给我们做彝族饭，有肉骨酱、猪血、红豆子、青菜炖豆腐皮、豆子焖饭，还有烤鸡翅什么的。

他们还备了一种暗红色的彝族甜米酒，用一个大塑料桶装着，二十五公斤。

一上午看溶洞走了很多路，都挺累的，饭吃得很香。杨局长开始拿着纸杯挨个敬酒，他们说这酒没度数，就是饮料。我们喝了几口，也觉得没度数。喝了一会儿，气氛有些热烈，不分男女大家开始乱喝。我已经觉出这酒有度数了，但自恃在北京是喝二锅头的，便有些逞能，来者不拒，喝了一阵，腔子整个灌满了，一杯酒喝一半必须跳着脚蹾一蹾才能喝进去后一半。二十五公斤装的塑料桶还剩二指宽的底儿，我对杨局长说，你是喝酒喝出的副局长吧，咱俩把这全喝了。

喝完酒我就不太记事儿了，只觉得场面有点乱，到处有人跑来跑去的，每个人都在大笑、乱叫，还有人声嘶力竭地唱歌。

我们一帮人打着手电进洞探险，我和杨局长互相搀扶着走在队伍中间。手电光在黑漆漆的洞壁上晃动，脚下出现两行石头，我一脚踩上去，脚一软，带着杨局长一齐扑向暗中发亮的水面——这是我最后一个印象。

再睁眼我已经躺在昆明滇池温泉酒店的床上，电话铃在响，我拿起话筒嗯嗯哼哼说了几句，也不知对方是谁，把电话挂了。下床上厕所，发现衬衣被人洗了挂在卫生间，小吧台上有很多电话留言的条子，看了一下手机上的时间，晚上十一点，喝了几口水，又上床睡了。

星期五

早晨很早就起来了，发现腿疼，两个膝盖都破了，结血痂，其中一个肿得很高，右手也划了很多血道子。在卫生间弄水洗澡，本来还想泡会儿，可惜盆太小，搁不进腿，只好算了。

鞋和裤子上也都是泥，穿不出去，打电话叫客房部拿去刷和洗。

知道昨天又惹事了，但无记忆，不知闯下多大祸，得罪多少人，不好意思出去，一个人在屋里转腰子。这个酒真不是好东西，最要命的是让人不记事，很容易不得要领。

总不能不出门，硬着头皮出了房间，作浑然清白状下楼去餐厅，几个人看见我都笑，问我记不记得昨天的事。他们说我当众小便。说从洞里到车上是县公安局的两个警员架过去的，很像从哪儿抓出来的现行犯。说杨局长破了相，脸上划了个大口子，血流不止。说我的衬衣是旅游局小张洗的。我嘿嘿然，半天说了三句：有辱斯文，有碍观瞻，斯文扫地。接着向众人告罪。这个早晨，我见到一个人就道歉，再三道歉，直到弄得人家比我还不好意思，心方稍安。

这时又来了两个女记者，一见我也笑，显然是知道了。她们说昨天就听说我干的好事了。

早饭后，他们去滇池龙门，我去过，也无心出门，就回房间和两个女记者聊天。

她们问我和她们聊天会不会担心她们乱写。我跟她们说，我总要相信一些人，我宁愿还是先相信人，直到这人证明不堪信任再一个个择出去。初次见面无从辨别，我一般倾向相信女的，女的里倾向相信年轻女子，年轻女子中倾向相信面貌姣好的，面貌姣好的倾向相信生活无忧的，因为这类人群社会压力比其他人群要小，人性得以保存相对完好，环境允许她们善良，她们也没理由不善良。再说如果被人骗是注定的，与其让别人骗还不如让她们骗。

尽管记者的职业似乎要求有闻必录，但有几个默契一般是不需要重申的，一是政治性话题说说完了；二过分隐私的内容和涉及他人特别是对朋友的议论要采访对象认可一下；三不要抖事后机灵，把自己没说过的话加进访谈好像自己提问多尖刻似的。

我们聊得很好，起码我说话时没什么障碍。聊的内容可供发表的大概她们已分头写在她们的报纸上了。

我有印象的有两个话题，一是她们问我对批评过的人有没有后悔的，我说有，一是白岩松一是梁晓声。梁晓声纯是误伤，白岩松其实我对他没那么反感，只是对他那本书中的某些态度不舒服。批评某人也不是就恨铁了这个人，大多数时候只是针对他的某一方面。

二是谈到“心灵自由”。我把这当做生活好坏的标准。而且就因为心灵本不自由，所以要豁出去奔向自由，哪怕是步入歧途——那也注定无法自由。

聊天的过程中一直有电话打进来，有服务员进进出出。过了一会儿殷红带来一个叫李勃的人，这人也是北京蓝靛厂空军学院的小孩，当兵在云南就留下，20 世纪 80 年代也写过小说，后来去海南，继而深圳，现在昆明办一个高尔夫球场。

李勃说昆明这地方就适合享乐，日子可以过得十分舒服，没人思考。类似说法我在成都、杭州、南京甚至上海这些南方城市都听当地人说过，他们都认为自己城市是天下过日子的首选之地。我想他们这话里有指北京饮食粗糙、气候恶劣不如南方的意思，也有北京是名利场是非地的意思，但我想过日子主要是心情，真打算过，在南极也能舒舒服服的。大概他们说的也是这些南方城市的市民气质吧。

李勃说的话是吃喝玩乐一类的，有时透出商人的骄矜。他说他的深圳朋友刚操办了一个什么表演学会的活动，一帮老电影明星去了深圳，挨个酒店派饭，“这帮人你不理他不行，你老理他也不行”，举出种种若干难伺候。都什么时候了，还把吃饭当做盛举，也不知是这帮老星儿可怜还是这帮商人无聊。

中午去“火车南站”吃饭，这是我此行吃得唯一一次地道的云南饭，都很好吃。吃完饭又去隔壁的“上河会馆”和《大家》杂志的李巍、海南喝茶。和社会上的人比，搞文学的人还都是老实人，见面也觉得亲。李巍他们拿来一本小册子，是苏童去年来云南写的游记，还配了一些照片，有王干在上面。翻了翻，这类旅游文章还是余秋雨写得适合消食，寄情山水苏童这个城里孩子还缺那么点酸腐气和千秋之恨。

这中间发生了一点不愉快，一个前天见过的女记者带来一个严肃的年轻男子，上来就严肃地对我说他有一个绝好的写作题材要提供给我，“有关科学”的，我说我不写别人的东西，“我也不懂科学”。我说的是老实话，我不是报告文学作家，也不是张平那样关心民生疾苦的人民作家，我只写我自己，除非你张罗着把我枪毙，我才改。我从事写作之后受的最大骚扰就是老有人要给我讲一个“特棒的题材”。我不需要。我也不知道怎么才能向人解释清楚我不需要，因而不胜其烦。我有读者，所以也别拿文学脱离人民、人民拒绝文学这样的废话跟我说，即便有一天我没有了读者也不改其衷。

这件事让我最不舒服的是我要拒绝一个看上去很诚恳的人，也许他还会觉得受了伤害，他也确实在一边嘟嘟囔囔。这是那个女记者强加给我的，起码你该问问我，有这么一个人想见你，你愿不愿见，被迫当一个无礼的人让我很生气。

女记者问我，你对诺贝尔奖怎么看。

我说，你能不采访我吗，你已经让我有点烦了。

她带一起来的男子起身走了。

下午去了李勃的高尔夫球场，坐在会馆的休息厅看风景，和他聊了半天小时候的事儿。他的球场有一帮专门来和缅甸人打球的人，其中一个北京人，就是那种能说会道的北京人，说他一个大姐跟我是同学，说了名字我一时想不起来。

接了一个上海打来的电话，也是不愉快的事。下午的其他时间我找了一个房间一直在睡觉。

晚上在李勃的会馆楼顶吃的烧烤，我们那伙人只来了陈染，其他人分头吃饭去了。

吃饭时我给北京打电话，说我不去大理了。那边急了，说别呀，都跟州里联系好了，我说那也没办法，只好抱歉了，我觉得我的痛风病要犯，我不想病在外头。挂了电话，过一会儿北京又打过来，说小弟明天一早就飞昆明，我说见不着了，明天一早我就飞回北京。

回宾馆的路上天已经黑了，方力钧打进来一个电话，说他在昆明，我听说他在大理买了房子，在昆明还开了家酒吧，我们约好的酒店见。

回到酒店我收拾行李，带了两个星期的换洗衣服都没来及穿。箱子刚收拾好，方力钧就敲门，我们坐他朋友开的车又出去。

“上河会馆”坐了很多画画的朋友，聊了一气，又换到方力钧的酒吧坐着。

从下午开始我就一直在喝啤酒和葡萄酒，到方力钧酒吧改喝黑扎啤。喝了两扎后越喝越兴，最后酒劲儿完全退下去了，坐在那儿像喝水。方力钧说了很多云南的见闻，看得出来他热爱云南和这儿的姑娘。我说我这次是拧巴了，怎么也玩不好了，只能下次，自己再来。其实什么地方也好，一起玩的人最重要，人对了，就永不拧巴。

一会儿又来了三位大姐，坐着一起聊。到半夜，我说明儿一早要赶飞机，先告辞了。出门两位大哥正好也来了，我就顺便坐大哥的车回酒店。

路上一位大哥说你住的这个酒店是昆明人周末带姑娘去的酒店。

星期六

醒来看手机，夜里三点。怎么睡也睡不着了，心里是空的，像一所空房子。觉得一切都远，家、所有亲人都远，远得像在另一个星球上，心里难过，起来用宾馆的信纸和圆珠笔写字。宾馆的笔不出水，写出来的笔画断断续续。

写了两页，又上床睡觉，也睡不着，就干躺着。一会儿听到外面有动静，开门看是一服务员推着一辆早餐车从走廊经过。

又躺了会儿，听见林白的说话声，开门出来，他们去迪庆的出发了，我把李敬泽落在我房间的烟和遮阳帽给他，还有一副墨镜，他说不是他的，我问是谁的，大家都说不是自己的。

我们告别，说北京见，其实在北京也都不见面。

我和陈染七点出发去机场，阎连科也出来送我们。他一个人去武汉，十点的飞机。我们说最后走的人最凄凉。

送我们去机场的有旅游局的小张，一个很好的姑娘，云大英语系毕业的。一路上我净给她添麻烦，她都忍受了。他们处长也是一个很好的人，不知为什么我觉得对不起他们。在机场小张和我们留影，我一个劲向她道歉。

然后就挥手告别，然后就进安检，然后就上飞机，然后飞机就起飞了。

回忆梁左

一个人没了，说什么也是多余的，记着也好，忘记也好，都是活人看重,逝者已经远去,再见面大概也早忘了这一世的事。

这一世梁左是个作家，写了很多字，大部分是让人高兴的，也留下了一些对人对事的看法，这些文字是厚道的，其中闪动着他的为人。关于他的作品最好让读者自己体味，无论如何那是他写给他们看的。在这里，我更想多谈一谈他这个人，我们在日常生活中接触很多，现在一想他，还能看到他生前的模样，忧心忡忡急匆匆地低头走过来，抬起头时眼镜遮住了半个脸，十分疲惫的样子，欲言又止。

我和梁左是 1992 年认识的，通过梁天。宋丹丹要拍一个喜剧电影，找我写剧本，我心里没底，想拉上一个垫背的。这之前听过梁左写的相声，觉得好，我所不及，就找梁天要了他哥的电话，打过去相邀。

听这人的名字，以为一定是个张扬外向的瘦子，左嘛。见了面发现是个胖胖的好好先生，和梁天一样的小眼睛，隐在度数很深有放大效果的眼镜后面，见人便带三分笑，说起话来字斟句酌，很在乎对象的反应，个别咬字上有点大舌头。没话的时候很安静，眼睛看着地，似乎怕人注意，有些讪讪的。后来翻拣他从前的照片，看到这副表情很小时候就挂在他脸上，几乎每一张照片只要他在笑，眼睛就是朝下的，很不好意思的。仅从这表情看，这人似乎很害羞，很谨慎，对这个世界充满紧张，是个自闭的人。

后来成了朋友，接触多了，不太注意他的表情，也见过他喜不自禁高谈阔论和吃饱喝足的样子，还是觉得他是第一印象里给人的感觉。他爱热闹，见生人又拘谨，给他打电话出来吃饭，他老要问都有谁呀，听说不认识的人请，在座的还有不认识的，他就犹豫，犹豫再三说，我就不去了吧。这犹豫中有别人都在花天酒地自己在家单吃的不甘心，也有拒绝别人时赔的小心。

听说都是朋友，就欢天喜地答应，但还要反复来回摆架子：你们都想我，好好，那我就受累去一趟。到了地方又挑座位又挑菜，有时还挑服务员的礼，譬如小姐端着蹄髈上来，说“您的肉来了”，他就说怎么说话呢，什么叫“我的肉”呀，应该说“您要的肉来了”。后来大家成了习惯，请他吃饭先说这么一套：大家想您，没您不热闹，您就受累跑一趟。初次见面的人会觉得这人、我们这帮和他在一起的人都虚头巴脑的，次数多了，知道是个好玩，也跟着说。

梁左好吃，鸡汤翅、沙锅鱼头、炖老母鸡是他的最爱。没人请就自己掏钱“做个小东”。遇到这几样东西，他都要吃两轮，先跟大家吃一气，待大家放下筷子，他就叫毛巾，摘眼镜擦汗，让服务员添汤、端到他跟前来，仔细拣着，一根骨头不落搁嘴里过一遍，然后灌汤。他在平谷插过队，经常形容什么叫素、寡、肚子饱了嘴没饱。平谷是“京东肉饼”的发源地，那也是他念念不忘一说起来就垂涎三尺的美食。后来英达说，看来梁左是对的，吃什么都该点双份儿。

梁左是写喜剧的，读书的口味偏于历史掌故，我和他经常交换书看，他推荐给我的大都是这一类。我有一套《文史资料》，他一直想据为己有，我不答应，他就五本五本借着看，直到去世还有几本在他书架上。老看这些书使他的谈吐和打扮都有些老气横秋，一次他脚得了丹毒，穿着便宜的呢大衣拄着拐棍出来吃饭，我说他你可真像《人民日报》副总编。我愿意和他一起出去，女孩见了都说，你们跟两代人似的。梁左嘲笑我的一个主题就是我认为自己还年轻，他说人老了的特征不在保守而在维新。他还爱说，我是一直没好看过，王老师年轻的时候好看过，现在就老忘不了，还以为自己好看。说完狂笑，然后戛然而止，抬头望天，愣在那里，再看人一脸正经。他大笑时就是这样，稍纵即收，好像自己先怯了，又好像被冥冥中一个声音喝住。

梁左十分羡慕我的睡眠，他的睡眠是运动的，每天往后推两个小时，从黑夜推到白天，再一步步推回来。最拧巴的时间是晚饭当口，挣扎着吃几口就要回家眯一觉，醒来总是深夜，群众反映他经常一个人后半夜去各种酒吧独逛。为了拧巴回来，他一直吃安眠药，时而奏效时而起反作用。有一阵子他把睡眠调整到夜里十一二点了，能连续睡五六个小时，他十分欣慰，比什么都幸福似的对我感叹，还是白天好，街上都是人，商店也都开门，想去哪儿都行。那几天他比任何时候都紧张，一到天黑就做睡前准备，也不打牌也不多聊，迪厅酒吧门都不敢看，生怕兴奋了。过了几天，我看他又坐得住了，还张罗通宵牌局，问他，他说又改早晨睡了。后来他家楼上装修，他又添了一个毛病，睡觉时开着电视或录音机。

我一般只在晚饭时给他打电话，没人接是关了铃在睡觉，接他就说在赶剧本，一年四季他大都是一个人在家。人民日报社前那条摊贩街没拆之前还见他孤零零出来买东西回家吃。我跟他说剧本是写不完的，钱是挣不完的。他说是是，我是早晚要写小说的。他在潘家园市场买了本解放初期一个小知识分子的日记，他准备根据这个日记写一部长篇，那里面有很多肺腑之言，掌握得当，能改变一代人的认识。他还有一个小说构思，跟《红楼梦》和红学家有关，听他讲已经很乖谬了，写出来一定是超讽刺。这两本小说都是一听想法就对，也适合他发挥的东西，写出来就占一席之地。我劝他，写吧，相声你也祸害了，情景喜剧你也是头牌，该往我们小说里搅和搅和了。他美滋滋地说，真的，全瞧我啦？他对虚荣有一种孩子似的喜爱，拍《临时家庭》投资方非要他做导演，一劝他就去了。我问他你导吗，他说我给他们说戏，不说哪成啊。蔡明说，他在现场就爱听人家管他叫“导演”，一听就绷不住，闭着嘴张着俩鼻孔往外偷乐。

大概是导完《临时家庭》之后，他说要写小说了，闲了半年，每天愁眉苦脸，昨天一万字了，今天只剩下三百。我说你就用刘震云那法子，先往下蹚，最后一总改，这么弄，一个自然段就能改一年。他说道理我明白，可是做不到。他那不是写小说，是改笔路子，从电视剧下来都有那么个曲折过程，在我看那甚至是改生活方式和生活态度，写剧本和写小说是两种活法，一个直通欢场一个自断尘缘。他坚持了很久，又接戏了。一天说，没办法，得过日子，反正这俩小说在我脑子里，丢不了。

他说他有忧郁症，自己查书吃“百忧解”。

他说我跟你还是不一样，有些事你早看开了，在我这儿就是大逆不道。

他说你相信有天堂吗，上帝呢？他说我也想通了，以后好好过日子吧。他说有人给他算命，只要活过四十三，还有四十三年寿命，这后四十三年别提多可心了，想要什么都有。他说太好了，从来没这么好过，以后不玩了。

现在知道，他最后一夜自己在三里屯酒吧街转了两小时；十点左右给他一个云南的朋友打过电话，说他父亲丧事的事；之后去了一个朋友的酒吧，想跟人聊天，可是所有人都在聊，他没能参加进去；凌晨四点去了“佰金瀚”桑拿，有朋友看见他脸上盖着小毛巾在桑拿室里睡着了，于是叫醒了他；上午十点邻居看见他拎着买的熟食回家；这之后没人再见过他。他的电话记录在傍晚六点来钟有打出去的电话，一个照顾过他的剧务在同一时间给他打进一个电话，问他在干什么，他说准备热点东西吃。

法医鉴定他是当天晚上十点至第二天凌晨两点之间去世的。胃内无食物。见到他的人说他很安详，面带微笑。桌上的录音机正循环放着民乐改编的《梁祝》。

为梁左序

说到梁左，一般人知道他惯于搞笑，从前些年的相声到近几年的情景喜剧都很有影响。你可以品头论足说他搞得未必都好，但离了他，只怕更不像话。相声，由于他的介入，曾经有一番中兴迹象；情景喜剧，说他是第一人略嫌肉麻却也基本属实。现在，梁左出“幽默小说集”了，说起来也是顺理成章，只是“幽默”二字不可妄称。我们自认为是有幽默感的民族，甚至曾为什么是“幽默”打架，认真得可敬。一般俗论，鲁迅那样的文字为上品；林语堂钱锺书那样卖学问抖机灵的也是正宗；北京话，除了老舍侯宝林老二位还合适，其余大都失之油滑，叫贫嘴，跟“幽默”不搭界的。有这样的分等，我也替梁左担心，有那一干闲人，懒得翻书，先跟你的书名纠缠一番，公然以“幽默”打头，将来就要架得住闲言碎语。

这小说集收的是梁左近二十年间的零碎作品。一个人光写东西就写了二十年，听上去够老的，但你也可以说“罗马不是一天建成的”，只有这样跨度才能看清一种新语言的发育过程，从粗犷到圆熟。就算我给梁左戴高帽，我以为老梁的语言在“新北京话写作”各路人马中是自立门户的（这在电视情景喜剧《我爱我家》中可说是达到顶点）。

“新北京话”的共性我就不说了——都有些满嘴跑舌头，喜拿政治时事打镲，拿人不当人，不那么厚道——这里单说梁左的特性，他和那些街头混起来的痞子的区别。这人受过教育，是北京一所名声在外的学校科班出身，这也没什么了不起，那所学校出来的也有很多废物，我强调这一点的是，这个教育背景给梁左其人熏出了一股文人味。按他自吹，他还研究过“红学”，在教育部当过小官僚，修订过“中专”教材，在语言学院给大舌头老外正过口，这些阅历使他运笔时趋于雅驯。同样也是那些狂乱不羁的口语，经他手一过，都戴上了嚼子。我注意过他文中的“用典”，那和痞子完全不是一个出处，痞子之说大都出于牌桌和公共汽车，梁先生之说基本来自典籍野史，不得已“个儿攒”，也乐用经过整理的民歌民谚再整理。梁先生笔致的另一个补充来自传统相声，这么说也不完全，应该说得益于中国传统文化。说他对中国传统曲艺说唱艺术入了门不是瞎说。他更正了我认为那是一堆垃圾的错误观念。那些段子经过几百年的锤炼，看似信口开河，其实里面讲究大了去了，一句咳嗽都不是瞎使的，动一个字说出来就不是那意思了，而且没有“脏口”。梁先生很正经地对我赞叹过，有一类有水平的老相声演员，脑子里都有一根弦始终绷着，一到裤裆往下的话口，立刻打住，说不出来（大意）。依我之见，梁先生脑子里也是有这根弦的。谁都知道，笑话两种最好使，一是政治口，一是荤段子，放着明摆的痒痒肉不挠，这就是不庸俗。说了这么多，也不知道说清楚没有，我现在的表达能力也是成问题。简言之，梁左的语言比之我辈更工整，句子内里更有一番勾结，而且都读得出声，也好意思读——这也是他素为吃“开口饭”的演员导演所倚重，逢年过节便忙，净看戏开锣，正经小说集这还是上大街听见有人喊——头一回。

该怎么说怎么说，我以为梁左这个集子的小说不是都好，早年间的东西还是单薄，句子有今天的模样，读起来也觉得话说得巧，只是通篇看下来似嫌无动于衷。我以为梁左这些小说有一个弱项，感情投放量不够，技术成分过于突出。这也是看到其中他最新完成的《怀旧》才有的这个感想。我在看这篇小说时突然感到被满足了，因为这小说中作者倾注进去了大量情感，显见梁左并非无情之人，除了逗笑心里也装事儿也经事儿。这就可怕了。我觉得最有读者缘的小说便是那悲喜交加的东西，我一向自得旁人只使得一副好拳脚，全中国只有我会左右开弓，最怕平地又生出个对手。知道这一天早晚要到，只盼着晚一天拖一天，多混几日。听说这篇《怀旧》原本是他准备写的新长篇的一部分，因为却不过朋友面子又被人拉去写情景喜剧挣钱去了，仓促间就将这几万字剪裁一下，发了出来。很为世间还有很多聪明人为俗事所累庆幸，都那么好说话，好脾气，唯恐做不成好人，就这么下去吧——我这饭碗算是捧牢了。

| 梁左悼词 |

梁左先生，1957 年 9 月 3 日出生于北京，2001 年 5 月 19 日因心脏病突发在北京家中逝世，享年 44 周岁。

梁左先生幼年聪慧，敏而好学，中学毕业后插队，后考入北京大学中文系，获学士学位；毕业后在教育部任职，1985 年在北京语言学院任教，1991 年调入中国艺术研究院曲艺研究所。

梁左先生在大学期间开始文学创作，曾在《青春》等刊物发表短篇小说多篇；1986 年开始相声研究和创作，和姜昆等多位名家合作，推出《虎口遐想》《电梯奇遇》《特大新闻》《小偷公司》等多部脍炙人口的相声名段。从 20 世纪 80 年代中期到 20 世纪 90 年代初期几乎历年春节晚会上都有他的佳作，成为独领风骚的一代相声作家。他的创作给相声这一中国古老的曲艺形式注入了新的生命力，形成了强烈独特的个人风格，对相声在上世纪 80 年代、90 年代之交的中兴作出了他人难以企及的巨大贡献。

梁左先生 1992 年转入电视情景喜剧的研究和写作，他和英达先生合作推出的一百二十集情景喜剧《我爱我家》是这一盛行世界的喜剧形式在我国的首创。该剧在观众中获得的巨大反响和广泛认同深刻改变了我们的喜剧观念和欣赏趣味，开拓了我们的视野，并造成了这一形式在我国荧屏的流行和推广，造就了一代喜剧新人。该剧达到的高度至今仍是一座无人超越的山峰。

在这之后，梁左先生又自编自导了情景喜剧《临时家庭》；编写了电视喜剧《新72家房客》《闲人马大姐》《一手托两家》；改编创作了《不谈爱情》《太阳出世》《经过上海》《称心如意》《美好生活》等大量电视剧。他几乎是独自一人在电视喜剧这一领域奋力开掘，他的孜孜不倦和超乎常人的精力以及如同无穷之水的幽默令人惊叹，可以说正是这种勤奋和努力使我们的生活变得愉快，同时也损害了梁左先生的健康。他透支自己向社会付出，直到生命的最后几天他仍在工作，这也是我们今天悼念梁左先生时心情越发难以平静的原因，我们每个他的朋友、他的观众都从梁左先生的生命中获益，而我们又给了他什么？

熟悉梁左先生的朋友都知道，梁左先生身上有一种在今天社会难得一见、几乎可以称为老派的美德。他对父母极为孝敬，在弟妹面前是忠厚长兄，在女儿面前是慈父，对他爱的人忠诚无比，视朋友为手足，他把所有当负不当负的责任都一一肩担了起来。他对别人慷慨大方，对自己极为苛刻，他外表的风趣和内心的认真并存，他的原则是只麻烦自己不麻烦别人，当他沉默时就显得沉重。

梁左先生生活在我们当中，内心却自有他的一片天地，他是天真的，对未来十分好奇并怀有憧憬，就是我们说的有梦的人。他从来没有放弃过自己的梦想，他有很多写作计划，有对未来生活的安排和渴望，他准备了很多惊喜提供给我们，也想给自己一个幸福，可悲的是这一切都没来得及实现，他就倒在了追梦的路上。我们永远无法知道他的内心还有多少曾经设想甚至没来得及吐露的梦。一个像他这么优秀的人，内心世界蕴藏的东西是我们旁人无法想象的，有些也是我们难以体察和理解的。他的爱，他的痛苦，他的委屈，他的梦想，都随他而去了。作为他的亲人、朋友，我们悲痛，悲痛天妒英才，他走得越远，我们越觉得他和我们血肉相连。他给我们每个人的生活都留下了巨大的空白和缺口，有些是我们一生无法、也没机会弥补的。对他的怀念将伴随我们的一生，直到我们去和他相见，我们相信他仍然以某种形式存在，正注视着我们，关爱着我们，那是一种永在。

笑一下吧梁左，来世我们还做亲人、朋友，不管在哪里。

| 崔健印象 |

对我这种在“文化革命”中度过自己整个少年时代的人来说，还未成年就已失去了心肝。只是自己不知而已。特别是上个世纪80年代中国的改革开放，刻意渲染了一种气氛。让人觉得自己正在获得解放，很长时间还以为自己很幸福呢。那不久，我在一盘录得很差的带子里听到了崔健的《一无所有》和其他几首听似支支吾吾实则是在吼叫的歌。怎么说呢，他打破了一种错觉，揭露了一些真相，最重要的是他让我听到了一个人的心灵。原来人是有心灵的。这个常识那之后我才知道。

很长一段时间，只要我想、有需要让自己感到自己有心灵，就听崔健的歌，仿佛自己的心灵存在于他的音符中，只有通过他的嗓子和他拨动琴弦的手指才能呈现出来，像烟只能通过火来点燃。这该算着魔吧？那段时间又很幸福，以为再也不会失去自己，健康的心灵被可靠地寄托在美丽的地方，如果想自我感动一把，自我证实一把，就把老崔的录音带找出来按一个键子，如同把钱存在银行想花就去取。我宁愿崔健和他的音乐代表我存在，代表我斗争，代表我信仰，我把重大的责任都交给他了。

我要指出，崔健的音乐有很大的麻醉作用，他会使像我这样不肯承当的人觉得自己什么也没放弃，理想还在，勇气还在，希望还在，只要这种音乐还响着，我们这些人就不是毫无价值——然后是再一次地破灭和极大地失落和空虚。

没有什么音乐能支持哪怕是最平凡的人的一生，即便是崔健，由于历史的原因他有如我的青春胎印。他的每一声歌唱都如同我自发的呐喊，很美，很能提升自己的自我感觉。可最终，我该面对的还得面对，难堪的过程一步也无法省略。曲终人散，什么也没改变。

为什么人需要自我感动？需要一种音乐寄托自己的情感？为什么不敢承认自己所做的一切都是无意义的？看到了未来又怎么样？知道了来历又能如何？我知道自己还是会深陷在越来越新、越来越高的城市中，混迹于饭店、酒吧、舞厅那一间间其实没什么不同的小房间里，一天天老去。崔健给过我们多少力量——这是他常爱用的歌词——今天想来，也不过是徒增伤感的淡淡记忆。

上个月，又重新听了很多遍《红旗下的蛋》，感动越强烈，内心越空荡，乃至每次都在歌声中睡过去，一个梦没有，像是在沉沦。

他总是朴素的、乐观的，还有几分天真、几分与世隔绝，像是高山积雪刚融化，冰冷、清冽、水寒伤骨。

写到这里时想，崔健是有勇气的，像坏脾气的孩子般执拗。他在该出现的时候来了，并一直坚持在那里。祝愿他无愧于自己。

2000 年 10 月 25 日于北京

| 我看王朔 |

1

王朔和他的同时代作家比起来，起点不算高。在刘索拉写出她的《你别无选择》；徐星写出《无主题变奏》；莫言写出《透明的红萝卜》、《红高粱》；马原写出《冈底斯的诱惑》、《虚构》的时候，他在写什么呢？在写《空中小姐》。这是什么东西？通俗言情故事而已，无论是立意、结构和贯穿其中的情调，都是对西格尔那风靡20世纪70年代的流行小说《爱情故事》的模仿。王朔那时的趣味相当于今天一个刚失恋的十八岁女孩，自以为历尽风雨，有大款出钱让她做歌手，于是在自己的第一支单曲中哀怨地演唱那一段痛史。这痛史其实是一段感情游戏，一唱起来也知道这东西的无聊，于是拼命夸大感受，针尖大的窟窿透过一火车的眼泪，使这看上去多少像是一次心碎，赚回一些眼泪就觉得是个成功了。

后来被他当做资本，津津乐道说个不休，一遇批评便拿出来遮羞的所谓反英雄反文化颠覆主流话语记录大乱之后一代青年行状和心路历程云云，其实是当年刘索拉和徐星首创的写作风格和路数。王朔只是一个跟着哄的，或叫效颦者。我以为王朔在那时并不是一个真正意义上的作者，他几乎没有什么独立的生活态度和观察角度，基本处在他人风格的影响之下，这在他第二部小说《浮出海面》中同样可以看得很清楚。这是雷马克《凯旋门》和《三伙伴》以及海明威《太阳照常升起》的中国版。另一个左右着他的趣味，甚至直接成为他抄袭对象的是一个叫礼平的中国作家。礼平写的《晚霞消失的时候》是 20 世纪 80 年代最好的情感小说，曾把王朔看得神魂颠倒，至少一顿饭没吃，一周夜不成寐。他的小说所达到的文字优美和情感撼人程度是王朔从来没在一篇小说中同时达到的。我不是说王朔在情节和语言上对礼平进行了抄袭，他抄袭的是美感，具体说是他笔下的女性人物。他在《浮出海面》中那个女孩子晶身上投注的是礼平在《晚霞消失的时候》中对那个叫南什么的女孩投注的同样目光和丝毫不变的感念。对那种清秀干净有书卷气的女孩子的迷恋从此成为王朔小说中的一个套路。他对女性的认识和欣赏再也没往前走一步，说穿了就是把女性一直当孩子看，这不是女性的幼稚而是他的幼稚和一厢情愿。若说他和礼平在对待女性的态度上有什么区别的话，礼平笔下的女性还刻意强调她们的冰雪聪明，而王朔钟情的对象除了单纯就是越来越像傻大姐。我觉得王朔对知识女性有一种恐惧，也许这和他在街上长大的经历有关，像他这路人很容易接受“只有难看的姑娘才读书”的流行偏见，我们都知道这不是事实，这若是真的，那大学里的男生也太可怜了。人总是要找一点优越感才可以继续活下去，什么都不具备的人最后就进行性别歧视。

“一半火焰”是王朔被阅读最多的小说，作为小说实在没什么可说的，那就是一个耸人听闻的小报社会新闻一类的故事，后半部分是十足的败笔。如果你不知道什么叫画蛇添足，看那个小说就知道了。我最不喜欢的是王朔在那里面流露的自我欣赏和自以为得计的小卖弄，好像谁一见他都要爱上他，只有他甩人家，人家对他都是苦苦追求，乃至痛不欲生。哪有这回事情？不要自己写小说，就把自己搞成万人迷，过什么瘾呢？最恶心的还要人家为你殉情，完后你很悲壮，这是典型的小资产阶级白日梦和自我吹嘘，讨厌！为什么王朔往往给人俗的感觉，他那粗语村言是一个方面，更重要的是他在小说中，那些看似花里胡哨的都市情景下流露出的极其陈腐极其庸俗的人生观和价值观。不是一写当代生活、饭店、时装、酒吧、放任的男女关系和讥讽一切就天然变得现代、激进和时尚，或者再恶心一点说：前卫。王朔的很多观念，特别是对两性关系的认识，其实既不现代又不西方，纯粹是中国人骨子里的下流。什么是动物性，就是争做一群母羊中的公羊，并以此沾沾自喜，这是用什么性解放玩颓废也提升不了的。

王朔的下流使得他的言情小说不那么纯粹，说这因此具有了社会性或说揭露性真是误会。当他不那么下流时，又显得可笑，这在《永失我爱》这类小说(有的小说我实在是懒得再提名字)中最为明显。他对高尚的情感实在是陌生，只得使用最滥的通俗剧手法，让其中一人得不治之症，大家哭一场拉倒。他还说人家琼瑶呢，我看他在这点上还不如琼瑶。既不纯情又不坚信，这是王朔的困境，这等于让一个没吸过毒的人去想象戒毒，写得不成样子也是情理之中，令我敬佩的只是这个人的胆儿大。

《过把瘾就死》本来可以写成很好的情感小说，这时就看出王朔把握结构能力的严重不足，像理发那样推着写，最后仍然是一堆素材，面里和了水，也揉了半天，就是蒸不熟，始终没发出应有的香味儿，止步于一场家庭风波。

王朔的问题在于他只是个经验主义者，像狗的眼睛一样看到多少就以为是全部了，基本上没有想象力，或者说想象力能达到的长度不超过身体，也就能由胳膊想到胸脯，再想到性交已经是意外之喜，很为自己的智力自豪了。当一个作家光眼睛大是不行的，也不是说要像一个笨蛋，干什么之前先把观点立场想好了拿尺子量着步子走，那应该是一种天赋，在讲故事的同时完成抽象过程，最终探及到事物的本质，将一件孤立的偶发的事件和人们不可逃脱的命运联系起来，这才可能有大发现。这是好作家和坏作家的区别。非常遗憾，王朔在他那些言情小说中只能指给我们看那是一条鱼，因为脱水而死，但没能告诉我们鱼总是要死的，一直在水里也终有一死——事后想到，愣给说出来不叫本事。

2

不管王朔把自己看成谁，我一直认为他应该待的地方是当一个正经的通俗小说作家如果他坚持要写的话。在他的创作过程中，只有一次做出了正确的选择，就是写那本侦探小说《单立人探案集》。十分可惜的是这次他又碰到了困扰他的老问题：想法和能力的差别——想到了却做不到。逻辑思维能力也不是谁想有就能有的。他，老王，如果说有，也只有一点点，够冲一次马桶的，却完全不足以应付哪怕是最简单的一件刑事案件的破案。这本书里涉及的角色大概是我看过的一帮最愚蠢的罪犯和警察。王朔在某种程度上不但侮辱了我们的专政机关也贬低了我国的犯罪水平，进而言之，降低了我国人民的平均智力水平。侦探小说的有趣之处既不是展示暴力也不在乎歌颂警官和什么震慑犯罪，而是大家一起做一个智力游戏，猜一猜谁是坏人，他是怎么被发现的。给读者下一个套是不够的，要保持作品的紧张和读者始终不衰的兴趣，就要设下连环套，几乎每一步都要反向思维，穷尽所有可能之后找出最不可能又是最合情理的那个“真相”，就是成语说的“匪夷所思”。作者的智力若是等同于读者乃至低于读者，这个游戏就没法玩了，正如俗话所说，你一撅尾巴，别人就知道你拉什么屎，那你还神神鬼鬼拉个什么劲？

不要以为通俗小说就很好写，那差不多首先要求你成为这一行中的专家，像王朔这种半瓶子醋，既无专业能力又无敬业态度，凭小聪明混的写手也就是在中国，各行各业都是一个业余水平，才有可能才敢什么都插一脚，失败，搞什么也都是个业余水平，贻笑大方也是在所难免。

侦探小说的写作失败对王朔而言是悲剧性的，这几乎彻底堵死了他成为一个合乎自己智力水平的、正派的、规规矩矩作家的最后机会。后来他那样折腾，拼命借助小说之外的因素哄抬自己，若他肯接受一次心理医生的催眠，一定可以追溯到这一发生在 1986 年的心灵创伤。我国的文学创作一向不分层次，通俗小说御用文学和纯文学混为一谈，如同卖茄子的卖电脑的卖珍珠翡翠的都搁一个柜台，这帮顾客都往一块挤，挤着挤着也忘了自己兜里的钱够买什么的，指着大家伙，贵的，乱纷纷喊：给我们拿给我们拿。给你拿你接得住吗？日常生活中我们看到的悲剧不都发生在忘了自己姓什么之后吗？

“有志者事竟成”也是一句坑人的话。

3

王朔浪得虚名主要是靠他那批以调侃语言为主的《顽主》系列。这批小说有功，功也不在他。语言不是数学公式，发明权不在个人而在已经在使用这种语言的人群，这是不可以颠倒的。说哪个作家发明了一种语言那是胡扯，你不能说莎士比亚发明了现代英语，但丁发明了意大利语，他充其量是一个整理者，第一个最出名的使用者，或者反过来说，他是借此而扬名的。当代北京话，城市流行语，这种种所谓以“调侃”冠之的语言风格和态度，是全北京公共汽车售票员、街头瞎混的小痞子、打麻将打扑克的赌棍、饭馆里喝酒聊天的侃爷们集体创造的。王朔仅仅是因为身在其中，听到了，记住了，学会了，并因为没有书面语表达能力，不得已用在自己的小说中，本来是讨巧，不留神倒让他成了事儿。

“玩的就是心跳”是他们一起玩扑克的北京作家苏雷常挂在嘴边的一句话，被他偷了；“过把瘾就死”是东方歌舞团后台流行的一句玩笑语，被他看演出听去了；“千万别把我当人”是当时市公安局宣传科的付绪文一跟人开玩笑开急了就说的；“早死早超生”是梁左打麻将时劝人快出牌时的用语。四川的一个作家乔瑜也曾给了他大量的语言辅导，在《玩的就是心跳》那本小说中很多恶毒的议论便是直接来自他们一起去海南途中乔瑜酒后的漫谈。一个作家，生活在人群中，如同一条蛔虫生活在人的大肠中，不是说你不可以吸收他人的营养把别人的话作为自己的语言，但要知道感恩，王朔要再说那些北京话是他的独创，我第一个抽丫的。

王朔这个人经常标榜自己“跟谁都玩真的”，假装性情中人。他最爱听的奉承话大概就是别人说他“真实”，并以此自骄骄人，装疯卖傻有，借机撒泼有，最多的是说别人都是伪君子，好像全中国就他一个人敢说真话。且不说他借机搭售了多少肉麻无聊和欺世之谈，就是“真实”这一条他做到了吗？为什么他从不说他的作品受过哪些人的影响？是真没有还是一说出来就觉得跌份，生怕自己的原创性和独立完成作品的能力受到了怀疑因而三缄其口??

早期他受到雷马克海明威西格尔礼平的直接影响，我在前面已经说过了，其实后来他也一直没断了受别人和别的作品的影响，有些是技巧上的，有些是观念上的，有些干脆是从别人那儿拿来的故事和结构。《玩的就是心跳》就是源自法国作家莫里亚克的《暗店街》，只是他学了个皮毛，只学会了把水搅浑，却无能力再次澄清，因而到后来不能自圆其说。

《我是你爸爸》是冯小刚最初的一个电视剧设想，整个故事脉络都是冯氏想好的，后来冯氏因故不拍了，被王朔拿去写了小说。在这件事上，王朔做得很鸡贼，一听就知道是好故事，遂起了霸占之心，利用冯氏对他的信任，胡说一气，做了一些工作，让冯小刚放弃了这个想法。

《你不是一个俗人》中的很多情节是李晓明平日经常和郑小龙开玩笑时绘影绘形描述的，如其中的重要情节是梦想当巴顿将军，在北京郊区检阅一次杂牌军。而李晓明本人时常叨唠的小梦想就是当一个会弹巴赫的穿黑皮大衣的盖世太保，在夜里彬彬有礼地去拜访无辜市民。

《许爷》是姜文的一部电影构思，在想象中说日本话，激动起来高唱爱国歌曲，唱了半天才反应过来唱的是西哈努克亲王写的《亲爱的中国》，这些个情节都是姜文为自己设计的表演高潮。

《无人喝彩》应该说是王朔和李少红、英达共同创作的，那是一次有关电影剧本的合作，后来李少红觉得不理想，放弃了，王朔就觍着脸将这剧本连缀成小说，用自己的名字发表了，转手又卖给夏刚一道。

《千万别把我当人》同样是一次集体创作，参加者有张艺谋、杨凤良、谢园、顾长卫，大家谈了一个星期，把每一场的内容甚至人物的调度都谈到了，后来大家觉得不理想，放弃了，王朔觍着脸把剧本的场号改为小说的章节拿去发表了，这就是为什么这本小说全是对话而无叙事段落的缘故。我记得王朔还在哪里谈到这本小说的创作风格，说他有意大量使用对话，直到给自己写恶心了。我知道他这不是不要脸，而是真忘了，有的人就是可以做到这一点，能十分真诚地忘掉别人起过的作用，然后当自己是天才。

《永失我爱》同样是一个从剧本到小说的创作过程，被王朔隐去的合作者这一次是叶大鹰。

《痴人》是对一部保加利亚小说改头换面的抄袭。我忘了这部小说的名字，记得是发表在《译林》上，非常触动人的一本小说，王朔只是把原小说中的女性换成了男性。

《动物凶猛》中有《美国往事》的影子吗？我倒宁愿说是因另一部美国电影而起。那部电影的名字好像是叫《夏日恋情》。这电影是讲一个放暑假的少年和一个住在海边的美国大兵的妻子、一个少妇的暧昧故事。这是北京作协组织在门头沟一个什么地方开会时放映的，我印象很深，电影里一个小流氓走路撅着屁股一扭一扭的，脸上总是挂着无耻的笑容，大家一致认为这个美国小坏孩很像李晓明。

王朔在街上东听一耳朵西听一耳朵得来大量新鲜有趣的语言材料，怎么组织这些材料，使人物的对话间充满试探和不尽之意，他是学《红楼梦》，细读他作品中男女初遇时的对话还能看到《红楼梦》的影子。

对幽默感的处置和重视，写《二十二条军规》的约瑟夫·海勒对他有决定性影响，说鲁迅对他有影响，那是他的攀附。还有梁左，梁左对怎样把一句家常话说得有意思，一波三折，最终使人笑出声，他们相声行叫抖包袱，颇有心得，这在很大程度上改变了王朔小说的句式。

有两个人的生活态度深深影响了王朔的前期创作，直接反映到他部分作品的人物面貌上，一个是付绪文，一个是冯小刚。付绪文是那种口无遮拦的人，有点拿人不当人，也不拿自己当人，不管说谁说什么先把自己垫脚底下，踩着自己说话，所以无论他的话怎么过分，别人也不好说什么，这倒也获得一种自由表达的特权。冯小刚是眼风极佳，见人说人话，见鬼说鬼话，夸起人来十分舍得自己，他的逻辑是：我就是把人夸过了他也不能跟我急。夸的时候就把什么事都办了。这都是北京小人物的生存智慧，在严酷的社会环境下自保同时又能吃得开，听上去挺悲哀的，其实是小人物唯一可以多少保持一点自尊的方法。这两个人都教王朔懂得了很多东西，丰富了他的创作和对人群的认识。老实讲，王朔创作中极招眼的一些观念，譬如什么也不坚持，不知丑焉知美等等，皆来自这二人。所以，也不要羞羞答答老是暗示谁是老师谁是学生，大家都是互相利用，各取所需，谁也没亏了谁，王朔做调侃一类文风开山人掌门人的姿态可以休矣。

4

王朔并不像他常爱摆出来的向人标榜的那样心胸开阔，不在乎，谁爱说什么说什么，都当是替自己扬腕儿了。他的反文化反精英的姿态是被迫的，你想，他确实是没念过几年书，至今看罗素还要打瞌睡，要他做知识分子那就是赶着黄花鱼登陆猴子尾巴立刻露出来，一天也混不下去。他是聪明的，知道扬长避短，不具备的东西，索性站到反面，这就有话说了，不是咱不懂，而是瞧不上！如果中国没有大众媒体这一光明大道1992年铺在了他脚下，仍然像那之前，一个写作的人想出头，必须开讨论会，有评论家在专业刊物予以肯定，就是说必须有知识分子势力认可，他未必敢那么有恃无恐，还是权衡过利弊得失，觉得所得大于所失才那样去做。

他也未必一开始真想和知识分子闹翻，内心大约还是想得个满贯百分才好，所以起初的姿态并非挑战，更多是挑逗撒娇，打情骂俏，撑死了是扮演一个淘气的孩子，以引人注目。坏孩子才需要更多关心嘛。走的是梁山宋江和张作霖们的路子，造反只是为了招安，目的是曲线做官。到知识分子真的批评他了，他面儿上坦然，心里还是有点急了，抱怨人家没有看到他暗藏的那些优点，没好好读他的书。“痞子”这个命名其实相当激怒了他，因为他一直是用经济地位划分阶层的，无论是出身还是现实收入水平他都自认为是属于中等阶级的，甚至还不大瞧得起大学中那些贫寒的教师，非常势利地视他们为“穷人”。痞子这个词把他归入社会下层，这几乎是一个侮辱，如同一个将军被人家当成了衣着花哨的饭店把门的。可怜的王朔，十年以后才反应过来这是一个文化称谓，这之前净跟人家辩论我趁多少钱我们家是部队的，我小时候，管你们才叫痞子呢。

这个人是记仇的，尤其是献媚不成反遭架出去，这是双倍的羞辱，用北京话说，这就叫“结下梁子”了。小人是不能得罪的，这是中国人都知道的。我不知道批评王朔的那些人是出于什么样严肃的动机，王朔这边，从一开始就是纯粹的个人恩怨。这个事儿从一开始就俗了，王朔的战法也很简单，你们说我不是东西，你们有一个算一个也都不是东西，可天下没一个是东西的。在这里，争论的前提被偷换了，学术的事情变成了人格上的比较。王朔的优势也仅在于抢先一步宣布自己是流氓，先卸去道德包袱，还落个坦诚的口碑，接着就对人家大举揭发，发现一个人小节有亏就指其虚伪，就洋洋得意，就得胜还朝。这基本上是“文化大革命”贴大字报那一套，搞臭一个算一个。王朔的知识涵度本不值得和他进行认真的讨论和批评，他不可能有理性的回应和进一步的辨识能力，任何学理上的讨论到他这里最终都会变成打架，口舌之争，人和人的针锋相对。更下作一点，他还会把对他的所有批评说成是对他的嫉妒，把中国人国民性的黑暗之处拿出来当脏水泼到对手头上，这是他那种人的拿手好戏。很多明白人早看出对待王朔最好的办法，那就是臊着他，全不理他，由着他自生自灭，这叫“好鞋不踩臭狗屎”。

王朔是很会利用大众媒体的，用他的话说“讲见报率”，除非全国媒体封杀此人，否则骂他的文章也要被他统计到见报率中去，这是善良的人们无从想象的。一个人不要脸到这种地步，正派人是无法和他对话的，总是等于受利用。上海陈思和教授最近有一段评论王朔挑衅金庸那件无聊之事的话深得我心。他讲（大意啊）：王朔这是炒作（这不新鲜，谁都这么说），他新写的小说反应不好，而金庸又迫切想从江湖进入文学庙堂，所以在这场纷争中他们是共谋关系。

我想陈教授所说这“共谋”并不是指这俩人私底下捏咕好了，一齐出来现一把，而是指他们实际希望也确实如愿达到了的媒体效果。陈教授的这番话听上去像疯话（我的第一反应是：亏他想得出来），却道出了我们现在所处的这个大众媒体无处不在任意制造话题将无聊当有趣的无奈环境。在这样的环境中，任何有意义的话传达到大众耳朵里都会变味儿，都能感到那后面可疑的商业动机，从这个意义说，实际已经没有什么有意义的话存在了。

陈教授的话代表着一班清醒的知识分子，可悲的是这样清醒的话一旦讲出来，同样沦为大众媒体的炒作对象，成为“金王之争”这把虚火中的一根柴火，这是不是可以叫“集体共谋”。

5

王朔作为一个作家，到底还是要用作品说话的，我指他的小说创作，而不是在报纸上的飞短流长和他搞过的那些狗屁电视剧。他还能走多远，他是不是早已成了一具行尸走肉，我们所说的“文化僵尸”，这是一个值得分析并应当大声发问的问题。

王朔作为一个作家的缺陷，我们听到很多说法，很多人也看得比较清楚，一说他没上过大学，学养先天不足，这是认为好作家应当是学者型那一派的意见，我还可以给这一派补充一些材料，他不但没上过中国大学，也没留过洋，不会外语，不能直接阅读原著。这一派的逻辑是文学要先讲传承，没上过学，就不可能充分了解前人已经有的成就，因而注定是井底之蛙。这一派重作品的思想性，他们为思想轨迹画出的图示是梯形，一级蹬着一级往上走，一级不落走到高台顶上才有可能再往上砌。从这一派的观点讲，我们可以断定王朔是没希望的。

二是才尽说，这个 1992 年就有人说，到 1999 年王朔新作《看上去很美》出版后讲这个话的人就更多了。这种说法还是比较直观和朴素的，差不多直接诉诸阅读感受，可以画出一条从满意到失望的下滑曲线。这一派的观点因其包含的深刻宿命态度即便今天很难将来也终有一天会被证明是正确的。不妨说这是一个预言，像人总是要死的一样的铁论，除非王朔能自我证明——这相当于一个有罪推定——否则我们毫无理由乐观。

我在四川听到一个最新说法，是参加成都电视台一个节目的观众说的。他说王朔日后没戏在于他缺乏诗情，论据主要是王朔前些年出过一盘磁带，里面的流行歌曲的词是他写的，比较差，基本上不能叫诗或者词。

不多举例了，对一个老作家，大家总是有理由对他的前途感到悲观。这些悲观都很有道理，也许王朔的问题不是某一方面的问题，而是这些问题的综合。当然，没有人是十全十美的，也不能要求一个作家像新出厂的汽车，都安装好了，十万公里无故障再上路跑。大家，只要是个人，都带着一身故障在路上边修边跑，跑得远的那个只是故障少，修理及时的。就目前王朔的表现来看，我们有理由怀疑他的自我维修能力。

我是个唯心论者，我认为王朔的主要问题还在他自己，在于他内心对自己最后要求是什么。我认为他现在并不是很清楚这件事。他要的东西太多，和这个社会的联系太密切，背着太多东西又不辨方向的人是跑不快也走不远的。

你真是想记录时代还是更关注自己的内心成长？

你要最多的读者吗以不枉托生在这个人口最多的国家一遭？

什么是大众？对全体人民而言，哪个最畅销的作品获得的不是小众？这个问题是不是可以改成你要哪部分小众？

留名百世在这个时代每个神经健全的人都当这是笑话，你不至于这么傻吧？

貌似有意义有意思的事很多，你不可能都做了，你必须取舍，望着好东西唾手可得而不去动。

你要明白你不是文曲星下凡，你的能力极其有限，既不足度他人也不足度自己，至多给自己能有个小小的交代，这是你的局限也是你的宿命。

四十岁的人了，这个生活还有什么留恋的？不要再拿别人的标准当标准了。有些人该忘了就忘了吧，离开这个是非之地，大千世界芸芸众生跟你有什么关系？什么对头到最后还不是一齐完蛋，交给老天爷去收拾他们吧。再有一万来天，你这人就没了，而且万劫不复，再也不回来了——靠！话说到这份儿上，似乎小说也没有必要写了，也成了一多余的奢侈，不对不对，我这是劝王朔上进呢。其实我也知道他怎么能写出好小说来，只是这招儿损点，不好拿出来。

——给丫关起来，判二十年徒刑，那他就能最损写出一《飘》，一不留神就是一《红楼梦》。

6

王朔及其作品对我们这个社会的负面影响是显而易见的。从他开始，哗众取宠似乎成了作家成功必须采取的一个姿态，连累得其他很多老实本分的作家也跟着失去了社会的尊重，大家对他的愤怒，瞧不起他也是顺理成章的。我不知道我们是否真的需要一个王朔才能证明我们的文学是繁荣的、百花齐放的。这是一个偶遇还是一个代价是我一直在想的问题。一个民族，没有文化艺术的发达仅有规模庞大的经济是不能受到世人的尊敬的。在新千年，中华民族的伟大复兴包括文化艺术的复兴。我们谈到汉唐时期的伟大灿烂，总是先说文化的灿烂，国民富足，经济良好那是其次的。文明之光普照，远人来归，四方朝拜，第一束投射出去的，波长所达最远的还是文化之光。文化的核心是文学，即便大众文化，声光音像制品，脚还是要站在文学的基础上，这些玩意儿并非是文学的终结者，而是文学这一母体下的崽儿甩的子儿变出的幺蛾子。也许我们最终不用纸张传播思想和情调，而用因特网，用电子出版物、光盘什么的，但我们总不至于放弃文字吧？

只用图像声音起码在可见的将来还难以表达抽象的概念和复杂的感悟，因特网上还不是一筐一筐的大把文字垃圾，所以，至少下一千年，作家还不会像恐龙一样灭绝，我们的成就感，生活质量还有很大部分要取决于文学的发展。

一个东西要发展、进化，达到高级阶段，总是要先出生，再取舍、淘汰、演变。黑暗是为光明显得重要而存在的，新生儿是伴随着痛苦、血水、肮脏和一塌糊涂出生的，如果我们注定要付出代价，我同意把王朔付出去。

|我看鲁迅|

1

第一次听说鲁迅这名字是一谜语：山东消息——打一人名，忘了发表在哪儿，反正是一印刷纸，一大堆谜语，让小孩猜。大约八九岁的时候，我们院一爱看书的孩子跟我们一帮人吹：有一鲁迅，太牛了。他眉飞色舞地说：丫行于一条黑巷，一群狗冲丫叫，丫说：呸！你这势利的狗。我和一干听众大笑，当时我刚被304 医院一只三条腿的狗追过，吓得不轻，这句话对我的心理大有抚慰。有那么几周，我们上下学，谁走在后面，前面的人就会回头笑骂：呸！你这势利的狗。

第一本鲁迅的书就是这孩子借给我看的，不是《野草》便是《热风》或是另一本，上面有骂狗这一段。我一向有一特异功能，无论什么书，拿来一翻，必先翻出涉嫌黄色那一段。鲁迅的书也不例外，一翻翻到一篇杂文，主要内容是摘抄当年一份流氓小报登载的社会新闻，说的是上海一妇人诉上法庭告其夫鸡奸，似乎引的是原始卷宗。言辞极其不堪入目。我当时是一特别正经的人，就是那种对这类下流故事爱看，看完之后又愤起谴责的家伙。我对鲁迅文风的第一观感并不十分之好，又如此文摘诲淫不说怎么能算他的东西？绝对有卖注水肉捞稿费之嫌。有一种人写文章专爱引用别人的现成大话，当时是一时弊，现在还是一俗例，小时候我就知道这叫没本事，拾人牙慧鹦鹉学舌说的就是这等行径，起先我把鲁迅也当成了这种人。

后来开始看鲁迅的小说，“文化大革命”焚书坑儒，可是没烧鲁迅的书，书店里除了《毛泽东选集》《马恩列斯全集》剩下的就是《鲁迅全集》赫然摆在那里。老实讲，当时很容易崇拜个谁，《艳阳天》我都觉得好，但是并没觉得鲁迅的小说写得好，可能是因为那时我只能欣赏戏剧性强和更带传奇性的作品，对人生疾苦一无所知，抱着这样自我娱乐的心态看书，鲁迅的小说就显得过于沉闷。相对于北京孩子活泼的口语，鲁迅那种二十世纪二三十年代正处于发轫期尚未完全脱离文言文影响的白话文字也有些疙疙瘩瘩，读起来总有些含混，有些字现在也不那么用了，譬如把“的”一律写作“底”，好像错别字似的，语气也变得夹生。这就是大师啊？记得我当时还挺纳闷。再后来，阅读的经验增加了，自己也写了二十年小说，对小说也不简单地用明白流畅情节生动当唯一标准了，我要说，鲁迅的小说写得确实不错，但不是都好，没有一个作家的全部作品都好，那是扯淡。而且，说鲁迅的小说代表中国小说的最高水平，那也不是事实。

我觉得鲁迅写得最另类的三篇小说是《一件小事》《狂人日记》和《伤逝》。《一件小事》从立意到行文都很容易被小学生模仿，这篇东西也确实作为范文收入过小学课本，像小说结尾那句“他的背影高大起来”，我那个不学无术的女儿在她的作文中就写过。写《狂人日记》时鲁迅充满文学青年似的热情，文字尚嫌欧化，透着刚睁开眼睛看世界的吃惊，那种激烈决绝的态度则和今天的“愤青”有共通之处，搁今天，也许能改编成摇滚。《伤逝》大概是最不像鲁迅后来风格的一部小说，男女过日子的事儿，他老人家实在是生疏，由此可见，大师也有笔到不了的地方，认识多么犀利也别想包打天下。

《从百草园到三味书屋》和《社戏》是很好的散文，有每个人回忆童年往事的那份亲切和感伤，比《荷塘月色》《白杨礼赞》什么的强很多，比史铁生的《我与地坛》可就不是一个量级了。那也不在作家的经验、才华，在于不同人生本身的差距。

《祝福》《孔乙己》《在酒楼上》和吃血馒头的那个《药》是鲁迅小说中最好的，和他同时代的郁达夫、沈从文和四川那位写《死水微澜》的李劼人有一拼，在当时就算是力透纸背的。中国普通人民的真实形象和难堪的命运被毫不留情地端了出来。这些人物至今刺激着我们，使我们一想到他们就毫无乐观的理由。半个世纪之后，有三个人在对人民给予关怀这一点上超过了鲁迅。这三杰是刘震云、朱小平和杨争光。这时我们的人民不再是鲁迅那个时代完全处于被忽略被遗忘的境地很需要被同情的那伙人了。从鲁迅第一声呐喊起，他们也折腾了几十年，再提到“人民”二字，只怕要警惕一点了，有些事是别人强加的，有些事可是他们自个儿乐意的，甚至还有不少诗意的发挥。仅有唤醒意识和对压迫者的控诉那都是表面文章，真正需要勇气和胆识的不是反抗强者，而是直面那些可怜的、被侮辱被损害的人，对他们予以解剖。这三杰在这儿上所做的努力，所达到的深度，是前无古人的。相对于他们，鲁迅始终没脱离传统知识分子的立场，那是一个视野很受限制的立场，反映到创作上也谈不上有什么真正革命性的意义。

鲁迅写小说有时是非常概念的，这在他那部备受推崇的《阿Q正传》中尤为明显。小时候我也觉得那是好文章，写绝了，活画出中国人的欠揍性，视其为揭露中国人国民性的扛鼎之作，凭这一篇就把所有忧国忧民的中国作家甩得远远的，就配去得诺贝尔奖。这个印象在很长时间内抵消了我对他其他作品的怀疑，直到有一次看严顺开演的同名电影，给我腻着了。严顺开按说是好演员，演别的都好，偏这阿Q怎么这么讨厌，主要是假，没走人物，走的是观念，总觉得是在宣传什么否定什么昭示什么。在严顺开身上我没有看到阿Q这个人，而是看到了高高踞于云端的编导们。回去重读原作，发现原来问题出在小说那里，鲁迅是当杂文写的这个小说，意在针砭时弊，讥讽他那时代一帮装孙子的主儿，什么"精神胜利法"、"不许革命"、"假洋鬼子"，这都是现成的概念，中国社会司空见惯的丑陋现象，谁也看得到，很直接就化在阿Q身上了，形成了这么一个典型人物，跟马三立那个"马大哈"的相声起点差不多。当然，他这信手一拈也是大师风范，为一般俗辈所不及，可说是时代的巨眼那一刻长在他脸上，但我还是得说，这个阿Q是概念的产物，不用和别人比，和他自己的祥林嫂比就立见高下。概念形成的人物当做认识的武器，针对社会陋习自有他便于发扬火力指哪儿打哪儿的好处，但作为文学作品中的审美对象他能激起读者的情感反应就极为有限了。是不是有这么一个规律，干预性针对性越强的作品，审美性可感性就越低？尤其是改编为影视这种直接出形象的艺术形式，这类人物就很吃亏，演员也很难从生活中找依据。

鲁迅有一批小说创作态度不是很严肃，游戏成分很大，我指的是他那本《故事新编》。这是我最喜欢的一批作品。这些游戏之作充分显示了鲁迅的才气和机灵劲儿，再加上一条就是他那深厚的旧学知识。这也不是随便什么人能写的，他对历史和历史人物的态度真够姚雪垠凌解放包括陈家林学半年的。若说鲁迅依旧令我尊敬，就是他对什么样公认的伟大人物也没露出丝毫的“奴颜和媚骨”，更没有用死无对证的方法大肆弘扬民族正气，编织盛世神话。他对历史故事和历史人物的怀疑渗透在《故事新编》的每一笔中。唯一叫人败兴的是这批小说下面加的注释，告诉今人这话指什么，那段是讽刺当时的什么现象，那就变得小气了，纯粹是意气用事，借古讽今。有些话我本不想说，但话赶到这儿了，我还是说了吧。鲁迅这个人，在太多人和事上看不开，自他去了上海，卷入上海滩的是是非非之后，心无宁日，天天气得半死，写文章也是图一时痛快，净跟小人过不去。愤怒出诗人，你愤怒的对象是多大格局，你的作品也就呈现出多大格局。有些话我本不想说，但话赶到这儿了，我还是说了吧。除了性格，鲁迅在文学创作理念上也受了时代潮流的影响和摆布。挨了成仿吾这些人的排炮轰击后，他也悄悄买了些苏联版的社会主义现实主义文学理论书籍回家学习，从他后来的表现看，似乎也有所认同。文学为政治服务，鲁迅是有份的，那个“民族革命战争的大众文学”和“延安文艺座谈会讲话”是遥相呼应的，和“国防文学”之争还真不是什么原则问题。也许这对他也是顺理成章的归宿，他的创作本身其实早就有这样的倾向，《阿Q正传》将人物典型到那样一厢情愿的地步，正是后来“三突出”创作方法的滥觞。

2

在某些方面，我的观念很保守，譬如作家这个称呼，我一直认为必须写小说才配这么自称（诗人单算，他们可以直接叫诗人）。我是把小说当做“作家”这一行的防伪标记看待的，因为有太多不着调的人在写散文。凡见报的中国作家代表团名单中顶着“著名散文作家”头衔的那位往往是一冒牌货，不是作协官员就是某人的儿子或者干脆是文学圈里一碎催，能写个山水游记或是某老腕某年某日一时的音容笑貌就觍着脸出来招摇了。这些鸟人严重败坏了散文随笔的名声，使我一想到散文随笔总觉得那不是正经东西，若说某人独以散文随笔见长，先觉得这是一起哄的，读了也以为好，仍觉得此人没根基，起码和文学无关，用那种比较装孙子的话说就是“文化意义大于文学意义”。

关于这一点，我和一个作家朋友当面争论过，我认为鲁迅光靠一堆杂文几个短篇是立不住的，没听说有世界文豪只写过这点东西的。我这朋友说：我坚决不同意你这说法！接着举到另一位也是很多人精神之父的阿根廷人博尔赫斯为例，这位也是没写过多少东西便一举成事儿的。这倒弄得我没话可说。当然我并没有被说服，我也没觉得博尔赫斯怎么着了。我坚持认为，一个正经作家，光写短篇总是可疑，说起来不心虚还要有戳得住的长篇小说，这是练真本事，凭小聪明雕虫小技蒙不过去。有一种为没写过什么东西混了一辈子的老作家遮丑的鬼话，说写短篇比写长篇难，因为结构如何如何之难，语言如何如何精练，这也就是蒙蒙没写过东西的人。短就是短，长就是长，写长的要比写短的多倾注心血这还用说吗？长篇就不用结构了？就该啰嗦？长篇需要用力劳神的地方那是只会写短篇的人想也想不到的。是，小说只有好坏之分，不在长短，同是好小说，我也没见谁真好意思拿《祝福》、《交叉小径的花园》去和《红楼梦》、《追忆逝水年华》相提并论。

鲁迅没有长篇，怎么说都是个遗憾，也许不是他个人的损失，而是中华民族的损失。以他显露的才能，可以想象，若他真写长篇，会达到一个怎样的高度。这中间有一个悖论：如果不是那样一个乱世，周围有那么多叫他生气的人和事，他再不是那么个脾气，他也就有时间写长篇了；但若不是那样一个时代，周围不是那么个环境，他也跟他弟一样客气，我们就只有在翻阅北洋政府人事档案时才能找到周树人的名字，知道是那个周作人的哥。所以这也是中国文学的宿命，在鲁迅身上，我又看到了一个经常出现的文学现象，我们有了一个伟大的作家，却看不到他更像样的作品。

3

在我小时候，鲁迅这个名字是神圣的，受到政治保护的，“攻击鲁迅”是严重的犯罪，要遭当场拿下。直到今天，我写这篇东西，仍有捅娄子和冒天下之大不韪的感觉，似乎是在做一件很危险的事。人们加在他头上无数美誉：文豪！思想先驱！新文化运动主将！骨头最硬！我有一个朋友一直暗暗叫他“齐天大圣”。我们都知道，他对中国的贡献并不局限于文学，他是有思想的。思想和作家不是一个等号关系，作家，能写文学作品，不见得有思想，要想当最牛的作家，必须有思想，这个我们从小就分得清，也就是说，思想是首要的，大于其他的。当然还有先进思想和落后思想之分，这且不管他，鲁迅，自然是最先进的，这个认识被当做铁的事实早就灌输到我的头脑之中。

像所有被推到高处的神话人物一样，在鲁迅周围始终有一种迷信的气氛和蛮横的力量，压迫着我们不能正视他。他是作为一个不可言说的奇迹存在的。在我读过他的大部分作品并已得出自己的看法之后的很长时间，仍不能摆脱对他的迷信，一想到他就觉得他的伟大是不证自明的。如果说他的作品不是很过硬，那他还有过硬的思想，那个思想到今天还闪烁着锋利的光芒，照耀着我们黑暗的自身。我以为我了解他的思想，实际上我没有读过任何他的思想著作，一些专用于他的句子使我觉得不必深究，“一个都不宽恕！”“横眉冷对千夫指，俯首甘为孺子牛。”“殖民地半殖民地人民最可贵的品格，没有丝毫的奴颜和媚骨。”——这不就是思想吗？

思想解放运动开始后，老百姓第一个变化就是嘴坏了，谁都敢给编一些黄色段子，没大没小。深圳建特区后，我有一个做律师的朋友去那边捞世界，回来之后请大家吃饭，有人喝了酒后高叫：鲁迅，有什么呀！他翻开中国看到两个字：吃人。哥哥比他还少一个字，就看到：操！旁边坐着一位同样喝了酒帮腔的，说得就更不像话：论思想，他有毛泽东有思想吗？毛泽东，有雄文四卷，起码让三代中国人灵魂出窍；论骨头硬，他有王二小骨头硬吗？给敌人带路，掩护了几千老乡和干部，被敌人摔死在石头上。论私德，他有胡适清白吗？人家是糟糠之妻不下堂，他带着女学生去上海同居，现在学校也不提倡。

我不是说这俩酒鬼说的话多么发人深省，真正使我震动的是他的态度，不一定非要正确才能发言，怎么想的就怎么说，说了也就说了，破除迷信解放思想确实先要有这么个耍王八蛋的过程。

这使我终于可以用一个人看另一个人的眼光去打量鲁迅。这时我才发现我对他有多不了解。那些经常用于称赞他的话其实不属于思想，只是夸他的为人或说高贵的德行，拜倒在他的光芒之下那么久其实我对他的思想一无所知。从他无数崇拜者的文章中我也想不起谁说过他有思想，大家纠缠、感慨、为之涕下、激动不已的大都是他的品格，最厚道的文章也只是对他可能具有的思想进行猜测，费尽心机从他的小说、日记和私生活传闻中推论，想象这样一个为世不容、痛苦敏感的智者内心一定是“漆黑一团”，这个逻辑似乎是说，对生活、社会、人群极度绝望本身就是深刻的思想。我不是太明白这个逻辑，坦白说，直到昨天，写到这里，我还是晕菜，不知道鲁迅思想的精髓到底是什么。

我有一位常在一起吃吃喝喝的朋友一直对鲁迅怀有一些私人兴趣，收集有很全的鲁迅资料，很多关于鲁迅的闲话我都是听他讲的，于是我专门向他请教，鲁迅有什么思想？这位朋友似乎也蒙了一下，想了想说，实际也没什么新鲜的，早期主张“全盘西化”，取缔中医中药，青年人不必读中国书；晚年被苏联蒙了，以为那儿是王道乐土，向往了好一阵，后来跟“四条汉子”一接触，也发觉不是事儿。据鲁迅最新研究成员讲，他甚至对周扬讲出这样的话：“你们若成功了，第一个杀的就是我。”可见头脑还清醒；鲁迅是主张“人权”的，是“自由主义知识分子”，因为毕竟写过《论“费厄泼赖”应该缓行》，鲁研家们还没找出办法将他归到英国式消极自由那一筐里……如此等等，胡说一气，当时我是满足了，回到家里坐在电脑前还是糊涂，对“思想”这个词的包含范围感到糊涂，不能说不给国家民族指条明道不叫思想，但我对鲁迅的期待和他一直享有的地位似乎又不应仅限于此。在此，我觉得自己挺可悲的，那么痴心地笃信过很多不甚了了的东西，其实不明真相，还在那里磕头如捣蒜，就怕别人说自己浅薄。

4

说到鲁迅精神，这个我是知道的，就是以笔为旗，以笔为投枪或匕首；吃的是草，挤的是奶；痛打落水狗，毫不妥协地向一切黑暗势力挑战。与之相联的形象便是孤愤、激昂、单枪匹马、永远翻着白眼，前面是一眼望不到头的明枪，身后是飞蝗一般放不完的冷箭，简言之，战士的一生。有一句话，本是他贴赠孙中山的，后多为他那些爱好者回赠于他：有缺点的战士依然是战士，完美的苍蝇不过是苍蝇。林语堂也形容过鲁迅：不交锋则不乐，不披甲则不乐，即使无锋可交，无矛可持，拾一石子投狗，偶中，亦快然于胸。此鲁迅之一副活形也。

这个不会为缺点玷污逮谁跟谁急的战士形象对后代中国作家的吸引远大于写小说的那个鲁迅。大家似乎达成了一个共识，只会写小说的作家是低级动物，做战士才是清名永留的不二法门，甚至是把一举成名的金钥匙。于是，忿于世人不肯受他超度的传道士来了，才尽落魄的三流文人来了，大事小事一直不顺的倒霉蛋、心理变态的自大狂和一班普普通通的愤世嫉俗者都来了。什么样的病人一集合到这杆大旗下，毛病都不叫毛病，改叫众人皆醉我独醒了。

我觉得这个风气特别不好，理应拓荒自耕富而不骄的文坛成了小商小贩云集叫卖的市场。很多有才只是一时手背的作家彻底可惜了。北京有个毛老师，原来的小说写得不错，号称天下速度第一，五千言字一杯茶工夫立等可取，我是见这个名字就买，每读必有心得。近两年入了此道，天南海北危言耸听，看上去已与猛张飞无异，所言之事，对不起，尽是别人喝剩的茶根儿，大医院倒出的药渣儿。还有北大那一伙子在校不在校的，朋比为奸，佯狂欺世，竞相出一些大话集，名为书生实为书商，一写小说便露了馅儿，博士学位也要印在书皮儿上，明明是讨饭的花招偏要自称“挑战”，不知道那叫寒碜吗？在这我确实要以前辈的口气对他们说几句：有志气，允许；想当作家，可以；走正道。读书尽可以使人无耻，但自己要给自己设一个底线，丢人的事也有瘾，干过一次就想着下次。

还有那个伊沙，他大概是这伙子人中最像鲁迅的，出了本书，直接就叫《一个都不宽恕》。鲁迅一百个正确对伪君子假道学种种愚昧麻木中国人的劣根性骂得都对，若说还有遗珠之憾，就是把自己落下了。鲁迅落了一个人，伊沙那儿就落了两个人，一个鲁迅，一个他自己。这就不彻底了，一本书的风格也很不统一，一半骂别人，一半夸自己，诗也上了，脑子盘算过的文学构想也拿出来了，历数自己的种种仗义，这就没劲了。

鲁迅对后人的影响之中起码有一项是负面影响：严厉对待别人，轻轻放过自己，借贬低别人抬高自己倒不是鲁迅的发明，账算不到他头上。我觉得这是一很重要的问题，涉及人之为人的根本立场。说众人皆醉我独醒可以，说众人皆浊我独清，这个恐怕只有刚出生的婴儿才配。依我之见，中国人最大的劣根性就是乌鸦落在猪身上——光看见别人黑了。物理学早就证明了，在这个地球上没有一个人处于比其他人优越的地位，代替上帝对别人进行精神审判，在笃信宗教的国家是最大的渎神。缺点就是缺点，譬如病菌，无论是战士还是苍蝇携带都会使人生病。把自己说成战士，把反对自己的人说成苍蝇，讲这个话的人一定对整个人类抱有极大的蔑视。恕我直言，类似的话我也听希特勒讲过。

后人的效颦都要鲁迅负责并不公平。这就是榜样的悲哀，遭人热爱看来也不全是美事。鲁迅对自己到底怎么看，大概我们永远不知道了。有一点也许可以肯定，倘若鲁迅此刻从地下坐起来，第一个耳光自然要扇到那些吃鲁迅饭的人脸上，第二个耳光就要扇给那些“活鲁迅”、“二鲁迅”们。

5

阿Q讲过：尼姑的光头，和尚摸得，我就摸不得吗？对鲁迅，我也这么想。各界人士对他的吹捧实在是太过分了，有时到了妨碍我们自由呼吸的地步。我不相信他如此完美，没有这样的人，既然大家越来越严厉地互相对待，他也不该例外。他甚至应该成为一个标尺，什么时候能随便批评他了，或者大家都把他淡忘了，我们就进步了。中国有太多的神话，像我这样的红尘中人，若想精神自由，首先要忘掉还有一个“精神自由之神”。

我的那个研究鲁迅的朋友对我说：鲁迅是相信进化论的，即未来比现在好，青年人比老年人好。他还用他那种典型的自夸风格讲，他的使命就是扛住正往下落的闸门，让年轻人能逃出一个算一个。后来在广州厦门看到清党，他这个观念有些动摇，认为青年人坏起来也不逊于老的。但到临死，他还是对未来抱有信心，一次看到苏联红场阅兵的纪录片，他对许广平和在场的萧红说：这个场面我是看不到了，也许你们能看到，海婴能看到。

这位朋友再三对我说：他其实是很热情的，很热情的。

我看老舍

前几天和朋友聊天，说到六大腕儿的作品，大家掰着指头叹息，他们的东西到今天还能看的真不多了，鲁迅的杂文和《故事新编》还能看；曹禺的三部话剧也能看；巴金的东西我说了一部《憩园》，朋友说了一部小说改的电影《英雄儿女》；说到老舍，我们一齐说《茶馆》。朋友的态度没有我那么毫无保留，说《茶馆》只是第一幕好，后两幕也有点改走筋了。朋友比较欣赏老舍的两个说随笔不是随笔说小说不是小说的短文，一个是写坐火车，上来一个特讨厌的人，有事儿没事儿专门麻烦别人，一路不闲着；一个是写一家子去看电影，没出门先张罗，姥姥舅舅七大姑八大姨都招呼到了，到电影院电影已经开映了，还礼数不减，彼此大家都客气到了，全坐踏实了电影也放完了。我跟朋友说，我比较喜欢老舍写的一武侠短篇小说，写一耍大刀的，身怀绝技，隐于闹市，各种人登门拜师，有硬乞的，有软泡的，老头就是不露，结尾是在月色之下，老头一人在后院练了一圈，怀抱大刀，望着月亮自言自语：不传，就是不传！

其余的就那么回事儿我跟朋友说，想了想，又提了一回《骆驼祥子》，朋友勉强同意了，可我自己又放弃了，仔细想这本书现在放在我手里恐怕也不会再看了。

知道老舍这名字之前，我已经读过他的作品，那是在初中，大家互相传阅一些翻得稀烂没头没尾的旧小说，19 世纪欧洲那些所谓批判现实主义名著和解放后十七年那些革命浪漫主义流行小说我都是那时候看的。有一天，我们院一孩子借给我一本没有封皮前后都缺了几十页的纸张发黄的小说，看它被翻得那个旧劲儿，我想当然以为这是本好看的书，上课的时候在底下看。刚读头几行感觉就很奇怪，那和我们通常看到的小说很不一样，既没有欧洲小说中颇费笔墨描写的伯爵夫人和开不完的上流社会的舞会，也没有革命作家笔下一定会出现战争、屠杀和坐监狱的场面，只是很老实地写一个旧社会三轮车工人的日常生活。我耐心地看了百十页，始终等不到激动人心的场面出现，就往后翻，翻到最后的残页，也没找到一段吸引我的情节。那时像《苦菜花》、《迎春花》这样的革命战争题材的小说中都有一些性爱描写，《三家巷》、《苦斗》和《青春之歌》几乎被我们当爱情小说阅读。托尔斯泰、司汤达他们的小说就更别说了，描写性爱的那些章节都是书中翻得最旧的地方。

这小说真没劲。还书的时候我还对借我书的那个院里孩子抱怨，似乎挨了涮，没读到感兴趣的小说总有些受了损失的感觉。当时好像也没打听作者是谁，书皮撕了，也没有作者名字，对书中风格强烈的老北京话也没什么触动，因为毕竟和我们日常说的话已经有了很大差别。大概是 1978 年，粉碎“四人帮”之后，社会上开始给受迫害的人平反，小说成了平民表达自己看法最时髦最有力的武器，大家都成了文学爱好者。老舍的名字逐渐传到我的耳朵里，也不知道谁说过，打哪儿听来一些消息，再提这个人已经很熟悉了。知道这是一在“文革”中自杀的著名老作家，北京人，而且写作风格就是北京话，是全国唯一被授予“人民艺术家”称号的作家，代表作是《骆驼祥子》，这本书也是中国作家唯一在美国曾经畅销过的小说。这时，我想起几年前看过觉得没劲的那本没头没尾的旧书，猜到就是这本书，也不敢说没劲了。肯定是没再找来重读，但后来看过凌子风导的电影和“人艺”演的话剧，都觉得好，再加上受舆论大力灌输，都说好，自己也有了下意识的接受，当做是自己的判断再不去想它，一提老舍抢先便说：知道，《骆驼祥子》，写得好。其实我是没有资格讲这个话的，因为我并没有好好读过这本书，说它好只是人云亦云。对那些不管什么原因我曾觉得好的小说，我都不敢再看，生怕破坏了过去的好印象。

真正使我对老舍这个人作为作家感到佩服的是话剧《茶馆》。这部戏我连舞台带电影看了大概有五六遍，真是好。那个北京话的魅力在这部戏里充分得到了展示，直到现在，我们遇到和《茶馆》里某句台词相似的情景还会干脆就用这句台词说话，好像没有比这么说更贴切的了。很多话都不是光说事儿而是带状态的，因而很易于借指，譬如：“我饿着，也不能让这鸟饿着。”就是一种精神嘛，在世纪末大家都很在乎自个儿的今天，说出来也是掷地有声，听上去也不像句大话。

我喜欢老舍的都是他那些“说话”的作品，话剧和改编的电影、电视剧，《龙须沟》、《四世同堂》、《我这一辈子》，还有上面说过那两部《茶馆》和《骆驼祥子》。20 世纪 80 年代初还看过他的一部话剧《女店员》，剧情现在看没什么意思，好像是社会主义改造的什么事，挺假的，但那些诙谐的台词引起的剧场效果至今记忆犹新。鲁迅说过老舍“油滑”，叫我这半吊子北京人看，这是南方人对北京话的偏见，那不是老舍油滑，而是北京人就这么说话。老舍的作品有时给人感觉软，绕半天圈子不切题，正是有些失之厚道，舍不得，对北京小市民太热爱。他也没法儿不这样，那些人没一个外人，都是亲戚街里街坊的。

老舍不是那种一辈子只写了一本小说的作家，也不是一出手便才华立现的天才少年，像每一个职业作家一样，他的小说也是瑕瑜互见，良莠不齐。我觉得写得不好的首推《二马》和《四世同堂》。我不知道老舍在《二马》中是有意做文字试验，还是当他打算要用他最熟悉的北京口语创造一种新的白话小说之后就决心一条道走到黑了。一个发生在伦敦的故事通篇用北京话叙述，连小说中的英国人也是一口京片子，怎么读怎么别扭，怎么读怎么难以置信。北京话的后面总是反映北京人的精神状态和生活态度，不是活在这个环境中的人不会采取这样的表达方式，放到英国人身上，似乎他们也一贯如此，真是有些油滑了。从这篇小说中，我看不到伦敦和伦敦人生活的丝毫真实影子，那就像炸鱼蘸甜面酱，强烈的北京话把这一切都串了味儿。

《四世同堂》大约是老舍最长的小说，当年播这部电视剧时盛况空前，那些光彩夺目充满人性的角色一扫“三突出”年代文艺英雄们脸上最后残留的红油彩。对我个人直接的影响便是从先进、落后、中间人物这种对人群粗暴划分的旧文艺观中彻底解放，人，就是人，什么观念性的认识都是一种狂妄。

我是看过电视剧倒车回来找的这本小说看，初读抱着很大的期待，读的时候一点点降温，最后，在不到一半的地方合上书，感到很失望。还是这些人物，说的也都是和电视剧中人一模一样的话，怎么看的时候却兴奋不起来？这个反差非常明显的就是在语言上，电视剧中令人叫绝的精彩台词搁在小说中什么味儿也没有，白不呲咧的，读起来只觉得啰唆。因为我是北京人，读老舍的小说往往下意识地在嘴里过一遍，念出声似乎能更好地领会语言中的弦外之音和本土味道。这部小说，我也试图用念的方式提高阅读兴趣，遗憾的是念着念着自己也觉得索然无趣。

长，肯定是一个原因，骨头与骨头之间总要设置一些过渡段起承转合，长了，这些技术填充部分就显得突出，格外无意义。口语，也是个问题，特别是北京话，本来就有信口开河东拉西扯言不及义的特点，北京人自己形容这种说话方式是：车轱辘话，话赶话和你说前门楼子他说热炕头子。这样一种天生掺水强调口腔快感的语言风格，不挤水分，或说大刀阔斧取舍，直接端到纸上，来不来一百多万字来不来一百多万字，那得是什么样热爱文字有读书癖的读者才能胜任的愉快？见面就聊，聊起来没完，中间一个点儿不打，北京话叫：话痨。

在《四世同堂》这部小说中我看到了北京话作为一种方言的局限性。尽管它和普通话十分接近，很多口语可以直接进入文字，不必修饰，但作为一种通用的书面叙述语言还是不够丰富和面面俱到。中国文字经过几千年的发育，表述方式极为复杂或说四通八达，单纯的北京方言与之相比，手法还是显得单一，写《四世同堂》那样长的小说，一个腔调不变，到后来就显出平淡和缺乏变化，话再密，事件再集中，还是露出贫气和没话找话。

看老舍的小说，觉得他叙事上办法不是太多，光靠对话支撑全局，在短篇中是一种范式，到长篇中就有点一头沉。这大概也是他的作品改成影视、搬上舞台反倒比写成文字要精彩的原因。

我也是用北京话写作的，老舍作品中的缺陷也是我在写作中面临的问题。《四世同堂》的得失教训时常提醒我，要警惕在作品中对北京话的使用，方言可以使一本书叙述生动，也可以使一个作家的眼光凝滞。北京话在汉语中的方便地位已经使在老舍之后的很多北京作家跟他的风格过分相像了。我自己也曾在几本小说的写作中沉浸于北京话的滔滔不绝当中忘了最初要讲什么。文字，当然首要是说事儿的，能把事儿说明白是读者的基本要求，但也无法忽略文字像女人一样有自我美化的本能，光使它，不打扮它，久而久之它也会老。方言虽说天生丽质，也只能说本钱好，以色事他人，能得几时好？

后期的老舍，小说很少写了，几乎是作为一个戏剧家活跃在北京人艺的舞台上。他写的那些《西望长安》、《春华秋实》，包括《女店员》等等不说也罢，看这些戏只是觉得这个人聪明，也足以为聪明人戒。聪明人有一个特点，就是善于把无价值的事做得有声有色，在玻璃鱼缸里游泳，也有乘风破浪的气魄。从回忆老舍的文章中看，老舍很为他的城市贫民出身自豪，从美国归来似乎还有些翻身的喜悦。他为新中国歌功颂德是发自内心的，并不像某些戏棍子从始到终都在那儿糊弄，所以他还能写出《龙须沟》这样的戏，可和《白毛女》、《红色娘子军》并列翻身戏的三大经典。老舍的优势在于他对北京小市民的熟悉，兜里有大把现成的人物，不管这戏的立意多么扯淡，他都能随时拿出一条胡同的全部人马帮忙把这个淡扯圆，这也正是他那个年代别人都傻了而他能盛极一时的原因，甚至能一不留神扯出个《茶馆》这样的金蛋。

除了非说不可的大话假话他要强迫人物，一到那些铺垫戏、过场、用不着拔着嗓门说话的地方他就立即回到真实的日常生活当中，什么都假，人物的身份不能假，是后期老舍始终不肯放弃的原则，也真难为他了。到“三突出”统治一切的年代，他才算彻底无路可走。据说他有过续写《骆驼祥子》的打算，为了跟上形势，也曾到老北京人力车夫中打听，想寻出一个参加革命当了师长团长的，也好给祥子一个体面的出路，可惜，一个没有。这帮劳动人民并没有循着哪里有压迫哪里就有反抗的逻辑行动。不管老舍自己乐意不乐意承认，他是对的，祥子梦想的也只是自己买车，发财，当刘四爷。也幸亏他没找着一个当了老八路的样子，否则他再写了，真不知道会生出什么幺蛾子。至此，老舍作为一个作家气数已尽，“文化大革命”不来，他活着，也只有开会、住院、到处给人捧场说好、好好颐养天年的份儿。

老舍，像他同时代的大多数作家一样，只当了半辈子好作家。由此可见，真诚，与伟大的时代同步并不能保证一个作品笃定成功。

我经常听人讲成为一个伟大的作家必须要有一些写作之外的先决条件，思想性啊，责任感啊，对巨大事物的关怀啊，说来说去似乎都在强调作家的人格，许多作者本人也纷纷咬着后槽牙说：创作拼到最后就是拼人格。依这个说法，凡是经过“文革”活下来的作家都无法伟大。这些年揭出了很多文坛上的陈年旧恶，在那个不道德的时代和更早之前，那些说起来近乎纪念碑式的人物都不分先后做了丑恶表演，你搞我，我搞你，其下作还不如今天监狱里关的那些刑事犯。就我的阅读范围，老腕儿们差不多人人沾包，以致使我有一个偏激的想法：老作家，都没有资格谈“人格”二字。

老舍，愤而一死，在势必沉沦的深渊前全身而退，保全了自己的人格。就人之所能，他已经做到了极致，这一次他没再使用他那些聪明把戏，即便在那之前他还干过什么蒙羞之事也都用自己的血洗刷干净了。说老舍是他那一代中国作家中最有人格的恐怕不为过。就盼着中国作家都当圣人，只恨他们不够胆儿去自尽的缺德批评家要树当代屈原除了傅雷另一个人选恐怕也就是老舍合适了。

可是，老舍的人格伟大，能说他的作品也就当然比其他苟活下来一身污点的老作家更伟大吗？无论我对他怀有怎样的敬意也得不出这样一个肯定的结论。他是拿死拼出了一个人格，但这可以同时提升他的作品的意义吗？

作家的命运是沉浮不定的，作品都是活着的时候写的，要产生伟大的作品首先的条件是让作家活着，别老拿生死考验他。死亡，无论多么悲壮，也是对写作的打断。老舍，如果他偷生在人间，难免不付出人格做代价，但也就有了机会和可能写出真正伟大的作品。这部作品他已经开了头，写了八万多字，叫《正红旗下》。我有个朋友，极不喜欢老舍，我跟他说老舍的东西“好的是真好，差的是真差”，他激烈反驳“好也不是真好，差的倒是真差”！

这个朋友认为老舍写北京从来都是置身事外的，观察家式的，多实感而少真情，是我们说的那种“隔着玻璃看画”。只有一篇他是扔了架子从第一笔就动了情的，就是这个未完成的《正红旗下》。这是他们家的事儿，他自己的事儿，一写就是从心里往外淌。

如果假以时日，让老舍把这个东西写出来，那不得了，“现代文学史也不会这么寒碜了”。

朋友说：中国作家胡编的身外之事太多了，好像一写自己就小气，越会写跟自己八竿子打不着的事儿越叫有本事，赛着奔赴四面八方，活活给中国人创造出一种生动的纸上生活，以致使我们有时竟误会我们每天的生活不是真实的生活，不是我们该过的生活，还有一个更真实的生活在远处等着我们。很多糊涂人因此自我蔑视，把脱离现实当做一件很牛的事儿，想象不存在的生活这个传统那么悠久，中国人因而天生都有另一重人格。

朋友说：中国作家吃亏就在于人人不老实，一方面可做绕指柔一方面又都是暴脾气，软，软到人尽可夫，硬，硬起来便一头撞死，都不把写作当回事。其实这不是中国作家的传统精神，汉朝有个叫司马迁的，被皇上骟了，没急着死，写了一本《史记》。

朋友问：你们把自己当谁了？既然是作家，职业道德是什么？就是要你们去写。一个原始部落，也是有分工的，有的猿人去打猎，有的猿人去打水，你们就坐在火堆旁唱，把我们的胡言乱语，乱吼乱叫整理成句子，唱唱我们从哪儿来，到哪儿去，每天都干什么，哪片林子野兽多，哪个山洞有泉眼，唱给小猴子们听，等他们长大了出去打猎省点劲儿——哪个要你们去彪炳千秋——纯粹是不要脸，唱着唱着就把自己当主角了！

朋友的话引起我的深思：我们是不是太在乎一个作家的人格完整了？老是提倡真善美，说惯了大话，把自个儿将在这儿了，逼得很多人东西没写完只好去做烈士。这个人格对作家真那么重要吗？简直无可选择，要么留取丹心照汗青，要么活着也是行尸走肉？当然很多老作家的经历确实印证了这一点，丢了人格之后文章的格也不复再有。

余华的《活着》讲到了对生命的尊重，无论如何也要活下去。《芙蓉镇》里也有类似的话：不能像人一样活，就像畜生一样活。张宇的《活鬼》把这个话更进了一步，不但要像畜生一样活，还要活出滋味来，活得比人还带劲。其实老舍自己也有这样的话，《四世同堂》中有一句台词：日本人厉害吧？架不住咱能忍！

死，只能成全一个伟大的作家。咱们的伟大作家也太多了。

忍，没准能忍出一部伟大的作品。

我愿意将来有一天，我们谈论很多伟大的作品，谈到这些个作家，都说“真不是个东西”，而不是相反。

我看金庸

金庸的东西我原来没看过，只知道那是一个住在香港写武侠的浙江人。按我过去傻傲傻傲的观念，港台作家的东西都是不入流的，他们的作品只有两大宗：言情和武侠。一个滥情幼稚，一个胡编乱造，都不叫个东西。尤其是武侠，本是旧小说一种，20世纪80年代新思潮风起云涌，人人唯恐不前卫，看那个有如穿开裆裤戴瓜皮帽，自己先觉得跌份。那时我看人是有个尺子的，谁读琼瑶金庸谁就叫没品位，一概看不起。琼瑶是牢牢钉在低幼的刻度上，她的拥戴者一直没超出中学年龄，说起喜欢的话也是嫩声嫩气，也就是一帮歌迷捍卫自己的偶像。她是有后来者的，大陆港台大批小女人出道，把她那一套发扬光大。现在那些玩情调的女人说起琼瑶都撇嘴，全改张爱玲了。

金庸可不一样，读的人越来越多，评价越来越高，有好事者还拉下茅盾添上他，把他列为七大师之一，两方面发生了一些口角。像每个偏执自大的人一样，我也对发生在新闻纸上的评论不屑一顾，只重视周围小圈子朋友的判断，并不在乎他们的社会地位和公众名声。他们中已然有了一些金庸爱好者。有一个人对我说：金庸小说的文字有一种速度感，这是他读其他作家作品感受不到的。有一个人讲：金庸的武侠对人物的塑造是有别于旧武侠的，像韦小宝、段誉这等人物在旧武侠中是根本不可能出现的，近于现代小说中的“反英雄”。更多的人出差带着一套金庸，晚上睡不着就看，第二天眉飞色舞与同好聊个没完，言谈之中也带出一二武术招数，俨然两大高手切磋武学，遇到我们这种金庸盲便讪讪笑道：看个热闹，换换脑子。接着往往也要再三相劝：你也看看你也看看，没那么差。被人劝的次数多了，我也犹豫，要不就找来看看，万一好呢，也别错过去。第一次读金庸的书，书名字还真给忘了，很厚的一本书读了一天实在读不下去，不到一半撂下了。那些故事和人物今天我也想不起来了，只留下一个印象，情节重复，行文啰唆，永远是见面就打架，一句话能说清楚的偏不说清楚，而且谁也干不掉谁，一到要出人命的时候，就从天下掉下来一个挡横儿的，全部人物都有一些胡乱的深仇大恨，整个故事情节就靠这个推动着。这有什么新鲜的？中国那些旧小说，不论是演义还是色情，都是这个路数，说到底就是个因果报应。初读金庸是一次很糟糕的体验，开始怀疑起那些原本觉得挺高挺有卤的朋友的眼光，这要是好东西，只能说他们是睁眼瞎了。有时不经意露出这怀疑，朋友反唇相讥：你才看半本，没有发言权。

再读金庸就是《天龙八部》电视剧播得昏天黑地的时候。无聊的晚上也看了几眼，尽管很难容忍从服装到道具到场景到打斗动作的糊弄和得过且过，有几天还是被剧情带着走了。金庸迷们也不满，说比小说差远了。电视剧糟蹋原作是有传统的，这话我也就信了，看到书店摆着这套书就买了，准备认真学习一下，别老让人说没看过人家东西就乱说话。

这套书是七本，捏着鼻子看完了第一本，第二本怎么努也看不动了，一道菜的好坏不必全吃完才能说吧？我得说这金庸师傅做的饭以我的口味论都算是没熟，而且选料不新鲜，什么什么都透着一股子搁坏了的哈喇味儿。除了他，我没见一个人敢这么跟自己对付的，上一本怎么写，下一本还这么写，想必是用了心，写小说能犯的臭全犯到了。什么速度感，就是无一句不是现成的套话，三言两语就开打，用密集的动作性场面使你忽略文字，或者说文字通通作废，只起一个临摹画面的作用。他是真好意思从别人的作品中拿人物，一个段誉为何不叫贾宝玉？若说老金还有什么创意，那就是把这情种活活写讨厌了，见一女的就是妹妹，一张嘴就惹祸。老金的想象力真是可怜，幸亏他前边还有个《水浒》，可以让他按着一百单八将的性格往他笔下那些妖魔鬼怪身上贴标签。这老金也是一根筋，按图索骥，开场人物是什么脾气，以后永远都那样，小胡同赶猪直来直去，正的邪的最后一齐皈依佛门，认识上有一提高，这是人物吗？这是画片。

就《天龙八部》说，老金从语言到立意基本没脱旧白话小说的俗套。老金大约也是无奈，无论是浙江话还是广东话都入不了文字，只好使死文字做文章，这就限制了他的语言资源，说是白话文，其实等同于文言文。老金也没有显示出过人的语言天赋，前不及施耐庵，后不如贾平凹。按说浙江人尽是河南人，广东话也通古汉语，不至于文字上一无可为。一个作家，对汉语言文字毫无贡献，还不如去印刷厂做个排字工。

中国旧小说大都有一个鲜明的主题，那就是以道德的名义杀人，在弘法的幌子下诲淫诲盗，这在金庸的小说中也看得很明显。金庸笔下的侠与其说是武术家不如说是罪犯，每一门派即为一伙匪帮。他们为私人恩怨互相仇杀倒也罢了，最不能忍受的是给他们的暴行戴上爱国主义大帽子，好像私刑杀人这种事也有正义非正义之分，为了正义哪怕血流成河。越是庙里的和尚越假正经，每动手前必说一些冠冕堂皇的话，比之金老怪那种公然行凶的恶人还要令人反胃。金先生大约是纯为娱乐大众写的这类读物，若要你负起教化民众的大任你一定不肯，那又何必往一些角色脸上苦苦贴金？以你笔下那些人的小心眼儿，不扯千秋大义家国之恨他们也打得起来。可能是我不懂，渴望正义也是大众娱乐的目的之一，但我觉得，扯淡就是扯淡，非要把淡扯出个大原则，最恶心。

我不相信金庸笔下的那些人物在人类中真实存在过，我指的是这些人物身上的人性那一部分（故事当然是他瞎编的了）。什么小说，通俗的、纯的都是人类自身的写照，荒诞也是因为人的荒诞在先，总要源自人体的一部分真实，也许是梦魇，也许是幻想，也许病态，可能费解，但绝不是空穴来风。只有一种小说跟这都不挨边，那就是坏小说，面儿上看着别提多实了，骨子里完全是牵线木偶，跟着作者的主观意图跑，什么不合理的事只要情节需要就硬干，说起来有名有姓，可一点人味儿没有。

我一直生活在中国人之间，我也不认为中国人有什么特别的人种气质和超于世界各国人民的爱恨情仇，都是人，至多有一些风俗习惯的讲究。在金庸小说中我确实看到了一些跟我们不一样的人，那么狭隘、粗野，视听能力和表达能力都有严重障碍，差不多都不可理喻，无法无天，精神世界几乎没有容量，只能认知眼前的一丁点儿人和事，所有行动近乎简单的条件反射，一句话，我认不出他们是谁。读他的书我没有产生任何有关人、人群的联想，有如在看一堆机器人作业，边读边问自己：这可能吗？

这哥们儿写东西也太不过脑子了！一个那么大岁数的人，混了一辈子，没吃过猪肉也见过猪跑，莫非写武侠就可以这么乱来？

我认为金庸很不高明地虚构了一群中国人的形象，这群人通过他的电影电视剧的广泛播映，于某种程度上代替了中国人的真实形象，给了世界一个很大的误会，以为这就是中国人本来的面目。都说张艺谋的电影歪曲了中国人的形象，我看真正子虚乌有的是金庸，会些拳脚，有意见就把人往死里打，这不是热血男儿，也与浩然正气无关，这是野生动物。

过去我是相信群众的，认为群众的眼睛即便说不上雪亮，也是睁着的，在金庸这件事上我栽了跟头，看来大家说好，也不见得真好。有时大家真能同心协力一齐编个弥天大谎。

我尽最大善意理解这件事也只能想到：金庸能卖，全在于大伙儿活得太累，很多人活得还有些窝囊，所以愿意暂时停停脑子，做一把文字头部按摩，能无端生些豪气，跟着感受一道善恶是非终有报这一古老的中国便宜话，第二天去受罪还能怀着点希望。再一条，中国小说的通俗部确实太不发达，除了老金的武侠，其他悬疑、科幻、恐怖、言情都不值一提。通俗小说还应该说是小说家族的主食，馒头米饭那一类，顿顿得吃。金庸可算是“金馒头”了，一蒸一屉，十四屉，饭量再大也能混个饱。

卖画的朋友有一个概念：东南亚庸俗文化圈。这是指以港台为中心包括新马泰一带的华人资产阶级趣味。这些年来，这种趣味一直在反攻大陆，并节节获胜，身在中国北方也能感到这种趣味的影响，四大天王、成龙电影、琼瑶电视剧和金庸小说，可说是四大俗。并不是我不俗，只是不是这么个俗法。我自认为是新北京文化圈中人，这个文化脱胎于 1949 年以后的革命文化，其精神实质是向西方的。我们有过自己的趣味，也有四大支柱：新时期文学，摇滚，北京电影学院的几代师生和北京电视艺术中心的十年创作。

现在都萎缩了，在流行趣味上可说是全盘沦陷。这个问题出在哪儿，我不知道。也许在中国旧的、天真的、自我神话的东西就是比别的什么都有生命力。

中国资产阶级所能产生的艺术基本上都是腐朽的，他们可以学习最新的技术，但精神世界永远浸泡、沉醉在过去的繁华旧梦之中。上述四大俗天天都在证明这一点。我们自己的那些艺术家呢，莫非他们也在努力证明他们都是短命的？有时，我真不知道该不该相信进化论。

我看大众文化港台文化及其他

1

二十年前，我们提到香港经常说它是“文化沙漠”，这个说法在很长时间内使我们面对那个资本主义城市发达的经济和令人羡慕的生活水平多少能保持一点心理平衡。那个时候香港人的形象在我眼里是喧闹和艳俗的。我在广州、汕头机场曾亲眼看到他们一飞机一飞机地到达，花花绿绿地下来，人人穿着喇叭裤，戴着金戒指和太阳镜，手提录音机和大包小包的尼龙衣服，都是准备赠送大陆亲友的，随机同到的还有他们托运的无数彩色电视机，而那时汕头除了党政军机关电影院路灯其他地方一律没电，这些电视机录音机第二天便都高价卖给了北方来的倒爷。他们似乎人人都是财主，住满广州汕头仅有的几座酒店和华侨旅行社，每人进出都带着一大堆衣衫褴褛面带菜色的亲友团，一吃饭就开好几桌。我在电梯间经常听到他们认识不认识的互相大声抱怨国内亲戚的贪婪，国内酒店的服务差，有蚊子，想吃的东西吃不到。那时我还不太能分辨香港人和东南亚各国华侨的区别，现在想来那也不全是香港人，也有马来西亚、印度尼西亚和菲律宾等地的华人。随着他们的到来，城市中出现了餐厅中的伴宴演唱、的士、出售二手服装的摊贩市场和妓女，今天已成为我们生活方式或叫消费模式的那些商业活动在最初就是带着深深的香港烙印进来的。

那时我不知道这也叫文化，餐厅中的伴宴演唱会发展到卡拉OK、酒吧乐队；的士会造成广播电台专为有车一族播放流行音乐；摊贩市场除了卖衣服也卖流行杂志盗版光盘和盗版软件；妓女，直接造就了歌舞厅夜总会桑拿室洗头房洗脚屋这些新兴娱乐产业的繁荣，更重要的是为流行小报地摊刊物乃至时装影视剧提供了耸人听闻和缠绵伤感的永远话题。

当时我们的文化概念是不包括大众文化或消费文化的，也没有娱乐这个词，一提娱乐好像是下下棋，打打扑克，单位搞个舞会，自己跟自己找点乐儿。当时右派作家咸鱼翻身，争当“重放的鲜花”；知青作家头角峥嵘，排着队上场；谢晋的电影观众数以亿计；张暖忻郑洞天谢飞吴天明都是新人，每部戏都能轰动一时；随便一个作家或者导演随便一出手都能给人带来一个新观念和新感受。滕文骥在《生活的颤音》还是《苏醒》中让高飞和陈冲正经接了一个吻，便成了那年文化生活中的一件大事。真是乱哄哄你方唱罢我登场，热闹喧嚣得一塌糊涂。这还仅仅是开始，文学上“伤痕”、“反思”、“寻根”之后紧紧跟着“垮掉的”刘索拉徐星，莫言这样的“魔幻中国流”，马原这样的文体革命之父。在王蒙宣布“文学失去轰动效应”之后，还应声而起池莉方方刘震云等人领军的“新写实主义”，苏童余华格非孙甘露等人的

"先锋文学"。那时兄弟的"痞子文学"八字还没一撇，正在家里急得团团转。

电影方面，吴天明高就西影厂厂长，钟惦棐给他指了方向：要搞中国自己的西部片。也就在张暖忻他们那拨"第四代"刚红透，一眨眼的工夫，"第五代"出手了，陈凯歌的《黄土地》和张军钊的《一个和八个》一下打破了中国人的欣赏习惯，接着是田壮壮的《盗马贼》、《猎场扎撒》犹如大耳刮子似的掴在中国观众的脸上，扇晕一个算一个。那时大伙也算是群情激愤，特别是田壮壮说了那句"我的电影是给下一世纪观众拍的"之后。有意识地和大众保持距离，就是不为人民服务，还给嚷嚷出来，田壮壮是连作家带导演中的头一个。这个架直到张艺谋拍出《红高粱》才算打完，第五代走出象牙塔，谢晋谢幕，中国观众又被带入了新一轮的狂欢。

好像这还不够乱，流行乐坛又在一片西北风声中沸腾了。在我印象中那都是一年当中前后脚的事儿，刘欢田震那英杭天琪王迪孙国庆联袂出道，人民群众一点精神准备都没有，崔健又横空出世了，哑着大便干燥嗓儿一吼，竟如天上下刀子，纷纷击中中国人的麻筋儿。他还不是单一个人，看见他的同时也看见了他身后一片摇滚队伍，黑豹唐朝眼镜蛇什么的，早埋伏在我们周围，一声炮响，杀声四起，刀兵齐出。

整个20世纪80年代，我们是在目不暇接的文化盛宴中度过的，一个惊喜接一个惊喜，这时的港台文化只是一片曼妙的远景陪衬，只有当我们静下来的时候才能听到它们发自角落的袅袅余响。我听到它们的音乐在播放，看到它们的电影在上映，也见到路边书摊摆着它们的小说，从没想过这也是文化范畴内的东西，即便是有些人的作品哄传一时，也认为是小孩子的爱好，中学生的激动，并不把这视为成年人应该关心的事。在这儿，我想应该做一个区分，香港和台湾在我眼中是有高下的。说香港是文化沙漠在当时我是可以干脆认同的，说台湾也没有值得一提的文化表现我十分犹豫。尽管我有顽固执拗的信念相信我们的文化在华人文化圈中是最优越的，但要说我从没被台湾流传过来的东西打动过也太不凭良心。

台湾人是后来的。他们人进大陆前，已先声夺人。我指的是邓丽君的歌。我最早听到她的歌是《绿岛小夜曲》和《香港之夜》，录在一盘质量很差的磁带上，买录音机搭过来的。那时我们这儿还在声嘶力竭地玩美声唱法和民族唱法，很优美的情感也只会高亢尖厉地表达出来，听到邓丽君的歌，毫不夸张地说，感到人性的一面在苏醒，一种结了壳的东西被软化和融解。后来是侯德健、罗大佑，他们给我的耳朵定了一个标准，就是好歌确实不仅仅是悦耳，也有那个文学性，即对人内心深处清脆的打击。我得说他们丰富了我的情感。他们的歌是那种可以使你停下来对自己多看两眼的东西。侯、罗是流行音乐中的超凡脱俗之辈，除了摇滚，我们这儿还没有能跟他们比肩而立的人物。

还有李昂，比她稍逊的白先勇，他们是我读过的并认为是小说的为数不多的台湾作家，也许还应该加上陈映真，只是我读他的东西不多，无法论及。还有两个女子也不能不提，一个是席慕容一个是那个著名的三毛。她们的东西我不觉得有力量，较真儿地说那是次一等的文学，精神容量和感染程度相当于好的流行音乐，李宗盛童安格那一级，但我忘不了读她们东西时作为一个读者所受到的单纯的感动，那是使人想变小变透明的感动。她们的文字有水晶般的效果，能写出那样的文字也是才女了，也许我们还要十年，到20世纪80年代出生的作家出现，才会有这副文笔。

电影，当然要数侯孝贤杨德昌蔡明亮这批人，他们的创作和我们这儿的“第五代”可说是交相辉映，各不相让。蔡明亮的《爱情万岁》的作品气质更接近我们这儿的“第六代”，不那么宏大，找那个民族魂，更城市，更个人。依我之见，李安也应该算他们一伙的。对城市、现代化、现代化条件下的城市中的人与人的关系，他们集体显得比我们的导演更有感受，把握经验也更充分，已经先我们一步跳出了中国人的仪式化的生活表象。

老实说，我对台湾人的印象一直比香港人好，也许因为他们讲国语，很多人本来也是大陆过去的。我接触的台湾文化人，他们对中国文化的认真甚至在我看来都有些迂阔，那种方朴诚恳在大陆也是少见的，人好在骨子里，不但可以一起做事也能玩到一起去。纽约有个台湾来的华人导演叫皮特·王，居然一口京片子，跟他聊天聊老北京的事儿会感到自己是野的，外来的，这个时候就有强烈的感受：大家的文化背景是相同的。甚至那些台湾商人，也比香港商人多一些豪气，喝起酒来很仗义，当然也没准儿我接触的那几位正巧都是黑道来的。

我说这话的意思是，即便是在热闹自大的年代，我也隐隐感到了来自海外华人文化的冲击，只是不能正视它，就本能而言，我倾向于忽略、贬低那些非本地的陌生的文化形态。

2

到了20世纪90年代，仿佛一夜之间中国就进入了消费时代，大众文化已不是天外隐雷，而是化作无数颗豆大的雨点儿结结实实落到了我们头上。我并没有意识到一个新时代已经到来，仅仅认为是经济繁荣后带来的生活方式的改变。我的文化观仍停留在过去，即认为文化是少数人的精神活动，非工业的，对大众是一个给予、带领和引导的单向关系，而不是相反。我依旧蔑视大众的自发趣味，一方面要得到他们，一方面绝不肯跟他们混为一谈。不管知识分子对我多么排斥，强调我的知识结构、人品德行以至来历去向和他们的云泥之别，但是，对不起，我还是你们中的一员，至多是比较糟糕的那一种。我们的不同只是表面姿态的不同，时间久了，等咱们都老了，你会发现咱们其实一直是一伙，手心手背的区别，所谓痞子，也是文痞，古已有之，今后也不会绝种，咱们之间打的那些架，都叫窝里斗。

我的朋友中首先意识到大众文化时代到来的是北京电视艺术中心的郑小龙。那时他们那个电视剧生产单位已经在全国屡次制造了轰动效应，《四世同堂》、《凯旋在子夜》、《便衣警察》等等，保持着一年打响一部的节奏。尽管这些戏有的本来也是通俗小说，有的属于主旋律，但生产过程还是所谓“精英文化”的模式，先找一部有基础的小说，由作者本人或资深编剧反复修改，锤字炼句，再经过专家的多次严肃讨论，深入开掘原作中的思想深度，突出原作中的人文追求，然后细细拍来，简言之，不计成本，一切目的是为自己的，当然也要讲是为人民为艺术，实际上，主要满足的是创作者的成就感。甚至有这样的逻辑：只有创作者先得到满足人民大众才能，同时也就被满足了。

1989 年初，郑小龙和李晓明这一对当年北京电视艺术中心著名的狼和狈找到我们几个，谈到要搞一部电视剧，和以往其他电视剧不同的是这部戏要长，起码四十集，要低成本，全部在室内拍，多机，而且不找小说改编，也没有符合这个长度和拍摄要求的小说可供改编，郑小龙拿出的故事核儿或叫设想就是一张小报上几百字的报道，剩下的都要仰仗大家现攒。有一个原因是直接促成他要搞这么一部戏的动机，他们中心在香山新落成了一个摄影棚，必须保证天天有戏拍，这个棚才不会亏本。室内剧这个概念则是得自当时正在中国电视台狂播的巴西电视剧《女奴》和《卞卡》。可以说，郑小龙意识到了作为一个电视剧生产组织要维持运转，指望作家深思熟虑之后拿出心血之作是来不及的，那等于靠天吃饭，要形成规模，讲究效益，必须走到工业化组织和工业化生产这一条路上来。

这就是大众文化的运作模式了！对生产力提高的渴望改变了生产关系。一进入这个剧组我就感到了这一次与以往的不同，大家上来就达成了共识：这不是个人化创作，大家都把自己的追求和价值观放到一边，这部戏是给老百姓看的，所以这部戏的主题、趣味都要尊重老百姓的价值观和欣赏习惯，什么是老百姓的价值观和欣赏习惯？这点大家也无争议，就是中国传统价值观，扬善抑恶，站在道德立场评判每一个人，歌颂真善美，鞭挞假恶丑，正义终将战胜邪恶，好人一生平安，坏人现世现报，用电影《平原游击队》中何翻译官的话说就是“祝你——祝你同样下场”。

听起来可笑吗？那时搞电视剧还要先端正态度，跟自己说明白了这个戏是要给老百姓看的。这在我，现在也不觉得荒谬。直到今天我每次参加影视剧的剧本策划和创作见到导演投资人都要先问：咱们这戏是给谁看的？给大众的和为自己的完全是两条思路，互不搭界。今天的大众也不像过去那样铁板一块，还要进一步问：是家庭妇女老干部？还是小资产阶级知识分子时髦女青年？还是中学生小学生和累了一天的民工？这几大块互相的趣味也打架，也常常互相瞧不起。“愤青儿”一般就算了，不在考虑之列，别看他们嚷嚷得凶，似乎在社会上也是一股势力，但这帮子人从来不花钱进电影院，晚上也全在街上飘着，不构成大宗的电影电视消费群体。

这就是大众文化的游戏规则和职业道德！一旦决定了参加进来，你就要放弃自己的个性、艺术理想，甚至创作风格。大众文化最大的敌人就是作者自己的个性，除非这种个性恰巧正为大众所需要，譬如流行歌曲中总在唱的那种“不求天长地久，只求曾经拥有”的生活态度。这态度看似背离了中国的传统价值观，但因其取意真诚又在更宽的层面被接受，唐诗专有这么一路怨妇体，在根儿上并不冒犯自认为“这世上最善良”的中国人。对，我想大众文化的底线就在这里——不冒犯他人。在这之上，你尽可以展示学问，表演机趣，议论我们生活中的小是小非，有时也不妨作愤怒状，就是我们常说的“玩个性”，中国人一提正义总是很动感情，愤怒有时恰恰是最安全的。

那部电视剧就是《渴望》。这名字是李晓明起的。他作为这部剧的第一编剧在 1989 年忙了一年，我们只是在角色设置、人物身份、人物关系、故事线索上胡乱出了些主意。那个过程像做数学题，求等式，有一个好人，就要设置一个不那么好的人；一个住胡同的，一个住楼的；一个热烈的，一个默默的；这个人要是太好了，那一定要在天平另一头把所有倒霉事扣她头上，才能让她一直好下去。所有角色的性格特征都是预先分配好的，像一盘棋上的车马炮，你只能直行，你只能斜着走，她必须隔一个打一个，这样才能把一盘棋下好下完，我们叫类型化，各司其职。演王亚茹的演员在拍摄过程中曾经不喜欢或叫不相信自己扮演的这个角色是合乎人情的，找导演谈，导演也许很同情她，但他也无法对这个角色进行根本性的调整，因为四十集戏全指着这个搅屎棍子在里头搅了。我们搞的是一部大众文化产品也叫通俗文艺作品，通俗文艺有它自己的铁的规律，那是你无论抱有什么艺术洞察力和艺术良心也无从逾越的，它必须要情节密度，要戏剧冲突，要人物个个走极端。在这样的作品中追究作者的艺术抱负是痴人说梦，由此判定作者的文化立场也常常会发生误会。很多人谈到《渴望》中相对负面的王沪生一家，因其是知识分子家庭，就指作者有反智倾向，其实这一角色身份的设立纯系技术问题，本来大家的意思是写一个老干部家庭，因可能更易造成误指，遭小人口诬，便放弃了这个其实更典型方便叙事的人物身份。现在好了，现在有大款阶层，所以大家一想到要在剧中给好人设立一个对立面，都会毫不犹豫地选择他们，这帮倒霉蛋，把人类的所有缺陷所有屎盆子都扣他们脑袋上，也没人心疼。

永远不要同情有钱人！这也是大众文化一个响当当的主旋律，铁的规律。

3

《渴望》播出后那个轰动劲儿使我初次领教了大众文化的可怕煽动性和对其他艺术审美能力的吞噬性。那也并没有使我觉得这是值得投身去掀一浪的行当。艺术不是为大众的，这个观念在我头脑中根深蒂固。我想写的还是能够自我满足的小说，尽管那时已经有言论说我的小说其实就是通俗的东西。1988 年我有四部小说改编成电影。那一年陈昊苏当主管电影的副部长，提出拍“娱乐片”的口号，其实那也是意在恢复电影这一大众文化产品的本来面目。那之前，我们都把电影当艺术或宣传工具。在我们这儿，很多常识都要重新提及，现在看一些前些年在报纸上正儿八经地严肃争论的文章，真是可叹，那些吵得不可开交似乎严重得要人命的问题都被时间回答了。陈昊苏提出拍娱乐片，我的小说因此受到青睐，所以我的小说有很大娱乐性，这个逻辑是成立的。娱乐性即通俗性，通俗性是大众文化的主要品格，这个逻辑也是成立的，所以我天生，本来，早就，一直就是大众文化的一员干将，这个定位1988年就已成公论。

那时大家其实根本不知道大众文化为何物，我也不知道，很多嘴架打得稀里糊涂。当时的北影厂长宋崇说我的东西是“痞子写，痞子演，教育下一代新痞子”，由此引出“痞子论”。当时很多人都认为这话正中了我的作品的低俗性，我也认为这话贬低了我，在讨论会上我的朋友还用我的作品中抒情的那一面据以反驳。现在看来，正是这话肯定了我的文化精神。确实，我作品中真正有价值的就是那中间的痞子精神，而不是早期流露的那些青春期的迷惘和幻想，所谓抒情部分。这不是低俗，或者说低俗只是这种状态的表面，谁会为痞子的行状粗话格外感到受冒犯？中产阶级——如果说“资产阶级”在中国过分带有政治性的话——及其循规蹈矩的生活方式和文明观念。真正大众文化的主流，举凡真善美，非礼勿视，非礼勿听，教化文明，都是中产阶级价值观的反映。

全世界的知识分子和小痞子都知道，所谓大众文化主流是中产阶级价值观的同义词。记得前两年莫言还曾写文章嘲笑张颐武提出的“中产阶级写作”，认为中国哪有什么中产阶级，饭还没吃饱呢。其实中产阶级有否不见得要从经济收入上划分，安于现状的，尊重既有社会等级和道德规范的都可在观念上列入中产阶级。所以，宋崇那番话与其说是站在官方立场精英立场对大众文化中糟粕的批判，不如说是站在中产阶级大众文化主流的立场对一种非我族类的文化精神发自内心的恐惧和厌恶。如果说宋崇的言论仅仅是一种本能的拒绝，邵牧君的评论则十分公开和自觉地站在中产阶级大众文化的主流立场说话。他是研究美国电影的专家，最早提出中国电影要向好莱坞学习，走好莱坞之路。好莱坞是什么？就是中产阶级价值观集大成者，也是宣传爱国主义的，也是尊重家庭伦理道德的，故事结尾也是大团圆的，正义终于战胜邪恶。他们是最尊重观众的，可以说把检查制度设在观众席上。古榕在拍《红天鹅》时邀请观众参与影片修改在我们这儿曾被作为新闻或说噱头爆炒，那在好莱坞则是一个制度。我在洛杉矶小住时，两次在街上被好莱坞的民意调查员拦住邀请前去观看刚拍好的新片，唯一的要求是看完填写观后感调查表，像洗发水厂商发放的用户调查表一样的格式。以这样的电影作为标准，痞子电影在邵牧君眼中自然有这样那样的问题，归根结底还是那一个词，低俗。有意思的是邵牧君并不觉得自己像一个担心孩子学坏的家庭主妇，而表现得像一个艺术电影的拥护者。他谈论思想性，从这个角度批评低俗，这是那个时候批评的通常的混乱思维。大家都爱从思想性这个制高点出发判断一部作品的高下，并不管批评的对象属于哪个范畴的东西，也不顾及自己其实站在什么立场。最不要思想的就是大众文化了！他们只会高唱一个腔调：真善美。这不是思想，这只是社会大众一致要求的道德标准。别再把这两种东西混为一谈了。思想是发现，是抗拒，是让多数人不舒服的对人性本质和生活真实的揭露。拥护真善美的并认为这是文艺作品唯一应该表达的内容的人，你们都是大众文化的中坚力量，你们尽可以张扬你们的文化理想，赞美这样的作品，但别提“思想”二字，那跟你们没关系。你们的头脑中早就容不下思想了，只有一个个坚硬的道德礁石和数不清的快感神经。

邵牧君早就不谈思想了，我看到他为贺岁片写捧场文章中大谈愉悦，把影片的成败量化为放映时剧场的笑声统计，这就对了，这就叫有的放矢，干什么吆喝什么。顺便说一句，我这不是对邵牧君的贬低，绝没有时尚的一提谁为大众文化喝彩开道就意味着这个人堕落低级趣味的弦外之音。邵牧君有无思想那要看针对何事而言，我欣赏的是当他进行大众文化批评时应有的态度。

还有一点至今颇为流行的批评混乱应该提到，大众文化的倡导者们往往在这一点上忘了自己是谁，胡乱把自己的手搭在了艺术之车上。这是一个经年沿用的惯词，早就失去了原始词义，叫“艺术的真实”。大众文化有自己的标准构置和法定梦境，万人同一的，一遇到搁不进去又是实实在在无可否认的存在，所谓“生活的真实”，他们就要祭起这个法宝，说“生活的真实不能取代艺术的真实”。好像艺术是和生活对立的，起码也是凌驾于生活之上的。这确实是一个弥天大谎，多少年来那些非艺术的文化亚文化包括大众文化以此自欺，进而欺世，心安理得地造假，还训练出一批广大群众，一谈艺术人人振振有词，说来说去无非是要艺术变成一个让他舒服的东西，只提供他想看到的景象。“艺术的真实”这句话很重要啊，试想若没有这么一句诡辩，真善美就不可能成立了。生活中的人知道生活的残酷，在我看来，正是这份残酷构成了艺术的起源和艺术存在的全部合法性，生活的真实——即艺术，这是我的艺术观。从这个意义上说，“艺术的真实”是我区别非艺术的关键词，一说某作品达到了艺术的真实，好了，这是一假活儿，一定是为迎合某种社会需要而造。

结论：大众文化早在大众文化兴起前便为社会所提倡了。我们对艺术理想最激烈的诉求其实不过是对大众文化的呼唤和向往，这一企盼甚至流露在对非大众文化的批判中。大众文化的精神和价值观早就、一直深深植根在我国各阶层人民的心中，从劳动人民到知识分子对接受这一文化根本不需要任何心理转变，或可说那正是我们的民族精神和文化传统。

4

为什么我那么不情愿，也自知自己和大众文化最根本的分歧点不可调和处在哪儿，而在1992年以后摇身一变成为大众文化的主力打手和摇唇鼓舌者，用谢冕的话说“最媚俗的中国作家”呢？这要从我为人的精明谈起。我是有些生意眼光和商业头脑的，改革开放初，我是第一批跑到广东沿海倒卖东西的那群“倒爷”中的一个，知道流通领域在整个商品生产环节中的重要性，就是我们说的“卖”。好东西生产出来，不会卖，什么也不是。这在今天是个常识，当时可未必，特别是像书这样的所谓精神产品，若说个“卖”字，似乎先失了人格。本来卖书也不应该作家自己去卖去吆喝，这是出版社的分内工作，可那时出版社一个个装得比什么都正经，羞羞答答，好像他们印书从来都不跟读者收钱，做的是慈善事业。记得那时去跟出版社谈版税，越是大社越假正经，闻“钱”色变，似乎我不但玷污了自己玷污了作家的称号也同时玷污了他们玷污了编辑工作的神圣，他们那个样子也许不该叫假正经，是真正经。有的一直在印我的书，白白印了几十万册捞得钵满盆满只给我一壶醋钱的出版社还在背后说我忘恩负义，忘了是他们在当年“推出”了我。这话不说了，因为这段恩怨已经了啦，今天没有一个出版社再以作家的恩人自居，每个人的一切都是他自己努力挣出来的，写书也许是精神活动，出版则是一个商业活动，应建立在诚信互利的基础上，先谈操作后论意义谁也不欠谁的情这已成为普遍的共识。

话说回来，1992 年以前，尽管我已有了通俗作家的名声，据称作品为广大读者所喜闻乐见，但这一说法并没有在图书销售上反映出来，单册图书销售始终在几万册徘徊（也许是出版社瞒了印数）。我对自己十分怀疑，没有任何显著的迹象证明我已经成名，如果别人说的是真的，市场不该是这个样子。当然我也意识到，如果问题不在我这里，那一定是在流通领域，换句话说，我这个牌子在消费者心目中还没有真正打响。再换句话说，我还需要强有力的广告推介，要打开市场，除了既有的文学人口还要唤醒潜在的文学消费者，用时髦的商业口号说，“引导消费”、“制造需要”。毫无营养的口服液滋补药都是这么成功的。

可是我没有钱去打广告，别说上电视台，就是在报屁股上登豆腐块也是单本图书那一点利润所得承受不起的。都说书贵，其实书价的一半要叫批发商零售商拿走，另一半的一半是印刷成本，剩下的百分之二十到三十出版社和作者一分也就是各自回家过日子的钱。我多么希望中国也有那种集出版营销于一身的大出版集团，只有这样的大家伙才有可能把广告打得满天飞，不计较一城一地的得失。单打独斗，除非我爸爸是一亿万富翁，可要他是这么一块料，我还用拿书挣这份小钱吗？我就为艺术而艺术了。我也想过，清夜难眠，扪心自问：可不可以只爱真理不爱钱，像自古以来传说中的文人一样，锥心泣血，拿自己炼丹，一生潦倒，活着受罪，图他个死后让后人钦佩。想了又想，不能！

现在是什么社会？英雄辈出的社会，信息爆炸的社会，这是拿生命赌明天啊！这个险冒不得。而且且慢，谁说当作家就活该穷死？是，有穷死的，曹雪芹，我就知道这一位，那时候不是没稿费吗？那是社会不公平，咱不是不能再让那人间悲剧重演吗？强调艺术和金钱不能兼得的人还老爱拿凡·高做例子，那我这儿还有一毕加索呢，这厮挣了多少钱，你能说他比没挣着钱的画差吗？两回事，艺术和钱不打架。我就敢放这话：你说一个穷死的，我给你举出三个富得流油的。鲁迅怎么样，在稿费问题上也绝不清高，什么好朋友，少一个子儿不行！我给他算过，最盛时期，每个月有上千大洋进账。当时一个奶妈一个月挣多少钱？三块钱。当一个作家容易吗？想挣点钱先要摆出这么多说道。都是叫那帮正人君子害的，天天说钱是万恶之源，君子晓于义，小人晓于利，弄得我们这种老实巴交的读书郎一提钱就有极大的心理障碍。年轻人啊，你们真是不知道我们是从一个社会风气多么虚伪的时代过来的。

为什么越是老作家越是激昂，越跟钱过不去？他们也是悲剧人物，年轻时能写，没挣着钱，或者挣了点花光了，中年以后被人养起来，不死不活，老了，就见晚景日渐凄凉，记性也不大好了，恍惚间便以为自己一辈子与真理相伴，工资那都不叫钱。看到他们，我更多的是同情，作家，就是一奶牛，奶水再足，也架不住天天挤，狂挤，没一辈子都出奶的，都有被挤干那一天，不趁有奶的时候存些奶粉钱，老了也只有清水冷猪头找个庙堂扮庄严相这一条路好走了。我尊重他们，但也对自己发下毒誓：再也不能那样活！

1991 年中我完成了自己前期的主要创作，脑子空了，下一次“起范儿”还不知猴年马月，眼下，当务之急要把这批已完成的作品卖个好价钱，出版社是指不上了，还是《国际歌》里那句话：从来就没有什么救世主，也不靠神仙皇帝，要创造……（这个词我记不住了）全靠我们自己。

这时，我抬头看见大众文化在向我招手。大众文化在那一年集中表现在报纸周末版的出现，大量的以报道影视娱乐、明星花絮为内容的小报上了街头。那时大家还比较老土，也不那么休闲，时尚还是不良少年专利，汽车房屋电脑股票名衣名鞋美容美食怎么讨女人欢心怎么留住老公心这些污七八糟的东西似乎还不是正经报纸好意思登的，大家还不愿意只关心自己，想轻松一点也仅仅把格调降到电视剧及其从业人员身上，那看上去还像是和正经文化沾点边儿。那是电视剧的黄金时代，小报上全是电视剧的鸡零狗碎，流行音乐也要借助电视剧才能流行，歌星们四处托路子给电视剧唱主题歌，一部电视剧红了一个歌星那是常事。电影就是那年开始走下坡路，没了观众缘，电影演员走在街上“掉人堆里就找不出来”。二流电影导演拍个片子想在小报上炒个消息都很难。直到1995年美国大片进来国产片也跟着搞了一次小高潮，确实拍了一些好看的片子，也学了一些商业发行的小伎俩才在小报上卷土重来。

还用再想辙吗？路就在眼前，这就是不要钱的活广告啊，我要创牌子推销自己，搞电视剧就是了。

我一直是拿电视剧当给自己打广告看待的，拍什么不重要，重要的是有机会到小报上说疯话去，混个名儿熟，读者一见书皮儿，咦，这不是昨天还在报上放狂话那位吗？丫都写了什么呀我得瞧瞧。这一招相当管用，1992年我见了足有两三百名记者，都见到了，大报小报，北京外地，同一张报纸见了文艺版的见影视版，见了副刊的见周末版的，自己也说乱了，唯恐红不透，唯恐声音不能遍及全国城乡各地。与此同时，图书销售应声而涨，每本均破十万大关，且持续节节上升。到当年底，我看着镜子里自己日渐发福的身材和吃胖了的脸，对自己说：你小子算混出来了。

5

什么事也怕自己亲自动手去干一干，一干就知道没有说起来看上去那么简单、那么容易。我在骨子里还是一老派的人，凡事追求圆满，做贼也要做到最好。搞电视剧那会儿我还是有梦想的，希望在电视剧中多少能寄托一些情怀和个人趣味，借助这一强有力的传播手段把自己想说的一些话，对这个世界的看法传达出去。我那时既自大又天真，以为自己能够改变世界，记得那时关于电视剧有一个争论：它是更靠电影还是更靠戏剧？这不纯是形式之争，靠电影就要讲究画面，讲究光效，实景拍摄；靠戏剧就是三堵墙，固定机位，大平光，在摄影棚里拉洋片。这其实是在讨论电视剧的功能和定位。靠电影意思是指它还能讲一些有关个人的故事，不那么长，连篇累牍，还可以手工制作，精心打磨，还是导演想象的产物；靠戏剧则完全是工厂化生产，一切服从制片人的利益，用最小的成本生产最长的剧集。形式有时就是对意义的决定，这个大家当时也都意识到了。记得当时北京这一圈人都是支持靠电影的，室内电视剧的始作俑者郑小龙最为坚决，他用行动回答了这个问题，就是带队到美国拍摄了《北京人在纽约》。北京电视艺术中心在他的主持下又回到了20世纪80年代搞作品的方向和工作方式，强调作品意义，强调画面丰富，强调导演个人的才华，凡可使人激动的戏，投入不计回报，唯求尽善尽美。我一直觉得郑小龙的个人气质更像一个导演而非精明的制片商，也不是他不懂得做商人的要则，而是他一旦激动起来，艺术家的感情就会代替商人的铁石心肠。今天，市场已经证明当时的争论我们都错了，在屏幕上站住脚并大行其道的都是戏剧化的模式化生产的活人连环画，辉煌一时的北京电视艺术中心沉默了，基本退出了电视剧观众的视野。当然这里还有其他非人力所能挽回近于不可抗拒的天灾原因。1996 年到 1997 年“长青藤剧场”有一批电视剧没能在北京播出，其中有的本来很有希望获得反响。《牵手》这个剧本最早也是到了他们手里，因为情势所迫，放了出去。但我也怀疑即便这几部重头戏如愿播了如愿打响了，郑小龙又何以为继？顶多是再支撑几年。他不是大众文化的心甘情愿的皈依者，搞电视剧一开始就是误会，他要实现自己的艺术梦压根儿就不该拍电视剧，何必像电影呢？直接去拍电影好了。

我的问题还不是像郑小龙一样是一个过分坚持的问题。表错情认错对象是同样的，但走向末路的过程中更带有投机和闹剧的色彩，就是那种“机关算尽太聪明，反误了卿卿性命”的自以为聪明的人大都无法逃脱的宿命下场。我以为我能在中间骑墙，既是低成本的，室内的，流水线生产的，又能承载意义。《编辑部的故事》的成功使我看到了这种可能性，今天我知道那叫“形势比人强”，得力于时代交替间大家一时的非本能需要，当时我却以为这说明观众具有无限包容性和可塑性，可以让我乱来，任何一点新鲜的挑战或叫挑衅都会令他们兴奋不已并一路尾随——好电视剧有这一点就够了。

《海马歌舞厅》是对《编辑部的故事》的一次拙劣的徒有其表的模仿。这个戏只证明了一点：好作家并不是好作品的同义词。他们糊弄起人来和一般心智未开的笨蛋无二。无聊就是无聊，这里面没有谁无聊得更有趣一点之分。对电视剧的轻视和名曰工厂化的集体编剧实为梁山聚义般地坐地分赃，使这批说起来都很优秀的作家纷纷回到了他们还不认字的儿童时代。我真正用过心的电视剧是《爱你没商量》。那个戏是我和总政话剧团的王海鸰合作的，后来四川作家乔瑜也参加了进来。本意还是要写一个通俗的爱情故事，在和北京文化艺术音像出版社的张和平老潘谈故事时大家都很明确，不要搞追求，不要搞政治指涉，俏皮话也不要，就要一个悲悲切切、揉碎人心的情歌小唱，哭死一个算一个。

好像是张和平讲的，那是我第一次听到关于电视剧生产要求的明确尺度：二老满意——老百姓和老干部。

我对这个标准并无反感和抵触，同意在这个界限内工作。拉线索，写梗概，我们都是自觉按照通俗故事应有的一波三折、一唱三叹这个节奏布置的。当然那时经验不够，节奏还是慢了，一集戏现在至少要四十场，当时我们只搞到十五场，这且不去说它，这是技术问题，意识到了就能修正。真正的麻烦出在写作当中。我自己甚至都没意识到，思想上是通的，写的时候按理也不该有什么故意和强迫执拗。这个问题是王海鸰发现的，她发现我在剧本中写到人与人关系时强烈流露出了我的一贯观念："卑贱者最聪明，高贵者最愚蠢。"有意无意地在贬低地位在上者文化程度偏深者。我们为此激烈争论，她也不是个卫道士，只是反对在一部通俗电视剧中加进作者过多的个人倾向或曰趣味。她不能说服我，因为我们的争论往往从具体情节上升到艺术诡辩——我是指我。争着争着我们都忘了我们是在谈一部通俗的假定的要"二老"满意的电视剧，谈及对人的认识、社会的现状，我这种激进的观点便会不知不觉占了上风。激进的总是比务实的在话语上更具道义优势。这样，尽管王海鸰也坚持了她自己的观点，剧本中也处处留下了妥协的痕迹，但在最后还是更多地向我的价值观方向倾斜。后二十集的编剧乔瑜跟我也是臭味相投的人，他是那种有古风的才子作家，每动笔前必喝斤半白酒，半醉半醒间一挥万言，他笔下的人物除了目中无人话语连珠还增添了不少四川匪气。

这个戏写完起码我和乔瑜是有痛快感的，在行文当中发泄了自己的态度。播出时反映不很理想。关于这部戏的成败当时也有很多说法，我个人感到，最大的失败在于我们没有尊重电视剧的规律，最终受到了规律的惩罚。就拿女主角来说，通俗剧的女主角应该美丽，善良，面貌举止对观众具有亲和力，一般来说应该是偶像级的。我们选择了实力派的女演员，因为我们自认为这个戏人物性格开合大，心理复杂多变，非有深度的演员不能胜任。当女演员遭遇情感不幸和事业困境乃至失明这样毁灭性的人生打击，她应该庄重自强，临危不乱，始终保持仪表的干净和动人的微笑，用那个该死的词说：优雅。这才是大家要的样子。而我们放纵了她，要她愤怒，要她邋遢，要她变态，最要命也是最冒犯观众的是要她失去善良，对所有那些并不亏待她的人破口大骂。我们认为这是真实，一个突然失去一切的人应该有这么个过程，必须强化这个下降的深度，最后当她恢复自尊和人性时才动人。我们真是糊涂，电视剧一天播一集，每集间隔二十四小时，在这二十四小时里观众上班、逛街、打情骂俏、柴米油盐，早就不在你的规定情景之中了，怎么能够和一场接一场往下演的剧中人感同身受？他们甚至会忘了你是为了什么动怒，即便记得也在二十四小时之内解除了那一份感情冲击，白天在班上就已做过理性分析。中国人对苦难是很熟悉的，也大都具有极强的抗打击能力，对苦难也都有一套自己的应对方法，那大致是默默忍受。看到一个人不肯忍受，还以此自娇，要挟他人，心中一定不快的。中国人的同情心十分丰富，但并不慷慨，一般只施予跟自己境遇相像的人，由己度人是启动同情心的钥匙。一个女演员鼻涕一把眼泪一把，蓬头垢面，就失去了供人怜香惜玉的本钱，这张脸观众久望也会望而生厌。

这部戏我首先是觉得非常对不起宋丹丹，这实际上是在很大程度上伤了她的“腕儿”。事后反省，我的认识是，我们是在一个错误的时间、错误的地点，用错误的方式对错误的对象表达了一把没人需要的真诚。

6

从《爱你没商量》之后，我没再写过电视剧，我接受了这样一个观念或叫现实：大众文化中大众是至高无上的，他们的喜好就是衡量一部作品成败的唯一尺度，你不能说我在这部作品中有种种观念上的突破，手法上的创新而最终未被大多数人接受，那还叫失败。一本书可以反复阅读，常年销售，所谓“艺术生命力长久”其实还包含着这样一个事实，那就是一直在卖。詹姆斯·乔伊斯的《尤利西斯》到今天每年在全世界还有百万美元的版税收入，出版商除了眼前利益还能赌一把预期值。而电视剧，大都只能一次性播出，一次性回收，相形之下，投资人所冒的风险远大于出版图书。还有成本，写书的投入总是无形的，仅限于个人的脑力支付，电视剧的拍摄则是实打实的以日为计的金钱开销。脑力付出吃肉能补回来，金钱付出只能用金钱回报扯平。所以，这是商业。

过去人们批评那些晦涩的过分个人化的作品总爱说“浪费人民的钱”，实际上，1992 年以来，百分之九十以上的电影电视剧拍摄已经不是“人民的钱”——如果我们说的“人民的钱”严格是指中央和各级地方政府的财政收入这个概念的话——都是各个独立法人公司甚至境外资金，也叫“个人的钱”了。这里有不少是玩票性质，特别是早期，一个买卖人，因为别的投机生意挣了钱，年轻的时候好过文艺，或者有个做演员的女朋友，自娱娱人，投把钱拍个片子，我们叫这“不是好来的钱”。但总的趋势，这些个人投资是拿这事当生意做的，要讲回报的。很多大的公司都意识到文化市场是一桩大买卖，回报率极高，即便在我们国家还处于发展初期，风险也同时极高，但也都乐意先伸只脚进来，蹚蹚这道浑水，试试深浅。

商人，心中是最装着人民的，在这里“一切为了人民”和“一切为了金钱”这两个口号是不打架的，为最广大人民群众所接受的同时也是利润最丰厚的。只有知识分子、艺术家在这个问题上才会有观念冲突，甚至觉得需要一个痛苦的转变认识过程，对商人而言，这从来就不是个问题。媚俗？对了，搞大众文化就是要媚俗，在商言商，俗是什么？是多数人的习惯和约定，我们不把话说得这么难听，我们叫“为人民服务”。学院派知识分子可以从各种角度批判大众文化，就是不要从“人民性”这个立场出发，因为那是大众文化本身的立场。

认识到大众文化的商业本来面目不是一件轻松的事，那几乎和我过去接受的全部“文化”的概念相悖，认同这个差不多等于放弃“文化”本身。如果我想在这方面有所作为，第一件事是忘掉自己的创作，学会用一个纯粹的商人眼光看待这件事。

1995 年我和叶大鹰搞了一个“时事公司”，想在大众文化市场的开辟上真正按商业规律操作一次。我认为我那时的思路是正确的，到今天我也这么认为，大众文化必须结束小打小闹，自发的，完全依赖从业人员的灵感出作品的状况。它是一个产业，就要按产业的要求布局，要有规模，要从基本建设开始，像搞房地产，先圈地，再修路，通水通电，然后成片起楼，大投入大产出。

我也曾私下和叶大鹰聊过，你得对投资人讲明白，咱们不是来挣小钱的，咱们是来花钱的。像当时遍布北京几百家小影视公司那样，拍一部戏，卖一部，挣一部的钱，可以不可以？可以，但是我不喜欢那种作坊式的，家庭手工制作。大众文化市场这是一片荒地，愚公移山的搞法一辈子也无出头之日，要搞，就像深圳那样，建立起一座城市。现在花多少钱，将来就有挣多大钱的盘子。

当时我做了一个预算，每年投入一千万，连续投入三年，从第四年再考虑赢利。这个钱投到哪里呢？全部投到剧本创作，一是买下全国优秀作家将要发表的小说的影视改编优先权；二是自己拉起一支年轻编剧队伍。这个胃口很大，每年一千万已经是最低标准，考虑到投资人的承受能力，若依我性子，怎么也要一年一个亿才对得起这些作家的劳动，才能在这个领域形成垄断。

剧本是影视作品的基础这不用我说大家也知道。把全国作家一网打尽也就掌握了影视创作的龙头。当然我指的是那些作品一向非常适宜影视改编的和势头正好潜力无穷的，这在全国也不过区区百人。另一方面是年轻人，我想起码先从北京各高校中文系和电影学院戏剧学院这两个专业院校的戏文系过一遍，筛选出所有有写作能力的小孩，跟他们签约，像培养包装歌星那样让他们一步步走上职业编剧之路。不是严肃写作，是工厂流水线上的机器人，专写警匪的，专写言情的，专写情景喜剧的，分门别类，像动物园的笼子，到狮虎山里边就能看大型猫科动物，到鸣禽馆就能听到一片鸟叫。我们缺这样的职业写手，像琼瑶金庸那样一门灵的专门家。大众文化要想持续不间断地蓬勃发展，必须类型化、模式化，像京剧的角色一样各分行当。不进行管理、有意识地引导，我们的作家总会写着写着情不自禁地转向个人内心。就本质说，我们的作家没有一个是把人民大众真正放在自己之上的，也就是那么说说，或者干脆把自己混同于大众，明明为自己硬要说这才是为大众。这是大陆的文学传统，作家的可贵在于他有自己的心灵，哪怕是和大众一时对立的，而最终他们总能在某种层面上获得一致。平时我是同意这个观点的，但在大众文化的具体操作中这是不能容忍的。已成名的作家改也难，这个事还要从娃娃抓起。

我想从我们这一代在我手上建立一个模式，一条生产线，每年都有合格的功能各异的写手源源不断走下生产线，补充到大众文化的建设高潮中去。伟大的、天才的、独一无二的作家是可遇不可求的，那是奇迹。而我们的日常生活则需要大批兢兢业业的踏踏实实的心中只有别人唯独没有他自己的写作工人。没有他们，我们的生活也会寂寞。时代发展到这一步，这样紧张激烈，我们的感官需要也是空前的，在吃喝拉撒睡的同时，耳朵眼睛和身体所能牵动的副交感神经都有权索取刺激，就是说，要有动静，大量的动静，一刻不停的动静，只要打开电视，拧开音响开关，它就要在里面，而且种类齐全，想心惊吗？有！想感伤吗？有！想乐一下吗？也有！这是人民的愿望，作为一个商人，有义务满足他们，用时髦的话说，这就叫“双赢”。

你可以看出我是一个好大喜功的人，头脑像一个计划经济时代的国家计委工作人员，一想，就是全国如何如何，从这点上说，我还不是一个真正的商人。对于我的宏伟设想，叶大鹰没说什么，从他看我的眼神，有点儿由着我胡闹的意思。特别伟大的愿望如果不亲眼看着它结结实实摔到地上，事先讲道理一般很难被听进去。他转身去俄罗斯拍他的《红樱桃》去了。1995 年夏天，我每天煞有介事地去办公室上班，签了一批作家，找了一拨小孩写手，按类型开始组织人手写剧本，花钱如流水。我的第一个问题是，其实我也并不懂应该怎样写剧本才算符合大市场的要求。这期间我们曾和香港麦当雄工作室有过合作，还有其他一些香港影视公司的朋友听说我们搞了这么一摊子，主动前来给我们提供业务上的帮助，看看有无合作的可能，意即能不能找到他们合用的剧本。他们都是很有经验的商业电影导演和制片商，教会了我一些做商业电影电视剧应该具备的基本眼光和整套工艺流程的设计方案。这时我才发现，很多香港电影公司已经进到大陆来了，在北京和其他主要城市设立了常驻机构，抓人才抓题材。他们看准了大陆在大众文化市场上的空白点和无序状态，尽管当时他们大都还没挣到钱，也叹苦经，但其将欲取之必先予之的前瞻姿态已经十分突出和醒目了。

那时我还很乐观，认为大众文化必须建立在本土土壤上，这是我们的天然优势。一些美国影片公司驻北京人员的观点也支持了我的这种自信，他们讲：电影，美国可以横扫全球，电视剧没这个成功的先例，一定要本土化，他们若介入也只是以资金的方式，编导、演员、故事、趣味一定要中国的。

麦当雄讲过的一句话没有引起我的足够重视，他讲他发现一个规律，凡是在内地受欢迎的剧目拿到香港去不见得卖，反过来，凡是在香港卖的拿到内地就一定卖。他的结论是：要搞就搞合乎香港趣味的。我只听进去了他的前半句话，内地的戏拿到香港不卖，也只是在更强调内地香港社情民心不同这层面上听了进去，反证了我认为香港影视剧在内地终难成气候的坚定观念。后半句，香港的戏拿到内地一定卖！我不以为然，因为我不看。这就是以偏概全了，这就是一叶障目，不见泰山了。我还以为香港戏仅限于粤语方言区和中小城市那些半文盲的民工和情感幼稚的中小学生范围内流行，孰不知中小学生已经长大了，开始上大学或者进入社会工作，香港电影电视剧流行音乐合力经过十数年默默的群众普及和“从娃娃抓起”，星星之火正在燎原，两年之后，我们每个人都将感到它的灼人温度，看到它在我们面前无处不在地燃烧。

麦当雄借给我看了很多香港录像带，一开始多是他那个工作室拍摄的片子，后来超出了这个范围。我正经看香港电影，大约就是从那时候起。那之前，我对香港电影的认识也就是老“凤凰”、“长城”拍的《画皮》、《三笑》什么的，再就是王晶那些胡闹的片子，觉得很吵，看两眼就烦了。唯一印象好的是在赵宝刚家看过一部刘德华和吴倩莲演的《天若有情》第一部，觉得吴很动人，刘也算劲头十足。从麦当雄那里我多少对香港电影有了一个新的观感，凭良心说，有些片子拍得相当不错，大陆拍不出来。《跛豪》、《英雄本色》、《赌神》这些黑帮片或叫英雄片拍得都不逊于好莱坞，周润发是个了不起的明星，刘德华早期也好，周星驰好坏参半，成龙在《红番区》之前那些警察系列一般，不那么过瘾。看《阿飞正传》是个始终被感动的过程，心中暗惊，香港也有这样好的艺术片，后来知道此片导演叫王家卫，又看过他的《东邪西毒》、《重庆森林》。窃以为这个人是给香港电影拔份的人物，有他在，还真不好讲香港是文化沙漠这个话。还有关锦鹏、许鞍华，那些片子拍得也一点不寒碜。年轻的里头有个陈果，拍的《香港制造》、《去年烟花特别多》，那是正经的艺术片，连那个沉闷劲儿和大陆的那些年轻艺术片导演的作品都很相像。还有“银都”拍的一个《童党》，好像是张鑫言的，也好。还有一部最近看的，《飞一般爱情小说》导演不知是谁。好看得不得了，手法之流畅诡异，大陆年轻导演倒显出笨，拍东西太使拙劲儿。有一天，我曾和一个香港电影热爱者互数香港电影和大陆电影的好看片子，他说一个，我说一个，说了一会儿，我这儿没了，他还在那儿滔滔不绝。尽管感情上很难接受，我也不得不承认，在商业电影这一块，香港远走在我们前面，说香港电影、印度电影和好莱坞电影在全世界商业电影市场三足鼎立，这也真不是瞎说。

那个时候我已经有点悲观，主要也不是香港电影难以企及，而是我找的那些写手实在不行。也不要你有思想也不要你有灵气，甚至都不要你出构思，只是要你在既定的故事中加进一些人话，这就做不到，一写就是假招子一写就是假招子，好像他们是另一个世界的人。别的不知道，恋爱总谈过吧？为什么一男一女相遇都不能说点可人疼的话？

我非常不愿意讲年轻人的坏话，因为他们不会老这个样子，还有未来。但我还是要说，他们中的很多人，包括那些自以为敏感时尚的艺术青年，都不大会说自己的话了。港台流行音乐已经替他们把他们要说的话说了，当他们想自我表达时，总是有现成的句子供他们表达，句式，语感，所传达的情绪非常接近一句不知什么时候飘进耳朵的流行歌词。有的听上去新鲜，有的也有趣，但大家都那么说，也就成了套话、时兴话——他们小时候都是听港台歌长大的吧？

大众文化的转向总是先发生在街谈巷议之中，先发生在年轻人当中，他们是潮流的带领者，当他们都变了腔调之后，紧接着电影电视都会随之一变。

7

在“时事公司”的日子非常难熬。每天谈剧本，毫无快感可言。那是做减法，这个不行，那个超出了我们故事想要说的事儿。我们想说什么事？什么事也没有，我们只想说善有善报，恶有恶报。这是几百集几千集电视剧的主题。那也没有多少花样，就是几个经典母题的变种：灰姑娘式的、罗密欧与朱丽叶式的、茶花女式的、基度山复仇记式的，像公共汽车，只沿着固定线路行驶。

把故事格式化，人物类型化，这似乎是简单了，其实是画地为牢，戴着脚镣跳舞。

创作的乐趣和干劲很大程度上是靠想象力带动的，而这样的写作完全不需要想象力，想象力甚至是有害的，稍一飞扬便破坏了原来的设计。我干的就是这样一个工作，限制作者的想象力，不许他越雷池一步。我们靠什么推动故事呢？靠套路，一个套路接一个套路。套路有多少呢？没多少，顶多两百个，估计观众忘了，就从头重复。什么人是最好的作者？就是那阅读面广的，文化底子厚的，也就是知道套路最多的，人称老奸巨猾的。干过这样的工作，我也对这样的作者肃然起敬，那很不容易，平地起波澜，没的写硬写，还要引经据典，有声有色，有时我想，这才是作家，中国文化的脊梁。

更多的时候我在想：这不适合我，打死我也干不了这种事，为什么我要装作对这种事感兴趣呢？为大众写作真是一件无聊透顶的事。我觉得自己的耐心在一点点消失，我甚至忘了自己当初怀有的那份雄心和使命感，认为自己被叶大鹰骗了，在办公室破口大骂：“他妈倒是拍电影去了，留我一人在这儿受洋罪。”

后来，投资人出了问题，后面的资金中断了，我的工作又变成找钱，美其名曰：招商。印一大堆计划书策划案回报率测算什么的，把办公室的复印机都给印冒烟了，打字小姐也基本疯了，所有人派出去，到处投递，我也跟个疯子似的，四处找人磕项目磕合作，风尘仆仆，胁肩谄笑，总而言之一句话：磕钱。我见了多少骗子呀！中国的，外国的，中外合资的。在我的短短的经商过程中，最不堪回首的就是见人。本不是意趣相投，为了钱坐在一起，作相见恨晚状，说一些特别仗义的话，耗着，耗到大家没趣为止，临别还依依不舍，非对方远去，整个消失在夜色中，估计看不见了，才呱嗒一声把自己的脸帘子落下来。每天夜里回家，我都在路上抽自个儿嘴巴子，问自己：你这是图什么？你混来混去混这么些年就是为了现在到处去装笑面虎，往酒囊饭袋那儿发展？过去我多好啊，想见谁见谁，不想见的谁的账也不买——就这么清高。抽完嘴巴子接着就是无限感伤。

最后，香港盛世长城广告公司被我们磕下来了，提出一个计划，接过我们所有剧目，由他们的客户广州宝洁公司出了一个四千万的广告盘子。彼时我已身心交瘁，这对我根本不是什么好消息，这不是一手交钱一手交货像买盒烟那么省事，从立项到签约到实施还有几乎看不到头的漫长过程，这意味着这罪我还要继续受下去。

这时我见到了郑小龙，他刚从美国回来，重新接手艺术中心，雄心勃勃，准备开“长青藤剧场”，我在西郊龙泉宾馆把宝洁公司这个广告意愿连同我们搞出的百十集电视剧本都对他私相授受了。这对“时事”和叶大鹰是一个背叛。我也顾不了那许多了。我甚至都没想过煽一把情，跟郑小龙托付托付，含着泪那种：中国电视剧就瞧你了。我只觉得把一“雷”顶他脑袋瓜上了。

第二天早晨，从龙泉宾馆溜出来的时候，我的心情无比轻松，好像有那样的心声：什么大众文化建设，中国电视剧市场，让它们统统见鬼去吧！

至此，我和大众文化多年调情，互抛媚眼，也叫互相利用的关系正式结束了。大众文化的商业本质和处处在交易的特征老实讲很不可爱。怀疑大众文化的意义，甚至认为它无意义，因而颓废，自我否定都是从这些小地方滋生的。干这个，要很坚强的人，或者有足够的贪婪。

不好玩！这是我在其中摸爬滚打一番后的感受。

那之后，还有几次机会有朋友邀我去操作文化公司，资金有德国的、美国的、中国香港的，我一般都是先蠢蠢欲动，待再往下，进入操作阶段，便哆嗦，往事历历在目，于是半道开撤。使命感总是有的，那也不能拿生活做代价。钱也是爱的，但也不能为钱把自己卖了。有一点儿钱的好处就是，不舒服的钱，敢不挣。

我想我还是当看客吧。

8

1995 年是中国文化界最后的狂欢。那一年，有多部国产电影卖到三四千万的票房。

李少红的《红粉》、姜文的《阳光灿烂的日子》、叶大鹰的《红樱桃》的上映都是当年的盛事。张艺谋拍得不怎么样的《摇啊摇，摇到外婆桥》在北京还卖了二百八十万，不像 1999 年《我的父亲母亲》卖个百八十万就在大报小报上告捷了。电视剧有《我爱我家》、《宰相刘罗锅》。电影界“第六代”作为一个概念已广为人知，尽管在国内还未有票房成功者，但大都在欧洲小电影节胡乱拿了一片奖。张元的《北京杂种》，管虎的《头发乱了》；包括路学长正在拍的《长大成人》，当时叫《钢铁是这样炼成的》；王小帅的《越南姑娘》；还有宁瀛，当然她不算“第六代”，接连拍的《找乐》、《民警故事》；还有周晓文的《二嫫》，正在筹备的《秦颂》；张元接下来的《儿子》；这一切已拍未拍将要拍的东西，尚未登堂入室，气氛已经轰动，也有满城春色。小说界也出了个“新生代”，南京的韩冬、朱文，上海的须兰、张文曼，吉林的述平，湖南的何顿，北京的徐坤、邱华栋，都号称“60年代出生”（据查也有个别50年代出生的混迹其中）。中国文坛“奔走相告委员会主席”王干正在《钟山》及各种他的脚力所能到达之处为这批人大声鼓与呼，搞得各刊物一片手忙脚乱，纷纷拼凑人马，简单过一下脑子就开出菜单，“新状态”、“新体验”什么的，名词是什么不重要，形容词是一日咬死的，连声喊“新”。“魔岩三杰”也是那年名声大噪的吧？总而言之，那一年的创作形势还算不得悲观，乐观主义者还可称之春水怒起，杂花生树。

悲观主义者的第一声不祥之谛出自上海。老作家许杰临终前挣扎着艰难吐出五个字：摸拉尔姑娘。这是洋文“道德”的意思。据说这姑娘是五四运动时和德先生赛先生一起来的，后来走丢了，老先生的意思还是给找回来。接着，《上海文学》组织了一批复旦和华师大的博士生做了一个研讨会，批评当今创作的“媚俗”倾向，引发了后来的“人文精神大讨论”。

“重建人文精神”这一提法的发明权是属于王晓明还是张汝伦我也搞不清楚，因为很快这一讨论就开锅了，众声喧哗，能看得清嘴脸的只有单枪匹马冲出阵前将手中狼牙棒舞得车轮也似的小将王彬彬，从他那开始，捉对儿厮杀，大家战个鼻青脸肿。我倒也不是说人身攻击是他先搞的，得了，我也别绕了，我就是这意思，算不算攻击他可以自辩，冲人身而去他是明的。我的意思是我赞成他这样，这是符合中国国情的文章作风，空谈理论如同打太极拳老百姓不知道你冲谁，以为您自个儿在那儿锻炼身体，点了名就清楚了，噢，原来是这位和这位掐。所以张汝伦也不要自己在家生气，觉得好好一番高论被王彬彬搅了局，理论问题说到底也是人际冲突，我们老王家的孩子对这点都深有体会。

人文精神的讨论主要是学院中的中文教师们和他们的私塾弟子在讲话，作家大都是点一个名进来一个，夸我，就站在你们这一边，骂我，就站到你们的对立面，没被点的，大都站在一旁看热闹，偶尔高兴放支冷箭。这个里面有正经做学问的，得过洋老师亲授，或隔着很远瞅见过，觉得洋老师有本事，愿意把洋老师的本事和自己的心得传给中国人长长见识的，就算是启蒙派吧。

还有一个救亡派，这大都是没放过洋的，一辈子窝在中国的大学里，做学问也没个正经学问，倒霉事儿一件没落，上头赶不上那些民国老人，下头这批留学归来的小的又踢着屁股撵上来，著作著作罕见，待遇待遇不高，每日胡编一些选集，虽有一群门下弟子环绕吹捧，自己心里明镜似的，还是不靠谱，净剩着急了。这些人对中国文人这些年先为主流意识形态所制，后被市场经济所压，生存空间越来越窘困，感受最切肤，也不敢犯上，一腔怒火都喷向所谓市场经济大潮下兴起的拜金主义，具体到文学创作和影视作品就是“人文精神丧失”和“躲避崇高”，就有“媚俗说”、“投降说”。

救亡派是以“精英”自诩的，所批判的方向，所说的去“媚”的那个“俗”和去“投”的那个“降”就是指当时泛滥的大众文化趣味。

人怎么可以不要精神呢？生活怎么可以没有理想呢？一个国家一个民族失去信仰怎么得了？这是救亡派文章的主要观点。在这场争论中，兄弟有幸成为救亡派的重点靶子，上述那些访问正是针对兄弟的作品所发。我被指为“灰色人生观”、“消费人生”、“嘲弄理想”、“连孩子带脏水一起泼”。当然还要提到“痞子”，这是我的专有名称，那些激愤有余，讲不大清话，还要硬表个态的朴素的人文精神支持者说了这个词就可以得胜回朝了。痞子嘛，当然与精神无关。还有一些更朴素的，我是北京人，就扯到北京文化，说这块地方就是出“以坐稳了奴隶地位为乐”的人，讲“投降”时还提到“汉奸”，差不多直接说了这地方的文化中有当汉奸的基因种子。

我心里很清楚，在这场争论中我只是一个象征一个符号。救亡派这一路的不满主要是对大众文化的现状不满，要救的也是大众文化这个“亡”，目标并不在我的创作，只是借题发挥，再没其他一个作家像我这样对大众文化介入这么深的，所以他们针对我在大众文化这一块发挥的影响和带来的后果讲话也显得言之有物。这也是我们搞批评时的一贯作风和不得已，只要不是做论文，就不能面面俱到，那等于讲不成话，要简洁，突出观点，唯有攻其一点，不及其余。我过去也总以为批评家是作家的附庸，任务只是解释作家及其作品，这观念早就过时了，批评家像作家一样是独立的观点表达者，只不过作家是拿自己当素材，而批评家是拿作家当素材，都是观点在先，接着去找支持自己观点的材料。

救亡派们是大众文化的真正明白人。他们早就看出我搞的这一套不是大众文化，或者说不是大众文化的正路子。前面说过，大众文化是什么？是弘扬崇高理想，积极乐观的人生态度，爱国主义，英雄主义，泛道德主义和传奇性的浪漫主义。了解我创作和文风的人都知道那确实不是我的专长，或者说我一向是与之相悖的。有一个说法几乎是众口一词：也许我的语言在消解过去那套八股腔是有意义的，也只在这方面有意义，到今天，反“左”已成往事，各方面军都应该刀枪入库，开始认真的文化建设，我还来这套，就是油滑，是贫嘴，是堕落，是转而进攻神圣信仰。这就叫开国斩将吧？ 这就叫重振朝纲吧？这就叫天下已平你未平，天下已治你未治。这个意思很明确，就是结束混乱，呼唤正面的传统的合乎规范的大众文化秩序早日建立。

他们是对的。尽管我在感情上不是很能接受他们那种人所共弃的态度，但我明白，已到了我在大众文化舞台上谢幕的时刻了。早叫你走你不走，现在我们来一起哄你下去。

一个国家不能总是乱，什么什么老是一帮业余人士在里面捣糨糊，海晏河清终有日，大家各归其位，换专家来。大众文化是一个国家的基本文化，别的不知道，这个我们传统的根子也是又粗又长的。这百余年，历经革命、动乱、改良，很多传统文化的根子断了，今天，我们将看到它首先在大众文化这根链条上复接。

群众基础是有了，就差知识分子再进行一些舆论准备了。第一是清场，把与此无关的东西轰开；第二就是正名，这个工作严家炎已经在做了，北大的其他一些老师还有些羞羞答答。别不好意思，为大众文化正名，还其本来面目也是一件很有意义的工作。刘再复下水了，李陀也下水了，洪子诚谢冕这都应该跟上，别清场时有你，托场子的时候你跑了。只知破坏不知建设你们不是也一向不齿？不喜欢这个作家可以换一个，这方面成功、货真价实的人士也很多。或者干脆空谈，这既是你们的强项又无为大众情人抬轿子之嫌。大众文化也需要一个理论，很多观念不理清就会出现打混仗、站错队，起了阶级敌人想起起不到的作用干了阶级敌人想干干不了的事情。譬如“精神贵族”这个词，大家都往自己脑袋上套，其实包括你们自己好多人只不过是“精神资产阶级”。贵族是什么？是躲在家里，凡人不理，不追求进步，专做历史潮流的反动分子的那种人。以天下为己任，干预社会，哭着喊着给大伙指道，专门攒出一词管自己叫“知识分子”并小心翼翼地解释“这就是社会良心”的，都是资产阶级革命时兴起的做派。

我说的这个“精神资产阶级”跟过去流行的那一套阶级观念没关系，那是从经济上划分，以区别政治态度。我这是从知识形成角度上划成分，以区别文化态度，仅仅是为了说话方便，不带褒贬，老师们别一看“资产阶级”就跳起来，说我政治陷害，那我可不认账，勿谓言之不预。

我的划分很简单，“精神贵族”，天生的，就像封建贵族大都是世袭而来。“精神资产阶级”，是赚来的，上学，头悬梁锥刺股，学别人书听别人话照别人的指示办事，一猛子扎好几十年，最后把人家的东西当成自己的了。我在这儿就先一刀切了，凡是念过大学的，都算。当然这里有本来是精神贵族的，天生有，又学了一套精神资产阶级的方法，这是如虎添翼。当然这里也有上了大学也没混成精神资产阶级的，充其量是个“精神小资产阶级”。你们比我清楚，多少笨蛋在大学里混，什么大一大二大三大四，叫他们上的，就是高四高五高六高七。这个话题有点说跑了，关于大学怎么使一个聪明人更聪明，怎么使一个笨蛋更笨的奇妙教学法改天另文再谈。前断截说，我是一什么呢？我和那帮文盲都是“精神无产阶级”。

话说回来，大众文化需要一个合流，一个同谋，“精神资产阶级”自动充当了这个角色。这一点儿都不奇怪，大众文化反映的就是“精神资产阶级”的精神实质，也叫他们的人文精神。只有精神错乱的“精神资产阶级”才会站到“精神贵族”立场去批判他们自己。他们的批判只是要维护大众文化的纯洁性，并不是拒绝。我把“精神资产阶级”换成“精神中产阶级”——这在我的电脑字库中是相同的键——这就更方便看出他们的同一性了。

我要说，他们的目的达到了，那就是今天的文化现状，港台文化席卷全国，听的，看的，说的全是他们，去问问年轻人，叫做“天下谁人不识君”。

9

关于港台文化，我这里指的是它的主流，不是前面提到过的那些有艺术倾向的另类作品。什么是主流？就是我在《我看金庸》一文中提到的“四大俗”。也不要一提“大俗”就难过，这是一个好词，很难达到的境界，莫非还要叫你“大雅”不成？只怕你又要谦虚一番了。“大寇”、“大毒”还真是与你们无关，那是更高的境界。

我承认，对待港台文化我是感情用事的。我也听张学友的歌，看成龙的电影，周星驰的《西游记》还颇令我感佩不已。对具体的作品我自用普通观众听众的心态以对之，但笼统地想到港台文化及其等而下之的那些合资的港台戏受港台歌风影响的流行小调，我就是不能认同，油然而起排斥之心。这里有地域文化的狭隘优越感，或说视北京为中心的老大心理，总觉得港台是异类，是边陲，以它为主导就是不能容忍。但这也不全是心理问题，这么说也简单了。我想还有一个纯粹的感官不同意在里面。港台的东西太甜，太想让人舒服，时间长了，次数多了，一个舒服的姿势久了，就不满足。这就像糖一样，快感止于口腔，第一口很容易接受，吃下去，一直吃，就不免发腻，嘴里发黏，唾液变酸，胃口也倒了。能使大人成瘾的东西都不是甜的，烟酒茶什么的，总要带一些刺激性。去吃饭，上的都是甜品，好吃的感觉也不会产生。当然小孩子不会同意我这观点，他们会举出冰淇淋店、蛋糕房为例，证明都是甜的他们也吃不腻。我是说我，我不爱吃甜的，特别是没吃正餐之前，肚子空的时候，看到甜的就恶心。当然我知道，甜，是中国传统民俗文化中的一个主要口味，渗透在民间的日常生活和节日气氛当中，看那些江南民歌、花鼓灯、北方秧歌、剪纸、手工艺品、旧时民居房上的雕饰，处处透着喜兴、欢快和吉祥如意，不知道的人，还以为我们这几千年净过好日子了，所以有外国旅游者吃惊，没想到中国人这么单纯快乐，再荒唐一点的，甚至认为我们是一个乐观的民族。

如果说内地民俗民情中的甜风还有点穷欢乐的意思，港台地区的甜就真是透着对富裕生活的知足、感激和领情，是发自内心的，我们的生活就是比蜜甜，生于享乐死于享乐。我说港台地区的生活方式是资产阶级生活方式这个没人反对吧？资产阶级无止境地追求快乐，而他们的烦恼则是很细微很有限的，反映到他们的作品中就是小市民的发财欲望，青春易逝爱情易逝快乐的时光太短的轻轻感叹，为什么我说中国资产阶级的艺术注定是腐朽的？第一，他们没急着，很舒服而且欣赏自己这份舒服的日子眼睛就盯在这个上面；第二，他们同时又是中国传统文化传统人文精神的继承者，人生观基本是宿命的，是敬神拜天的，这从他们那儿流行在饭馆里摆那些斑斓的关公财神像可见一斑。既然活得很好很满意又对过去未来有一个深信不疑的看法，他们的精神空间只能是狭小的，自给自足的，像把自己反锁在金库里的土财主。流水不腐，户枢不蠹，处在静态环境中闭起门来自我品咂的中国资产阶级和照出他们灵魂的艺术，焉得不腐?

说艺术是客气了，他们尽管也吹拉弹唱，又写又画，其实提供的不过是娱乐，声色犬马，光怪陆离。从港台文化的拥护者着迷者自诉的身体症状看，他们也是被娱乐一把，十分痛快、高兴、轻松，有人还有精神腾飞心灵被洗涤的幻觉，更爱国更热爱生活云云。寓教于乐，这是娱乐业的上品和特别要求加入的功能。这有什么不好吗? 没什么不好，谁也不必在这儿上跟我较真，我赞成人民需要娱乐，好的娱乐，可以引人向上、纯洁心灵的娱乐。我想有些人大怒且不能接受的是把娱乐排斥在艺术之外，是名词之争，他们从骨子里还是看不起“娱乐”二字。这也不怪他们，都怪我们这些年一贯标榜艺术，似乎只有这个最高，没有一个词比一个词更高，那只是区分不同范畴的称谓，现在是恢复“娱乐”名誉的时候了。这我还要提醒娱乐迷们一句，你们应该自信，好的就是好的，全看你们的感受，又何苦在乎叫“娱乐”还是“艺术”，坏的“艺术”还不是比比皆是。

我们可以争论这个，什么叫“艺术”? 什么叫“娱乐”? 我先说我的观点，都是最简单的，用一句话可以概括的。还是先用排除法：乐观的不一定全算娱乐，但悲观的肯定不是娱乐，也就是说艺术是往人心里搁事儿的，娱乐则是从人心里往外掏事儿的。

反过来说，艺术不一定全是悲观的，但娱乐一定要都是乐观的。

话说到这里，我发觉我上面下的断语“中国资产阶级的艺术注定是腐朽的”不能成立，因为他们那个根本不是“艺术”，说不着人家。作为娱乐，不存在腐朽还是长青的问题，你能说卡拉OK是腐朽的吗？你能说电子游戏机是腐朽的吗？只能说娱乐也许会一种形式代替另一种形式。有些娱乐形式具有强大生命力，可以经久不衰，老而弥新，为一代又一代人所着魔，譬如麻将，譬如钓鱼，譬如武侠，我看这些东西起码还能存在一千年，谁跟我打这赌？

所以，我也发现自己的没趣了，我反对港台文化就等于不让人民群众娱乐，这就有点不像话了，也不归我管。在此，我宣布，我错了，凡是把港台文化当艺术批的话我都收回。我也将继续反省自己身上的地域文化偏执症，港台文化是中国文化中堂堂正正的一部分，是本国娱乐文化的集大成者，薪火承传者，或可说他们才是正根儿。1949年以后，我们这里为革命文化覆盖，旧中国那些闲适的、“鸳鸯蝴蝶”的都到他们那里去了。这些年一直没断了承上启下、左右逢源，中国传统的、东洋的、经过东洋传过来二手西方的，都在他们那里熔为一炉，发扬光大，制度化，工业化，系列化，现在他们回来给我们补这节课了。我们应该高兴是不是？我也希望自己的人生丰富，多经历一些奇怪的事情，经过了这么多年，光听说没见过，终于有幸看到旧文化——也别这么说，好像带贬义似的——终于亲眼看到中国传统文化，那些贯穿我们几千年文明曾经令我们的先人过得十分舒服的一切趣味、窍门和好玩的玩法一股脑都在中国复辟了。

解玺璋讲我“怎么可能站在左翼文学的立场上”，我怎么不能站在“左翼文学”的立场上？我不站在“左翼文学”立场上又往哪儿站？“左翼文学”也不是天上掉下来的，那是五四新文化运动的一脉单传，后来也是革命文化的一个源头。我的童年和少年时代都是在革命文化的强烈环境中度过的，革命文化后来政治斗争化了，越长越有点长走筋了，那是没长好，结了个歪瓜，论秧子，还有些老根儿是长在五四新文化运动那块厚土中，这才是“别连孩子带脏水一起泼”呢。我也不知道别人怎么看五四运动，我的五四就是和所有传统文化决裂，把所有天经地义都拿来重新审视一遍，越是众口一词集体信以为真的越要怀疑、批判；越是老的，历史上被证明是行之有效的，越当做枷锁，当做新生活的绊脚石。孔子怎么样？“砸烂孔家店”。红卫兵是奉旨造反，算不得好汉，加上又把人打了，演变成行为上的暴徒，名声搞臭了，若仅是文化上的造反，思想上的造反，那还正是五四传统。五四新文化的路被后人走偏了，我们这些更后来的人把它再走正了就是了，新时期文学就是这么个拨乱反正的行进方向，怎么也轮不到传统文化重回中心。中国落到这个地步，百年积弱，传统文化功莫大焉。现在讲振兴，也不能靠这服药。把人活活吃死过的药，想治病想强身你还敢再吃它吗？

马克思主义就是向西方学来的。中国的文化要更新，要蓬勃，要有生气，还是要向西方学。这话听上去很像大道理了吧？好像从我这痞子嘴里说出十分不像。其实这是我从小就融在血液中的价值观，要什么不要什么，那是读了多少优美的古典诗歌也不改初衷的，要说信仰，这也是一种信仰吧。我从来不觉得自己的所为和这个基本立场相违、矛盾。“反智”、“反文化”反的都是中国式的装孙子，“粗鄙”正对中国式的假正经，平常，有时也许我会忘了自己姓什么，屁股扭来扭去，但传统文化一出来，立刻就有一个自觉的警惕：这孩子乔装打扮之后又来了，一定要站到它的对面。

所以我一见港台文化滚滚而来就气不打一处来，不问好歹，打了再说。我当然是很愚昧了，这也是流氓的战法，不足为训。顺便说一句，这也是北京文化的一个方面，北京文化也不全是培养奴才，也有一股张狂气，见谁灭谁，专拣那大个的灭。想在北京这个地界为王，先扒你三层皮，过不了这关，你也别打算在这儿混。什么叫侃大山？至高境界不是吹牛，是抬杠，大家都做个天生反对派，让所有观点都不能畅行无阻，包打天下。到北京的饭馆里听听，那才叫“舌头底下压死人”，哪有一句好话？好听的这叫“逢佛杀佛，逢祖杀祖”。你也可以管这叫流氓气。

流氓终归也就是起个哄，吹声匪哨，向人群中砍块砖头，起一个让老实人心凉的效果。真正的解说、分析、论功行赏和以罪定罚，还要老师们出场，你们是专吃这碗饭的，责无旁贷，别光吃饭不干事。也不许像严家炎那样，什么“有人引鲁迅的《流氓的变迁》批金庸，是一种误解或曲解。鲁迅先生对侠文化不否定，很客气。鲁迅的《铸剑》是现代武侠小说。如果鲁迅活到现在，看到金庸的小说，不至于骂精神鸦片”。学问是这么个做法吗？三寸不烂之舌一卷，就把这个话颠倒过来了？你讲鲁迅对侠文化不否定、客气，要有根据，他在哪儿哪篇文章说过这个话或有过类似意思，不能因为你认定《铸剑》是武侠小说就理所当然得出这么个结论。“如果鲁迅活到现在，看到金庸小说……”之语就更不像话，说你想当然是不尊重你，但你想想，若这逻辑成立，你是不是可以在任何问题上替鲁迅发言？人死不能复生，做这种假设起码是不严肃的。别跟我似的，嘴上没个把门的，想起一出是一出，说话不负责任，我丢的是自己的脸，您丢的可是全北大中文系的脸。好好写，用点心，你能写出无愧于学问把我驳得体无完肤的文章。我在这边厢洗耳恭听。还有其他人，所有跟严家炎观点相同或仅仅是看不惯我的人，全来，我倒要听听哪个好意思讲：港台文化是我们的发展方向。港台文学代表了中国文学的最高水平，从大俗到了大雅。

10

关于大众文化，港台文化，什么是艺术，什么是娱乐，什么是俗，什么是雅，我们是谁，他们是谁，这些话说上一辈子也说不完。人活着，意见就不会统一。正是这些众说纷纭和莫衷一是构成了我们的一种生活乐趣、一些热闹和某些人的饭碗。有些话我是说痛快了，有些话我给说过去了，搁不进这篇东西，留到以后再说。有些事我刚刚想到，还没个头绪，慢慢去想；有些事我也不爱想了，作为问题在这儿提出来，谁有兴趣谁说，高明的人总是有的。

港台文化的胜利究竟是文化的优越还是工业的成功？文化的传播是不是一定遵循从经济发达地区向不发达地区灌输的水流定律？大众是谁？有没有各自单独的名字还是一个集体意志？还是几个集体意志？可以概括吗？人民性指什么？越是发行量大的等于越是有人民性也就等于越伟大——这一等式成立吗？在什么条件下成立？是放之四海而皆准还是因人而异？权威是谁？是书读得最多那个人吗？还是书写得最多的那个人？还是所有人？我们需要权威吗？什么事一定要有个说法吗？没有理想能不能过日子？年轻人就一定是进步的吗？凡是存在的就一定是合理的吗？我们的文化根基在哪儿？我们的学术根基在哪儿？我是“吃狼奶”长大的一代，现在的小孩是不是“听鸟语”长大的一代？中国人是都没有“人文精神”还是各阶层有各阶层一向既有的？如果有，都是些什么？下一次文艺复兴在什么时候到来，还是从来没有到来过？

近日，我听到一个说法，出自北京的“零点乐队”，说港台文化的到来是一场新文化运动。这观点很新，很有力，作为最后一问放在这里——它是吗？

|《王朔自选集》自序|

一

把《文集》囊括的一些作品挑出来巧立名目结成新集，本意是想节省读者一些精力，同时也让盗版的同志更方便一点。老《文集》收得全，全就不免滥，好比一条鱼不洗不开膛就上了桌，让人出了全鱼价，一口没留神还添了恶心。这里这些就算鱼的中段了，一些鱼刺鱼骨头什么的也剔了。买过《文集》的人就别买了。家庭生活困难下岗的待业的靠希望工程救助的也算了，留着钱过日子吧。忙着做生意忙着翻两番的不敢耽误您时间。立志做学问理想超凡出圣的您也别掏这份钱，回头再惊着您。我希望我这书的买家是那些倒霉的、无聊的、每天没什么念想没什么指望的；最好是没被吓唬过，压根儿没看过我东西的人。这样我就不觉得对不住谁啦。

二

挑选这些篇目是因为这些东西或多或少都含有我自己的一些切身感受，有过去日子的斑驳影子。写存在过的人和生活，下笔就用心一点，表情状物也就精确一点。尤其是那些言情小说，大部分是十几年前的作品，你可以看出来我写这些东西时还很纯洁。我的意思是说脑子还没被各种激进或者反动的概念搞乱，还相信某些东西，还有人味儿。这些品质今天于我已丧失殆尽。我再也写不出那样的东西了。实际上从 1992 年之后，我已经不再写小说了，一种有害的自身的变化使我一拿起笔来就变成另一个人，一个我曾经讨厌过的人。

我没受过正规的高等教育，这本来是件好事。我以为中国高校的文科教育结果不过于训练出一班知识的奴隶。看看那些教授及其高徒写的文章，无论他们把话说得多绕嘴多不通顺，一句话是很明了的，那就是卫道。这种中学老师干的事让他们揽过去还干得那么欢，煞有介事，真让人瞧不上，进而怀疑他们的思想能力。有人说我没事爱往知识分子身上泼脏水，是因为我自己没考上大学，自卑心理作祟。姑且算他说得有理，我自己开初也确实在这话题上有些孩子气的表现。但现在要还这么说就显得大伙儿都太庸俗了。我曾经立誓不做那个所谓的知识分子。这原因大概首先出于念中学时我的老师们给我留下的恶劣印象。他们那么不通人情、妄自尊大，全在于他们自以为知识在手，在他们那儿知识变成了恃强凌弱的资本。我成长过程中看到太多知识被滥用、被迷信、被用来歪曲人性，导致我对任何一个自称知识分子的人都不信任、反感乃至仇视。我也认识很多值得尊敬的知识分子，他们使我意识到自己的狭隘和偏见，但每当一个知识分子刚刚令我摆脱了偏见立刻会有另一个知识分子出现用他的言行将我推回原处。我相信这是一种人性弱点，就像有几个钱会使人堕落掌握了知识也会使人存心欺世。我本来是把知识和知识分子区别对待的。我幻想自己可以免俗，在增长知识的同时保持住纯朴天性。事实证明我错了，一个妓女在她的皮肉生涯中是无法保持贞操的，而且最终难免染上一身梅毒。我想说的是我在多年写作中已经变成了一个知识分子。这变化使我非常不舒服又无可奈何。

三

对我而言，知识化的过程就是一个被概念化的过程，从一个活生生的人变成一个机器的过程。

从 1984 年初到 1991 年底，整整八年我处于职业写作状态中，日以继夜，除了写字就是看书。离人群远了，离社会远了，偶尔上街也如隔着玻璃鱼缸看新鲜。一切发现、感悟皆非生活经验而是来自书本。那些貌似形象、生动的文字概念又因其言之凿凿、确有深意于是被轻易地接受了，当做生活本质牢固树立在头脑中。思路似乎也因读书开阔了、拓展了、清晰了。沿着书本构成的认识捷径快速前进给人一种提高了的快意。世俗的乐趣和欲望被理智打入不齿于人类的范畴。久而久之，对生活本身失去了热情，甚至产生轻视的情绪，习惯于只去想、考虑一些更深的问题，殊不知通往这些问题的阶梯都是由概念堆砌的，一旦步入其上，就再也难以抽身。

概念这东西有它很鲜明的特性，那就是只对概念有反应，而对生活、那些无法概念的东西则无动于衷或无法应付。概念的另一个特性就是它组成了很多伟大的字眼儿，经常使用这些字眼儿会对人产生强烈暗示，以为自己进入常人无法企及的境界，离真理更近了，进而有了阐释言说真理的强烈欲望。搞得不好甚至会误会自己是上帝的代言人。这就没法再写正经常规小说了，每写下一句对话，一个动作都会有概念急急忙忙跑出来把抽象的含义强加之上。这当然可以使一句句子含义多样乃至丰富，可无法完成哪怕一个自然段，硬写下去也是言在此而意在彼，千字之后便不知所云了。到了后来，干脆对常规小说产生蔑视，以为全世界只有一部《圣经》配称为文学。把自己的一些屁话视为微言大义的启示。

概念的第三个特性是每一个概念都可以多解，你说得越肯定引起的争议越大。概念化的人都像白痴一样听不懂人话，越简单越听不懂。和另一个概念化的人争论起来会像打扑克一样用同一些牌一局一局打起来没完，你会发现大家拥护的是同一个概念，反对的也是同样的东西。何以互相隔膜到如此程度，不得不使人怀疑争论的原委意在攻击人身。这也就是概念的第四个特性：从概念出发画出的曲线是一路向下的，最终到达下流。

有聪明人讲中国文学没有大家是因为中国作家都太聪明了。还有笨蛋说是缺乏激情。我的悲剧是在知识面前失去了自我。我没能抵御住在知识宫殿扮演一个角色的诱惑，结果和别人一样净身当了个太监。被概念彻底驯服的人是写不出好小说的。我指的好小说是那些能最大限度再现生活表象的。那些被知识分子自己无耻吹捧的其实仅仅是从概念到概念的小说，我们自己知道那有多简单多容易。我毁了。我的语言完蛋了。看这篇自序的文字就会一目了然我现在的语言是多么拗口蹩脚、杂乱晦涩。我不知道怎么摆脱概念的控制，这趋势可不可以逆转。我为自己从思路到文风的知识分子化感到恶心。我曾经想靠讲几句粗话和挺身叫骂阻止自己的堕落，可笑的是我在大骂知识分子时发现自己只有站在知识分子立场上才骂得出口骂得带劲儿。这真没意思。我想不出好的比喻。我不知道还有什么东西你要指责它就会变成它像知识分子那么神奇。

所以，假使我现在仍对知识分子时有不敬，并非针对任何人，而是出于对自身的厌恶。

四

关于我的早期创作，很少见严肃的评论，比较流行的一种轻薄的说法就是“痞子文学”。这说法最早出自某电影厂一个不入流的导演口中。这人是南方人，对北京的生活毫无见识，又是个正人君子，看不惯年轻人的一些做派，便脱口而出。初开始我也没在意，这么感情用事的话随便一个街道老太太一天都要说上好几遍。后来这话越传越广，缺乏创见的论者频频借来当做真知灼见，一般读者也常拿此话问我，弄得我颇有些不耐烦，因为我没法解释为什么我是个痞子，这本该由论者解释，这是他们的发明。再往后再往后，这个词把很多聪明人变成傻子，这个词成了一种思维障碍，很流畅很讲理的文章一遇到这个词就结巴，就愤怒，然后语无伦次把自己降低到大字报的水平。看到那么多可怜的学问人因此患了失语症，我不再觉得好玩。当有读者表示不太明白那些论者何以表现得像跟我有私仇，强烈的同情心逼迫我替他们做一些解释：就概念而言，痞子这词只是和另一些词如“伪君子”、“书呆子”相对仗，褒贬与否全看和什么东西参照了。叫做“痞子文学”实际只是强调这类作品非常具有个人色彩，考虑到中国文学长期以来总板着的道学面孔，这么称呼几乎算得上是一种恭维了。总不该可笑地叫“纯文学”、“严肃文学”什么的吧。执拗的读者往往会接下去问：“那你自己认不认账?”我无处可遁，只好点头自认，模样悲壮心里却觉得像冒领爵位，想再解释几句，也得了失语症。好在此语一出，大家也都满意，不再往下追问。老和别人这么讲，自己也就真说服了自己。如果大家只会用这种方式说话那就这么讲吧。显然概念的产生有它的必要性，可以使我们生活得更简单一点。

还有一个显而易见的误会想向读者做一点儿说明。因为我生活在北京，很多糊涂人拿我的东西和老舍的东西相比，一概称为所谓“京味儿”。这比较是愚蠢的。南方人讲些昏话倒也罢了，他们不了解北京像我们不了解他们，彼此也只能一省一市地总体评论。有些北京人又不是老舍的儿子，一说起“京味儿”好像北京从未解放过，还是五十年前的老北平。拿这把十六两制的老秤盘子东约西约，什么货色放上去也是斤两不足。闹起来也让人觉得是和隔世人说话。

有常识的人都知道，1949 年以后，新生的中央政权挟众而来，北京变成像纽约那样的移民城市。我不知道这移民的数字到底有多大，反正海淀、朝阳、石景山、丰台这四个区基本上都是新移民组成的。说句那什么的话，老北平的居民解放前参加革命的不多，所以中央没人，党政军各部门连干部带家属这得多少人?不下百万。我小时候住在复兴门外，那一大片地方干脆就叫“新北京”。印象里全国各省人都全了，甚至还有朝鲜人越南人唯独没有一家老北京。我上中学时在西城三里河一带，班里整班的上海同学，说上海话吃酒酿圆子。我从小就清楚普通话不是北京话。第一次在东城上学听到满街人说北京话有些词“胰子”、

“取灯”什么的完全听不懂。我想那不单是语言的差异，是整个生活方式文化背景的不同。我不认为我和老舍那时代的北京人有什么渊源关系，那种带有满族色彩的古都习俗、文化传统到我这儿齐根儿斩了。我的心态、做派、思维方式包括语言习惯毋宁说更受一种新文化的影响。暂且权称这文化叫“革命文化”吧。我以为新中国成立后产生了自己的文化，这在北京尤为明显，有迹可循。毛主席逝世前讲过这样伤感的话（大意）：我什么也没改变，只改变了北京附近的几个地区。我想这改变应指人的改变。我认为自己就是这些被改变或称被塑造的人中的一分子。我笔下写的也是这一路人。也许我笔力不到，使这些人物面目不清，另外我也把中国读书人估计过高了，所以闹出一些指鹿为马的笑话。写小说的人最后要跳出来告白自己的本意，这也是小说的失败。一想到我们彼此永远听不懂对方在说什么这一宿命，这种告白也是多余的。两害相权，和所谓“京味儿”比，还是叫“痞子”吧。

五

有一个家伙对我转述另一个家伙的评价，说我只是这个时代的一个跳蚤，只可惜没能跳得更高。这断言下很有些看客的失落。我比较挑衅的回答是：你也就配看跳到这么高的东西。比较厚道的回答是：又不是我一个跳蚤在跳，后边还有更好的，跳得更高的。用瓦尔特的话说：谁活着谁就看得见。

临到世纪末，新时期以来蹦跶得比较欢的跳蚤们都有些力不从心的样子。坚持在原地起跳的老腕儿们越跳越难看。紧接上场的新秀也是一蟹不如一蟹，与其说是蹦不如说是横行。报刊上不见新鲜的欢呼，更多的是对一些迟暮美人过气英雄充满同情的探访。一个热闹的时代行将过去。打扫战场，只拾得这一本集子还名其曰精华我也惭愧。中国人艺术生命之短和繁殖力之低常令我自作多情地感叹。感叹之余也不复有当年的雄心。最近流行的一句话叫做：不予理睬，不给机会。这话很豪迈很自信，不知是否代表即将到来的新世纪风气，愿与广大读者共勉。

|《看上去很美》自序|

——现在就开始回忆

1

1991 年我写了一百多万字的小说、电影和电视剧本，第二年遭了报应，陷入写作危机。老实讲，那也是一次精神危机，我对自己的写作生活包括所写的东西产生了很大怀疑。我记得很清楚这一动摇发生的时间、地点，那是一天上午十一点多钟，在东三环边儿，上西坝河副食商场门口，我经过那里去吃饭。那天，是初夏，阳光很好，眼前有氤氲的光雾，我走在这之中一下腿就软了，用小资产阶级女性夸张的腔调形容，我认为我崩溃了。当然我没倒下，没躺在当街，还在走，但脑子里轰然而至的都是些飞快的短问句：我这儿干吗呢？我这就算——活出来了？我想要的就是这——眼前的一切？

忽然对已经得心应手，已经写得很熟练的那路小说失去了兴趣，觉得在得心应手间失去了原初的本意，于很熟练之下错过了要紧的东西。那是一个明白无误的虚点，像袜子上的一个洞，别人看不到，我自己心知肚明：我标榜的那一路小说其实是在简化生活。

这是往好说。严厉讲：是歪曲生活。什么生活也是百感交集莫衷一是，为什么反映在小说中却成了那么一副简单的面孔，譬如说：喜剧式的。这其中当然有文学这一表达工具的本身的局限：故事往往有自我圆满的要求，字数限制使人只能屈从于主要事态的发展，很多真实顾不上，也因趣味导致。北京话说起来有一种趋于热闹的特点，行文时很容易话赶话，那种口腔快感很容易让说者沉醉，以为自己聪明，因而越发卖弄。若仅仅要寻个卖点，换几声喝彩，应个景，那也没什么。但，不瞒各位，我还是有一个文学初衷的，那就是：还原生活。我说的是找到人物行动时所受的真实驱使，那个不以人的意志为转移，隐于表情之下的，原始支配力。

因为我不能相信我自己的第一反应。因为行动往往是暧昧的。因为思想机器过于复杂，一点点剥离，你也未必料得到你何以会那么反应。这牵涉到动机。未必你都能了解，参得透你笔下的人物。未必它不会当喜却悲，遇爱生恨，哪怕那人的原型就是你自己。动机失察，行为不轨，净剩下预设好的戏剧性，跟着现抓的喜怒哀乐跑，到哪儿算哪儿……光好看了，结果是事后总排解不开一个自问：原来是这样吗？

难受的还不光是这个。就因为没捯出根儿，揪着自己头发飘在半空，就有人把你往沟里带，替你总结出一套活法儿，说你就是这个，还得到普遍认可。我说的还不是骂我那些人，我跟他们的关系很简单，就是立场不同，思想感情格格不入，他们骂我那些话倒大致不差，偶尔差到姥姥家去，也无关痛痒。我说的是喜欢我的，待见我的，拿我那东西当宝的。在说下面那些话前，我要先声明一下：我这是对事不对人，只是想把一些误会已久的事澄清一下，把不相干的东西摘一摘，可能不公平，但没有借此贬低他人成心恶心谁的用意，请读者明鉴，当事人见谅。

我说的是趋时而作，根据我的小说改编和我直接编剧的一些影视剧中的典型化了的人物形象。演员很成功，深为广大人民所喜闻乐见，我也喜欢，像喜欢别的凡能使我发笑的喜剧角色一样。若说这一类形象是我小说所提供，所独创，却不敢当。这是无功受禄，掠了别人之美，那不过是另一些聪明人在借腹怀胎。

他们那是另一路北京人，怎么说呢？可能是真善良吧，有一点小小的狡猾，极善趋利避害，最大的本钱是将“善解人意”挂在嘴边，猫着腰做人，什么也不耽误，肚子里的算盘打得别人都能听见，小有激动便以为那是深情了。

好人哪，这种性质的人在生活中有益无害，进入公共领域大都可做大众宠儿，但出现在我的作品中就是误会，就是表错情，就是影视艺术再创造的结果。影视不同于小说大概也就在于那体现的是一个集体意志，很多人参加劳动，最终都参与了意见，在角色身上倾注了自己喜爱的品质，最终还你一个陌生人。当然，影视于今首要在于牟利，受欢迎便是成功，你要问我原作的想法，我没这意思，写那么多废话就为了给大家树一个好人。正如批评者所言，我写的都是痞子。那些貌似热情的话都是开涮。这种涮人的恶癖基于一种根深蒂固的优越感。是的，自以为了不起，有折腾劲儿少立身之才，沦入社会底层而不自知，肉烂嘴不烂，于话语中维持自大，像活在梦里，依旧卓尔不群，睥睨众生。是爱装大个儿的，是流氓假仗义，也有点不甘寂寞，然而，还就不是什么乱七八糟笑容可掬的所谓小人物。

我小时一直是个坏孩子，习惯领受周围人的指责和白眼，那才觉得我像我。忽一日，掌声响起来，还有人攀附，我感到迷失，进退失据。那感觉很生猛，既舒服又不自在，舒服的同时常常不自在，这就叫堕落吧？

还记得当年看到第一篇批评我的文章（这之前也有，我指的是当时最新一轮我注意到的）。是一闲人写的，登在《北京日报》周末版上。批评的内容不记得了，也不重要，总而言之是说我不好，一无是处，那无所谓，关键是这文章使我的心情为之一变，可形容为"一颗心落回肚子里"。与身后的恭维、怂恿比，迎面拦住去路的针砭、叫骂更使我清楚自己待的地方是哪儿，自己是个什么东西，因而也就更容易保持住本性——我的意思是说：狼性。变成狼我所不欲，变为狗亦我所不欲，两害相权，取不得已。这就是敌人的好处和必要。我想我是需要敌人甚过朋辈的那种人。当然我不是指批评我的人是拿枪的敌人，这是修辞，如果这么说不妥，我很乐意称他们为明眼人，拿鞭子指方向的人。

这是实话，我感谢对我进行批评的人们。正是这些刺耳的批评，使我看到了这一切阴差阳错和指鹿为马。我想我对这一切还是不该太消极，或说太拒绝，或者就坡下驴。被误会是表达者的宿命，却也不必因此就把别人都当无可救药的傻瓜或一概疑为别有用心。其中有部分原因肯定在我，我表达得自有歧义，授人以柄。我想可能还是有一种小说写法可以把我知道的生活——那个本来面目，如实展示出来。说来有趣，面对批评我竟感到自己的生活资源还完好无损，还保留着它不被人知的那种新鲜、蛮荒和处子味道。这对写作十年仍有创作欲的人而言，真是再好没有了。这就意味着我还有机会别开生面上一个台阶或叫再入一个洞天。

也许，这倒是我矫情呢，太拿自己当事儿，不潇洒，坏了我们这种人号称的做派。

那又怎么了？就算我看不开吧。

2

我这本书仅仅是对往日生活的追念。一个开头。

北京复兴路，那沿线狭长一带方圆十数公里被我视为自己的生身故乡（尽管我并不是真生在那儿）。这一带过去叫“新北京”，孤悬于北京旧城之西，那是1949年以后建立的新城，居民来自五湖四海，无一本地人氏，尽操国语，日常饮食、起居习惯、待人处事、思维方式乃至房屋建筑风格都自成一体。与老北平号称文化鼎盛一时之绝的七百年传统毫无瓜葛。我叫这一带“大院文化割据地区”。我认为自己是从那儿出生的，一身习气莫不源于此。到今天我仍能感到那个地方的旧风气在我性格中打下的烙印，一遇到事，那些东西就从骨子里往外冒。这些年我也越活越不知道自己是谁了，用《红楼梦》里的话“反认他乡是故乡”。写此书也是认祖归宗的意思，是什么鸟变的就是什么鸟。

好像是陈村在一篇短文里说的，他最好的小说在他脑子里，只是不晓得，是不想，还是没时间把它写出来。史铁生也在一篇小文里说过，每个人脑子里都曾经很精彩，如果大家都把自己脑子里想到过的东西都写出来，那我们就有很多亿篇出色的文学作品（大意，都是大意啊）。看的当下不由一怔：真是英雄所见略同！我也这样考虑。

这本小说一直在我脑子里酝酿。或者干脆说一直用大脑细胞在写。具体写作起始日期可追溯到二十年前我刚动了心想在文学这路上闯一闯。当我构思第一个短篇小说时就同时构思这本小说了。这期间，发表了很多小说，但这本书一直在脑子里丰富、发展、完善，总也不想拿出来。有时似乎觉得眼下的一切写作都是为了这本书练笔、摸索技巧、积聚、寻找最佳结构和出发点。有时有些绝妙之念舍不得使在别处，就替这书存了起来。有时黔驴技穷一狠心用了这书的片段去支撑另一个已发表的小说，用过之后之懊悔，痛不欲生，有如旧时代妇女失去贞操。

这是关于我自己的，彻底的，毫不保留的，凡看过、经过、想过、听说过，尽可能穷尽我之感受的，一本书。

游泳游得快，来到这世上，不能白活，来无影去无踪，像孑孓随生随灭。用某人文绉绉的话说：如何理解自己的偶在。大白话就是：我为什么这德行。

一想就是很长的一本书。有那个精神准备，若写，一个字也不省，把既有的写作习惯写作风格都破一下。不再理会篇幅、故事、情节、叙谈节奏，彻底自由，随心所欲，沿儿可沿儿地真实一把。哪怕时时中断，哪怕处处矛盾，乃至自相残杀，都不管了。只设一个主人公，那就是我自己，其他人招之即来挥之即去，不给他们任何超出生活真实的机会。不使这整部小说越看越像个故事。不管涉及谁，说真话，只说真话，爱高兴不高兴。读者，也不考虑，货卖识家，有一万个会意的这书印出来就不赔，没有，我自己留着当日记。总之，是个放开手脚，赤膊上阵，毕其功于一役的意思。

我是从头写起的。人之初，刚落草，什么是真实？真实就是一笔糊涂账。周围的人倏忽倥偬，形态莫辨，周围的事也大都没头没脑，断简残篇，偶尔飘过一缕思绪，无根无由，哪里晓得是在图什么。这中间还隔着大段大段的空白，写出来想找到起承转合的字句都难，再混蛋的评论家也指不出具体意义——根本没意义。每写至此，洋洋几万字没头没脑，我也乐了，真成给自己看的东西了。若执意给自己看，我又何必见诸文字。

真正具有摧毁性，禁不起我自己追问的是：你现在想起来都是真的吗？谁都知道人的记忆力有多不可靠，这就是一般司法公正不采信孤证的道理。事件也许是当时的事件，情绪、反应难免不带今天的情感烙印——那它还是原来的它吗？如是一想，十分绝望。穷我一心，也无非是一片虚拟的真实，所为何来？看来“还原生活”也不过是句大话，又岂是下天大决心，拿一腔真诚换得来的？信念愈执着，扑空的几率也就愈大，这也是一反比关系。实际上这是走投无路了。也别吹了，也别发狠了，想不想把这小说写出来？想！好，老老实实按照小说的规律去办。何谓小说？虚构。第一是虚构，第二是虚构，第三还是虚构。

至此，大哭而回，认命。停止对真实的纠缠，回到我们称之为“小说”的那种读物的基本要求上。那是个什么东西呢？不是自我宣泄，自我成圣，而是驾驭文字，营造情调，修正趣味，提纯思想，给读者一个惊喜。

也还允许回忆，但这回忆须服从虚构的安排，当引申处则引申，当扭转时则扭转，不吝赋予新意义，不惜强加新诠释。讲通顺，讲跌宕，讲面面俱到，讲柳暗花明。草蛇灰线，因果循环。于是，没听说过的人出现了，没干过的事发生了。平淡如水的日常生活铺垫为步步玄机，漫无边际的人生百态勾连成完整戏剧。世上本无事，作家自扰之。

原本散沙一盘的人群被拴了对儿，小抵牾辄大起冲突，见缝下蛆，见包袱就抖，唯恐不热闹，唯恐不机巧，什么花招也使了，什么套路也用了，素不以为然的，常笑他人低级的，都顾不上了，语不惊人死不休，都只为提高读者的阅读兴趣。卖，卖一千万本才好。

全好，都不错，就一个小出入：不是我脑子里原来那东西了。这也怨不到别人，谁让我没本事呢，只会写小说。

所以，在这儿我先给读者提个醒：我这本书别当回忆录看，没几件事是真的，至多只是看上去像，谁当真谁傻。这就是一常规小说，第一人称和第三人称混用，爹不是爹，娘不是娘，朋友不是朋友，我不是我，谁要跟我三头六案对证，我是不认账的。

3

这小说写的是复兴路 29 号院的一帮孩子，时间是 1961 年到 1966 年“文化大革命”开始，主要地点是幼儿园、翠微小学和那个院的操场、食堂、宿舍楼之间和楼上的一个家。主要人物有父母、阿姨、老师、一群小朋友和解放军官兵若干。没坏人。有一个幼儿园阿姨有一点可笑，仅此而已。男主人公叫方枪枪，是我原先一些小说中叫方言的那个人的小名，后面等到上中学，我会让他改回来。他周围的小朋友，男生，都是我原先小说中的人物，一个院的，一个学校的，都还小。女生，有老人儿，大部分是新人。我准备让她们中的某几位连贯下去，在后面成年后仍在方枪枪的生活中扮演重要角色，这是出于小说的需要，保持情节的连续性，并非实情。我们那个院还是有一些禁忌的，或叫难以逾越的纯洁，本院的男女小孩之间很少乱来，都挺淡的，给予敬重。不像海军，他们院同院结婚的很多，由纯洁的友谊最后走到一起去了。

这里必须解释一下，不想让人家以为我从小就惦记着谁，没敢说，最后写进小说过瘾去了。不好。

男孩尽管一些事迹昭著，一提，29 号的旧人都知道谁干的，也不尽然。还是合并了一些同类项，使之性格迥异，各禀资质。其实当时大家都挺像的，文武之道都有一些类似的长处，都有相同的惊人之举，有的地方将张三的壮举安给李四，也是归范儿，令知情者贻笑大方了。有的事是成心多给了方枪枪一些，显得他多关键似的，这是我利用职权营私了，不好意思。

有一些过场人物，流言蜚语之中用了真人名，还罗列不少真外号，并非有意唐突，实为增添亲历感，越是假活儿越要煞有介事，各位海涵，别跟我一般计较。这里我要特别向真张明请个安。这是我一不周全。在“一半火焰”那小说里我用了这名字，在这里也只好继续用了，因为有互文关系，割舍不下。郑重声明：此张明不是那 29 号真张明。这张明有作风问题，那张明绝对好人。

为了把假做真，我在这小说中把背景尽可能坐实，路名门牌楼号校名什么的都是真的。社会上沸沸扬扬的大事也大致涉及，只是这些事都是从方枪枪这个糊涂小孩眼中反映，不可能在时间上太精确，有些事反映到他这儿来和资料上的历史发生时刻有出入，差个一两年也是有的，那就活该了，我也不是给别人编年，只是意在渲染氛围。

一些当时的称谓，也不一定精确，因为小孩不一定完全搞得懂那些官称，会有很多口误，这个我就从孩子了。还有个别谁也说不清的叫法，像里面提到的“三军冲派”，我也是刚弄明白那是三派：老三军，新三军，再加上个冲派。当时小孩也就一块儿叫了。这个也就不改了。

对那时的一些独特简语，开头一般随行有几句说明，后来觉得也啰唆，多事儿，也影响叙事，就不再解释了。相信中国人都还看得懂，谁不认识几个四十岁以上的人，问问也就了然了，都不难。

文字中还有一些口语，有音无字，或者其字不雅，我就用象声词或同音字来拼。像表示乱动，一般和“蹬”联用的“哧呜啊”；形容难看和糟心的“哧诶”；还有“拨依”，这个字在口语中也往往拆音节避脏，不算生造。偶有英文我也全拿汉字拼。我是特意不用字母的。在这点上我守老派，我以为汉字文章，加进一两节字母，如馒头旁摆了根香肠，外道，隔路，还有点劲儿劲儿的。

另有一些无规范的或其规范不足以穷其义，我也擅加更动，只选我自己认为贴切的。譬如矫情，用作形容时我用这俩字，同时伴有动作正“矫情”着呢，我用口字边的嚼——嚼情。譬如：较劲。相持不下我用这个，有时是单方面不服，带有叫板的意思，我也用这口字边的叫——叫劲。总的原则是从音。我以为人在看小说时会默读，意思再对音差了，有时也会摸不着头脑。特别是关碍口语，容易蒙。大家也不是真都那么有学问，不会念没准就不认得了，或者给看拧了。

有的多音字，譬如“剌”、“落”，都有个“拉”音，可一般习惯看到这两个字还是读主音，用作动词时常觉词不达意，读起来不畅。这我也自作主张改写为“拉”。不是写错了，看官读到那里知道就行了。语言嘛，约定俗成，有习惯用法这一说，都别太轴了。像“大腕”、“顽主”都换为原字“大万”、“玩主”也不见得就好，读时嘴里也要换一下频道。

4

最后，这个问题容我专门饶一下舌。过去不慎，在这个问题上吃过亏，所以这次，天没下雨先打伞。

我既往文风失之油滑，每每招致外人不快。这次是做抒情文章，叠床架屋，繁缛生涩是有的。制造个气氛，给自己寻个小快乐也是有的。含沙射影血口喷人，绝无。调侃，那也是文意兜转空留余响罢了。我是提着手刹一路开的这车。也是势在必行，文中小孩终篇不满八岁，能说得出口的昏话不过尔尔。若说有意图之，那是欲图一点童心，欲图一派天真。小孩子当然是有些糊涂想法，生于大时代，也不可能不在时尚中，胡乱关心一下政治，轻率赞同一些时事，那在当时是很自然的，也很正经，没人会发噱，搁在今天，这些忠厚便显得狡猾，有几分不怀好意，有点调了侃，为了不引致误解，这些，在成书前，经与编辑细细会商，均一一删去了。

我们是反复检查过的，可删可不删的地方——删！ 删得肉疼，也自觉用心良苦。可百密一疏，未准仍有一句半句尚嫌造次，但请各位眼中容情，跳过去不看也罢。

再说点什么呢？咱们都别想歪了。很乐意受到猛烈的文学批评，人身攻击也可以。就是别寻章摘句，望文生义，那就不是与人为善的态度了。

序《他们曾使我空虚》

1

基本上，当我空虚的时候，想要加倍空虚，我就读小说。在没有流行音乐安慰我们的时代，小说差不多是引导我脱离现实、耽于幻想的唯一东西，总能满足我精神上自我抚摸的愿望，不跟人在一起也不惊慌。我的情感发育是通过小说完成的，那使我接触到了另一个世界，在一个个瞬间超越了平凡的生活。总的来说，我读小说不是为了更好地生活、寻找教义、获得人生哲理指南什么的；正相反，是为了使自己更悲观。美好的东西在小说中往往被轻易毁灭，看得多了，便也怀疑现实。日常生活很平淡，心碎的体验一般来自阅读，习惯了，也觉得是难得的享受，又安全，进而觉得快乐是一种肤浅的情绪，尤其见不得那些宏大辉煌标榜胜利成功的叙事，觉得大都是胡扯，自欺欺人。哪个人不是拼命挣扎，谁要你来激励？我不想变成畜生，很大程度上要靠优美小说保护我的人性，使我在衣食无忧一帆风顺中也有机会心情黯淡、绝望、眼泪汪汪，一想起自己就觉得比别人善良、敏感、多情以及深沉。很多时候，我还以为从小说中能发现人生的真相。

这就是我的阅读趣味，从小说中汲取堕落的勇气和抗拒生活的力量。话说得有点大，似乎又拿小说当先生当武器了，其实也不过是一个密友，需要了，找人家聊聊，不需要了，也很久想不起来打个电话。

2

这里选的十个短篇小说都是曾令我有所感的。识者可以看出我的偏好，也无非是殇情和调侃两类。

《莺莺传》《白娘子永镇雷峰塔》《驿站长》《献给爱斯美的故事》《忧国》可算殇情；《没有毛发的墨西哥人》《刎颈之交》《关于犹大的三种说法》《采薇》《他们不是你丈夫》大都是调侃。卡佛略微正经一点，博尔赫斯玩得比较深。

3

《莺莺传》我读得比较早，大约是十岁左右，这是我父亲书架上的一本唐传奇选本中的一篇，文言文，没怎么懂。《白娘子永镇雷峰塔》是稍后看的，正值青春期，听说“三言二拍”中很多淫秽描写，当色情读物跳着看的，因此，两个小说都给误读了。到这次选编前，我都当这两篇小说是凄美动人的爱情故事，两位小姐勇敢地追求爱情，反封建什么的，尤其是白小姐，妖精之身，其执著不改初衷真令人类汗颜。我鼓捣电影的时候还想把这故事拍成现代城市版，情色暴力都有了批判性也挺强，也曾大发过感慨：我们的古人那时就对人性看得如此深刻，观念很前卫呢。这次一看，蛮不是那么回事，种种美丽全是后来戏曲《白蛇传》的溢美。原小说中白娘子动辄“圆睁怪眼”，与许仙的情分也不过是见面就办事儿，“放出迷人声态——喜得许仙如遇神仙”。非但如此，还是一小偷，送许仙的银子都是偷国库和别人家的，连累得许小乙一出门就吃官司。这样一个手脚不干净的女人，作者何曾在她身上寄托过什么美好理想，只当她是妖，法海把她收了，也就如同警察关起来一个女流氓，大家松了一口气。变成四大爱情传说之一，起名白素贞，倒叫人怀疑这一居心不是宣传自由恋爱，还是教妇女守节。

《莺莺传》更是无耻，那唐朝诗人玩弄完妇女，还胡说些好男儿当不被美色所诱，进得去出得来，不堕凌云志的便宜话。这厮倒也不全说谎，也承认四个字：始乱终弃。由此可见，唐朝的文人流氓还算老实，基本事实还认账。再后世的文人连这样的老实话都不讲了，胡扯些反封建之类的大道理倒也罢了，只是不该把男人美化成痴情种子，《西厢记》文辞的确很美，只怕莺莺看了要落泪。也不是什么爱情悲剧都是社会造成的，更别说那些大量发生的性交了。

《驿站长》既甜蜜又伤感，意境近于今天的流行歌曲，正适合青春期少年阅读。当年这小说以及一批同类俄国伤感小说奠定了我的小布尔乔亚情调，信仰遭遗弃被背叛的情感，能够被自己所爱的人伤害觉得很幸福呢，独自一人郁郁寡欢，死在不为人所知的地方，很牛×啊！

《献给爱斯美的故事》正如副标题“——怀着爱和凄楚”。读的时候我也刚从部队复员，也没打过仗，也没崩溃过，精神清醒正常得自己都腻歪，但不知为什么感到委屈，受了亏待，想得到安慰，情感脆弱得一塌糊涂，读的时候没感觉，三个月后冷不丁想起，大受感动，要不是这情绪来得太突然，眼睛没准备，来不及反应，也就哭了。那是一股柔情啊，像冷天看见一支烛光，心灵受到温暖也就够了。怎么也忘不了那个小男孩的谜语：墙和墙说什么——在拐弯那儿碰头。

三岛由纪夫的《忧国》比较特别，这小说是我去年才看的。这个作家早就知道，当年他切腹自杀时我们这里的报纸还批判过他。一直也认为此人是个狂热分子，生活方式超过文学成就。承蒙作家出版社惠赠一套“三岛系列”，才开始认真读他。这人的华丽文风给我很深印象，现在我也不能说喜欢他，这人是不可以亲近的。《忧国》可说是作者用文字演习了一遍切腹的过程，感官刺激极为强烈，使人既厌恶又情不自禁受到吸引，可以把文字变得像鲜血一样触目惊心也是登峰造极的能力了吧。我们这里也有像他那样壮怀激烈的人，文字水平在三岛之上，只是这种事不能光说说就完的，要当那样的人，也要去做，那才叫人无话可说。别人可以夸夸其谈，你不可以！信仰，是要喝血的，真正有信仰的人用不着拿别人的血去喂。

4

调侃，是一种很重要的文学风格，现在我终于有机会证明这一点了。欧·亨利就不必多说了，这老先生是专门幽默的，小说连起来也可拍很长的情景喜剧。《刎颈之交》相当于咱们这儿的

“两肋插刀”，都说的是男人间的一种神话，我叫“流氓假仗义”。其实你早该发现调侃的绝好对象是什么，都是那吹得很大的东西。

毛姆的《没有毛发的墨西哥人》我是在一本侦探小说集里看到的，也不能算严格的侦探小说，还是写人，活画了一个狂妄的杀手嘴脸。我是狂热喜欢英国作家写的侦探小说，他们用词极其讲究，翻译过来也很精当，几乎无一例外地喜欢调侃，以至荒诞，那种冷酷的笔法常使我感到英国人谁也不喜欢，包括他们自己。

鲁迅，谁都知道那是我们的愤怒大师，关于他，每个中国人都乐意把他说成是自己一伙的，我就别跟大伙抢他了。我想饶一点舌的是，鲁老师对待历史的态度很可为现如今影视古装戏编创人员所借鉴，既不是完全戏说的，又不是顶礼膜拜的，将光辉人物伟大历史事件放到日常生活中——那就真相毕露且妙趣横生了。

《关于犹大的三种说法》同样是直指重大历史问题的若干结论的。这问题大约是太重大了，已容不下任何文字的风趣，仅仅提出商榷，态度就很不严肃，很调侃了。这实际上也不是一个小说，更像是抄资料，但其骇人听闻令读者手脚冰凉足可与最好的惊险小说一比。初读之下，我只有一个反应：太反动了！那可真是把我们的很多观念颠倒了一个儿。

卡佛这个《他们不是你丈夫》是一充数的，与上四人比，不值一提。就是那种很结构很典型的短篇小说，丝丝入扣写一日常心理，滴水不漏，看完也觉得好，仅此而已，谁都能写，归入调侃比较勉强。

5

好小说实在是太多了，任何选本的企图都是对整个文学成就的不敬。就拿这十篇小说当一个最低标准吧，我们后人超不过他们也就不要再写了。

《下个世纪见》序

关于小说我已经被形形色色有追求的作家、有信仰的批评家乃至广大读者的言论搞糊涂了。可以说一万个人有一万个标准和说法。都认为别人的说法是异端，是有害于文学的，起码是幼稚的。吵得越来越像“大专学生辩论会”，可好看的小说却越来越少。说句滑头话，我觉得各位老师说得都对，但都不重要，因为作为读者我更关心小说而不关心“小说是什么”。其实我也是个有偏见的，趣味介于有文化的病人和赶时髦的女青年之间，不爱看农村题材、不爱看知识分子的内心独白、不爱看怎么做生意怎么搞活一个企业。总而言之，不爱看一个正派人如何过着唯恐他人不知的正派生活。因为我就是一个正派人，一个正派得连我自己都有些厌烦都感到乏味的人。我实在不爱看自己的事迹，不需要别的好人告诉我他和我有多么相像。

也许我心理不太健康，也许我有窥阴癖，我比较喜欢看那些被驱赶到或者自甘堕落于社会边缘的人写的那些轻佻的、好玩的、不干什么正事的生活流水账。在那些看似不经意的描述中常常不经意地说出我们平时想到但不好意思说出口的话，把我们内心深处隐藏得很好的欲望一语道破。对一个孤陋寡闻自我感觉良好的正派人尤为有益的是我们可以通过那些我们看不起的人的眼睛看到我们自己的形象。这对我们修补破绽继续装下去十分关键。

艾丹的《下个世纪见》正是这样一本开卷有益的小说。它符合我喜欢的那类小说的全部条件：东拉西扯、言不及义、逮谁灭谁、相当刻薄。“刻薄”在30年代是上海左翼文人的强项，很出了些语言棍子或曰大师。可叹如今的上海文人字字圆润、句句光滑、不痛不痒，也许是有了人文精神便要代圣贤立言不方便再耍嘴皮子了。“刻薄”这东西转而成了北京一些没追求的写家的专利。当然按喜欢林语堂的女大学生的标准，“刻薄”与“幽默”全不相干，那只是耍贫嘴，很不善良，无助于我们增添优雅气度。我很同意女大学生的见解。这也是我要向艾丹同志指出来的本书的缺陷。我为艾丹同志可能会失去大批女读者感到难过。她们是我们图书市场主要的购买者，也就是激愤的人文批评家们所指认的“媚俗”的那个“俗”。由此可见，艾丹的这本书倒很难说是一本媚俗之作。

最后说几句老实话，艾丹这本书是关于一种不真实的生活的真实写照。这种生活的不真实是相对普通劳动者养家糊口的辛苦日子而言。这种不真实的生活大都存在于文化界、思想界和流氓团伙之中。总的精神状态为极度妄想和人格分裂，有时伴有轻微的悲观厌世；总的生活水平在小康和未脱贫之间摇摆经常能吃到别人设下的大餐；总的人际关系是互相瞧不起；总的语言风格是咬文嚼字和充满想象力的下流话。

尽管为人作序有义务吹捧，但也不能太过。艾丹这本书写得不错，但完全可以写得更好。关于我们同胞形形色色的嘴脸实在是比我们所有文学作品描写过的要精彩得多。我们经常抱怨别人歪曲了我们的形象，那么我们的真实形象到底是什么样子？一个能拿笔写东西的人不去为自己画像，真是有愧于我们这个时代——这是我，一个才尽了的老作家对所有文学界老腕儿新秀的殷切期盼。

为海岩新作《海誓山盟》序

我想序就是作者信任的第一个读者的读后感吧，好话要说，批评的话也要有点，假装公允，就是这类文体的通例。其实一个人替另一人张目其中必有私好，装不装公正也不吃劲，净说好话乃至胡乱吹捧一番也没人计较，但我还是决定从俗，一是惯玩个性，二是我也发现一规律，如今当“托儿”就要当“反托儿”，“正托儿”的名声都给搞坏了。好在读者的眼睛是雪亮的，一个赛着一个主意大，说什么都信的也不看书了。

海岩是当年“四大公安才子”来着，其犯罪小说《便衣警察》《一场风花雪月的事》《永不瞑目》影响甚大，改编成的电视剧也是同年最精彩的。我说这三部作品是犯罪小说仅仅是表达方便，其实读过这三部小说或看过电视剧的读者都可以发现，与其他同样以警察为主人公、刑事案件为主线索的作品比，海岩的作品有他非常特别的气质，那就是情不自禁，时时流露出极大的柔情。有时他对这种柔情的关注程度甚至超过对案情本身发展的关注，以至于你搞不清他究竟是写犯罪，还是借犯罪在写情感。这在《一场风花雪月的事》和《永不瞑目》中尤为明显，案情发展到后来基本是靠情感来推动的，情感在这里成了故事的核心，破案与否已不再重要，人们更关心感情的下落。把一部犯罪小说扭转为一部言情小说，当年公安诸才子的创作中都有这个倾向，但做得最极端，至今还在坚持且愈演愈烈的当属海岩。

这显然是有悖犯罪小说的规律的，有一位专写古代犯罪小说的金庸先生用他的成功告诉我们，这类小说中情感永远不能超出暴力展示之上。金先生似乎在暗示我们，读者看小说和看打架没什么两样，要赢得读者就要极尽残暴血腥之能事。书中人物必须是小心眼，感情狭隘的人，再加上胡扯淡的家国之恨，那才一触即怒，一怒便不可收拾，永远打不完的罗圈架，且个个师出有名，杀人便也成了行侠仗义和爱国行为。在这里，感情的作用接近一种淫媒，像段誉那样的多情种子无非是为了给其他凶手多找几次开打的理由，其行径是可笑的，成事不足败事有余的，读后颇觉此人下流麻烦，不免认同二月河的话：谁讲感情谁垮台。

跟金老师比，海岩的文笔也很不适合写这类小说。一位金老师的“迷”说过，金老师的文字有一种“速度感”。这是什么意思呢，我做了一点儿研究，就是什么词熟用什么，像马路上的交通标志一样，简单明确，尽量减少你在文字上的停留，一眼看过去全是事儿，而且每个路口都有相同的标志，不怕重复。单是不怕重复这一条，我看海岩就没这胆量，把笔放在情感上也不可能产生这样瞎眉磕眼一个劲儿往前扎的所谓速度，人的情感总是在心里孕育的，那些文字总是要安静一点儿，莫衷一是一些，有时需要新的句式新的语言，否则不足以描述新的念头。这就耽误读者往前猛跑了，特别是那些一门心思就想挤到第一排看打架的人，肯定很不耐烦。我就见过一位老兄，一边蒸着桑拿一边看着桑拿室电视中播放的海岩小说改编的电视剧很郁闷地嘟哝：还不打，还不打，再不打我出去了。

所以，海岩冷丁拿出一本纯粹的言情小说我也不奇怪，早就想向他进言了，与其当那个披着狼皮的羊不如直接当羊，你的强项在这边。金老师早已坐大，一个足球迷，一个金庸迷，都跟义和团似的，别招他们，咱们找咱们的读者去，琼瑶老了，也改喜剧了，三毛死了，张爱玲张恨水这帮都死了，一颗颗心眼看要荒芜，咱们别光让安顿一个人发财。

也许把一个人的小说冠以题材已经贬低了这个作家，写言情的，写犯罪的，写改革的——除了写农村的，农村总是很深刻——就跟说这摊儿是卖杏的那摊儿是卖桃的。我不知道海岩是不是就只配写言情或者只配写犯罪，像我只配写痞子一样。我以为作家写什么都是天生的，像傻子为什么那么傻也是天生的，好作家坏作家之分也就在于一个找着了自己只能写什么，一个还以为自己什么都能来两下。

胡说了这么多，该进入正题说说《海誓山盟》这本书了。真要评论一本书，我发现自己很难胜任，每本认真写出来的书其实都是瑕瑜互见的，只有职业批评家才敢一网打尽说好或是不好。如同所有我读过的书，我不能不说这本小说中有我喜欢和不喜欢的部分。我喜欢这本小说中的所有女性，女主人公林星和她的妓女朋友。我喜欢这些女子身上的古典爱情精神：跟所有人打镲，只对一个人认真。我信这个东西存在。那种跟谁都认真或者跟谁都不认真的态度我觉得都是装孙子。这里妓女们比林星更真实一点，林星半天了还是处女让我很不自在，那并不能使我觉得她的感情格外伟大和难得，反倒觉得平白把其他同样注重精神也很高贵的姑娘给骂了。我不喜欢这本小说中的男性，尤其是林星那个对象，叫吴晓的吹萨克斯的小白脸。海岩知道自己喜欢什么样的女孩，对男孩的想象则不那么清晰和坚定。他的恋爱中的男孩都有太多的女性气质，而且沾染了所有俗妞盼着的毛病：大款的儿子，不爱钱。我不赞成一个爱情故事给写成灰姑娘或茶花女那类模式，那不公平，也妨碍了爱情只在爱情的范围内发生。有钱人是非常讨厌的，任何故事只要他们介入就不可避免沾上浓重的铜臭味，即便你想表现的是战胜金钱，金钱还是成了你故事的主角，这在某种程度上会完全抵消你已经达到的人性深度。金庸的小说浅薄就在于他拿正义代替人性，同理，爱情小说中一有金钱出现就像童话了。当然，有钱人也是人，谁也没权利不许他们有感情，但他们不适合出现在小说中，因为他们的生活实在无趣，一天到晚做生意，还有比这更难看的吗？

不说了。用米洛拉德·帕维奇的一句话结尾：那些对一本书做出评判的评论家，都像被戴上绿帽子的丈夫，别人都比他们早悉奸情，而他们自己还蒙在鼓里。

王海鸰和《大校的女儿》

我和王海鸰1987年在海南一个笔会认识，1991年写《爱你没商量》有一次合作。我们都是写东西的，很多观点一致，很多观点不一致。我们是电话里的朋友，对对方有了看法就在电话里开展互相表扬和互相批评。王海鸰有分析别人、一厢情愿猜测进而将自己的武断判定强加给别人的嗜好。我有死不认账、强词夺理、用一种倾向掩盖另一种倾向最后把水搅浑的本事。我们的谈话经常由小说到为人，由契合到分歧，由不服到激辩，进而互指狭隘，进而相持不下。

我们都认为自己是有底线的人，如果不是一般高，那就是她的底线比我高。

我们都认为这个世界还是有很多东西是值得尊重的，但没有一样东西真的像人家要我们尊重所说的那个样子。涉及特别不值得尊重的人，我的名单比她要长一些。对有些人，我比她宽容，另一些人，她比我宽容，大致规律，她宽容的我就不宽容，我宽容的她就不宽容。

我们都认为小说要好看，但她说小说要好看，我就会问她什么叫好看，谁觉得好看。我说的一些好看的书，她说太自恋。她说咱们都是写小说的，难道不知诉诸内心其实很好写，你过去不是也认为内心要靠行为呈现，要给读者搭座桥。

我问她什么叫自恋，自恋怎么了，谁不自恋，这个词根本反义词就是媚外。我过去认为内心不重要，只是为了对外部世界做出反应而存在，因为可以由外反观，那是因为我没内心，我的内心在休眠。现在我的内心觉醒了，我当然不那么认为了。

她说你不要否定自己。

我说我不是否定自己，我是忽然看到一个广大陌生的世界不知所措。

她说我老是在变，今是昨非。

我说您始终如一，一直进步。

她说她的《牵手》很好看，书出版时连夜给我打电话，笑着说，你应该学习学习，这就叫好看。

我翻了翻书，给她回电话，说你这个还是为了电视剧营造的，把感情纠葛一概推向外部环境，妇女解放获得社会地位就能避免感情困惑吗？这是两回事，本来无解，你给出解决方案你就是误导。你谈恋爱太少，所以只好将其戏剧化和道德化，在我们这种老手看来，一股妇联味儿。

她说你是天生反对派，儿童反抗期心理，像我儿子一样。你不懂女人，我这样的女人，很多东西对你是唾手可得的，我就要挣扎一番，社会承认很重要，这对我是一回事，但你说的无解，我同意。

我说大家都一样，都在挣扎，这个就不要分彼此了。好了，你有过观众，社会承认解决了，下一步该老实了，该给自己写一本书了，人一辈子总该为自己写本书，让自己觉得好看。你同意好看的标准首先要自己觉得行，然后再找自己那拨读者，鉴于读者无名无姓无迹可查互相之间也不代表，想媚他们从操作层面也不可为，所以只能不伺候——吗？

她说不同意。

两年当中，此人抗洪，视察攻台部队，写话剧《送你一枝玫瑰花》，写电影《走过严冬》，养儿子。去年冒出来，给我打电话，说写了一长篇，你应该看看，看过的编辑评价说，写得太好了，这几年少有的好小说。有年轻人还用了“伟大”这个词。

我先问是你为你自己写的还是为好看编的。

为自己写的，不编，也不是自传，还好看。她说。

我专门去她家拿了趟校样。绷了几天，她给我打电话。

看了没有，是不是好？

让说实话吗？ 我问。

说，但也不要人家好一定要挑毛病，显得自己高明。

好。这个不用多讲。勇敢，这书写得勇敢。就说是自传怎么了，谁写的不是自传？别听他们瞎吹有想象力有虚构能力，呸。谁写的又不是自传？谁能把发生过的一切都铺回纸上，那也是修辞。

片段组合，她说，这个我早讲过，都是片段组合。

因为都是片段组合，你这个理论不说也罢。我说。我接着说，你为什么老用惊叹号，为什么老分析别人动机，为什么把相爱过程一带而过，为什么不写性呢？

我说，你还是利用了叙述者的特权在行文中有一种自以为是的腔调，居高临下，枉断他人。你有优越感，越往后越明显。是，你也分析了自己的功利目的，对自己也很诚实，但可能你这人太好了，像卢梭那样清白，再怎么严厉地对待自己，也揭发不出什么，反倒多添了一个勇于面对自己的优良品质，像自夸。

我说，你不了解男人，你把男人分了类，你是从女人的立场看男人，你没把男人当人，你其实是个女权主义者，你认为男人天性有缺点。

她说，你是都知道的，除了技术上的回避，难道我瞎编一句了吗？当然我有顾虑，要尊重别人，两个人当中最隐私的事我没有写，也不想写。涉及第三人，别人都知道的，我才写。

我说，这正跟我的原则相反，我只写两个人之间的，别人不知道的。涉及无辜者，我才不写，我认为这是尊重，尊重跟自己无关的人。

她说，你没看懂，你应该再仔细看看，你不觉得我写得很真诚吗？

我说，你一定是真诚的，我觉得了，那又怎么样，这不是我们的底线吗？不用再提的，咱们的一切对话都是建立在此之上的。当然我也不了解男人，男人确实有类型，你总要有一个立场看人。人是什么人自己也说不清楚，不当女权主义者你也变不成男人。人肯定不是完美的，有缺陷也是事实，你对了，我这都是废话，你坚持自己的看法吧。

她说，这就是你，一受到反驳，说不过了，就采取虚无主义的立场，取消争议。

我说，对别人的小说，我确实无法表达“艺术正确”的看法。我认为你也不需要别人对你的正确意见。《大校的女儿》这本书，你用你认为正确的方法写出来，那就是唯一的正确。我作为读者，有自己的看法，你也不必非要我来跟你认同。现在你知道人和人多不一样了，即便咱们互相抱有最真挚的愿望，我也不是你。

她说，这个我早就知道，我从来没幻想过人人一样，但人有高有低，这个你应该承认。

我说，我承认人有不同，但无高下，骨子里都一样，表现程度不一。

她说，程度就是高下！我不明白你为什么反对我，这么简单的区别你都不能分辨吗？ 你的理解力呢！

我说，我也不明白你为什么跟我抬杠，明明有本质，你一定要在表面上做文章。

你就是鲁迅说的那种人，躺在地上做畜生，拉着别人喊爹爹。

你就是那种文化种族主义分子，在你的书中都给别人涂上肤色。

王海鸰一定要我讲出对她这本书的中肯看法，我就是不说。我不认为自己有权用自己的观念来影响其他读者，我不知道有多少读者期待引导，我认为今天大家都该不为他人的趣味决定自己的。另外，更主要的，我无话可说，我想说正确的话，但想要“正确”就无话可讲，每一个正确的对面都还有一个正确或一堆正确，大家都正确，又没一个完全正确。明知不正确又讲，等于废话。交流这个东西是一个多余的功能。

背后讲一句，王海鸰是一个古典意义上的理想主义者。这种理想主义者总希望自己的影子投在大地上，也可叫超现实主义者。她希望别人也是这样，据我所知，很多人不是了。

我能猜到她看到我对她的私下命名会怎么说。

她会说，你这是自以为是、一厢情愿的猜测、把自己的武断强加给他人。

|看不出这人有什么追求|

读张弛的小说《北京病人》有一个很强的感受，就是小说和散文的界限越来越小了。比如他的散文集子《像草一样不能自拔》和《北京病人》就可以互相参照着看，其中很多小故事是交叉的，似乎可以看出他的态度，这人不太在乎真实和虚构的界限，或者说他有意把这两个东西混淆在一起。

照过去的路子，凡小说一定要有一个完整的故事和至少一个贯穿人物。那样的写法往往需要戏剧性的情节，可是现在城市中，没有什么完整的戏剧性的故事，都是老故事没结束，新故事又开始——此起彼伏，很多事情都在同时发生，又根本看不到结局。从忠实生活这点说，确实需要一种新的形式才能写准现在这种新的状态。张弛他们这一茬作家写的小说好像都呈现这样一种平面化的——就好像千头万绪都同时发生的这样一种描述形式。这种形式起码对描写当下这种生活状态，是最简洁的。它能够直接、迅速而且不走样地把每个瞬间表现出来。过去的好多小说好像都不太重视瞬间，好像瞬间只是为整个故事服务的，而在张弛的小说中瞬间等于一切，也许这跟现代人的价值观和生活方式是吻合的。我写情感小说那时候好像还有一种要有一个古典的爱情故事在里头的拘束，现在似乎不必那么累了，倒不是说现在没有浪漫和古典爱情故事发生了，也有——就是不一定要把它整合成一个有头有尾的故事。

张弛的文字和他字里行间带出的生活态度当然我是比较喜欢的，就是说看不出这个人讨厌什么，也看不出这个人追求什么——我觉得现在很多人是这样的，尽管还有很多人假装有追求，假装倍儿有信仰——当然也不能说让大家都毫无追求，但是那种追求已经到了羞于出口的程度，或者说已经没必要再说了，谁都知道活着是为什么，所以在小说中不必过分承载这种追问生命、追问意义的东西，这么伟大的东西似乎搁在小说里有点多余。

张弛的小说是我最近看过的最漫不经心的，狗子的小说中痛苦还比较多，当然我要说张弛毫无痛苦，他肯定也不承认，我说他不痛苦也不过是相对于那种所谓有意义的生活——其实现在我看不出来谁的生活比别人更有意义，就这一点上说，张弛也不见得就没意义，可以说他的痛苦掩藏得很好，很小心，用有些无耻的态度来回避痛苦。

我也不知道这种文字怎么会造成这么一种任意的态度，他可能就无意渲染任何东西。过去的古典小说，包括我自己的小说，涉及情感部分总是有意无意地渲染，用一些相对华丽的辞藻，夸大个人感受。而现在这种城市小说的写法中就有了一种朴素的态度，有些情节的描写，在古典小说中都是应该非常痛苦的地方，他们全没渲染。

北京这批新起的男作家的小说作者和上海那拨新起的女作家的小说作者态度差别还是挺明显的，上海的个别女生就特别爱夸大个人感受，以一种谄媚的态度追随时尚，甘做物质的奴隶，还挺美。这在北京是没法想象的，忒丢份。

说实在的，泡泡酒吧，睡几个看上去优秀的人，也没什么了不起。过过那种日子的人都知道，人在其中无聊的时候是大多的，是无趣的，这种生活，除非你恶意自我欣赏，实际上也没有什么可标榜的。张弛的态度相对正确——不幸过上这种放荡的生活，就别再吹了，其实也没什么可吹的——我倒不是指张弛他书里写的他和他的朋友这种生活是消极，他的小说中实际上回避了他们生活中一个很重的内容，这些人据我所知其实都在创作，不管搞文学还是搞什么。他们每天每年是有大部分时间在创作，而创作本身是没办法写的，所以写出来你会觉得这些人天天在混，在玩儿，这是这种小说在自我描述中很难避免的一种偏差，让人觉得他们一点正经没有，其实显然不是。

张弛的小说里有一股无赖劲儿，在生活中当然单说，这种无赖在小说中就可爱了。无赖我觉得在文学中是一个特别典型的形象，不管怎么说，这样的人和生活都是我们伟大时代的一部分。

读棉棉的《糖》

有人说棉棉是用身体写作，说者是褒是贬不知道，反正我觉得这是很高的赞誉。随便留意社会现象就知道，有头脑不是难事，因为这个可以装，很多笨蛋一辈子扑空，什么都没占着，就装有头脑，还都装得挺像。身体这东西比头脑要实在得多，可以量化，好就是好，不好就是不好，装身体好的结果就是最终把身体搞垮，划不来的。所以，有身体比有头脑要幸福一点，那差不多可以说是物种优越，身体是有很多秘密的，也大有神奇之地，其深不可测是没身体的人无从想象的。很多人，身体白跟了他一辈子，无知无畏，净打听别人的事去了，还觉得那是牛×的境界，他们叫“巨大关怀”，我觉得是“瞎耽误工夫”。

北京形容假正经，有一种说法：捏着半拉装紧。主要是讲女的。《糖》里有疯狂、歇斯底里和大量的自残，但没这个，不装紧，单这一条就让人喜欢。虽然我也是假正经，但我见不得别人假正经，我不知道什么是好小说，但我知道坏小说必须有什么，《糖》起码不算坏小说。其实棉棉写的那种生活，也不是那么匪夷所思，年轻人的堕落生活大致相似，无非是吃喝嫖赌抽，加上不时认真一下的感情，活得再狠也狠不过动物，重要的是态度，怨天尤人就没劲了，忏悔则更为可怕。我比较认同棉棉的态度：都是自然现象，发生了就好好享受，包括疼痛。

一个女子，年轻女子，有一副好身子，自己又深知这身子的好处，娓娓道来，这是顺天理得民心的事儿，依我之见，也是小说有必要存在下去的理由。

我听到过关于小说最傻的说法之一，就是从小说里学知识，受教育。我是把读小说当一种方便的社交方式，一个人待着挺闷的，真乱往一块混，见谁都交朋友也挺累的，在没因特网之前，读小说是两全的选择，特别棉棉这种把自己豁出去写的小说，假正经谓之喻“跳裸体舞”的，尤其适合像我这种心理阴暗只肯把别人豁出去的家伙，又把人家的热闹日子过了，自己毫发未损，等于是别人折腾你怡情，这是“四大合适”之一。

最后，祝棉棉身体好。

读丁天的《玩偶青春》

我不知道该在多大程度上相信丁天在《后记》中说过的话“真正把自己放到小说里去”。这小说中有一种让我不舒服的东西，想来想去那是看到某种真实或曰真相的感受。我也并不愿意、不习惯和真相太近——那些没经过编织的、缺乏戏剧性的、既不美丽也不残酷，仅仅是平淡、腻味、百无聊赖的一天又一天和张三李四。我习惯把理想的生活，我指小说中的人和事想象成激烈的、动荡的和充满因果关系以及有可能导致死亡的，好像这才值得抒情并且像一部小说。

其实我也知道那不是真实的生活。学习写作似乎一定会失去对真实生活的兴趣，或者说不再会被真实生活满足，一定要赋予意义，改变事实，所谓“让想象力插上翅膀”。听上去好像是一种更认真的态度，但我摆脱不掉一种怀疑：为谁这样做呢？为小说？小说是一个科学体系吗，像一棵树那样自给自足，它要求想象力像树要求开花是它维持自身生存必需的代谢？为读者？

如果这都不那么肯定，那就只剩一个理由：为自己。自己对自己的生活不满意，希望通过主观的书写至少在想象中过上理想的生活。我就是这样对待书写和生活的关系的。我读过的大部分小说，著名的小说，都可以看到作者在其间一个劲儿地努力，力图借助想象从自己的生活经验中挣扎出来，这似乎已是一种文学惯例，成功作品不可少的器官，说到好的作品必要称赞那其中的想象力，这反过来也培养、固定了读者的阅读习惯。

读过丁天的《玩偶青春》，首先觉得他是新手，其次觉得他胆儿大，老手且精于写作是不敢也不会这么老实地处理自己的感情经历的。他似乎用生活经验给自己的书写范围筑起了一道围墙，围墙里长着多少就指给大家看多少，谨言慎行，不越雷池一步。破碎的就让它破碎，仅有线头的就在线头断掉那里戛然而止，并不多情地将其发展为完美的事件，给自己和读者同时来一个过瘾的。

他的对话也大都是就事论事，平白如水的，不抖机灵，音节也不铿锵，似乎唯恐读者流连，不留神动了兴致。

他哪儿来的这份自信呢？一个爱情故事，不煽情，没有骇人听闻的感官体验，也不仔细强调这经验的独有性，一句话：没有那个“伤心捧出自己”的姿态——这还是我们习惯看到的那种爱情故事吗？

我认为他不会写言情，认为他过于冷漠，既不爱自己也不爱任何人，尤其是不爱女人，这种只在心里孕育风波，表面上微澜不兴的感情对别人无意义。我们是准备跟着你心碎一把的，手绢都备好了，要痛哭一场的，结果越看越冷静，越看越出戏——这就是我前面说过的那种“不舒服的东西”——我看到了感情的无聊，男人和女人，人和人的其实互不需要；那些我们珍视的、千百代一路夸耀下来的、一说起来大家都眼泪汪汪、伟大的、动人的人际关系，其实都不存在，只是我们那么想，越渴越吃盐，它才跟真事儿似的有了眉眼，像一个远古神话，口口相传，煞有介事，最后变成了全民信仰，后来的人也不由自主跟着信了。

丁天泄露了天机，按咱们的规矩，泄露天机者是要遭天谴的。天谴是谁？就是人民，在小说这一行中，人民的代表叫读者。现在不是流行“读者崇拜”？跟小时候打群架似的，哪头人多哪头就显得厉害，正义在不在手单说，那股起哄劲儿倒确实是显得有来头儿。

还有一种可能，丁天压根儿就没往歪处想，老老实实发生了，就老老实实那么依葫芦画瓢写了，那就算他浑然天成，算我见缝下蛆。

|《文化在中国》序|

网站内容出书了，网站也缩水了，下一步就是关门，看来什么东西还是印在纸上才牢靠。去年搞这个网站大话是说了一些，也没想它万古长青，这么快垮台也没想到。昨天在酒吧遇到书中访谈过的几个人，说到网站的下场，大家都幸灾乐祸，这是我做垮的第四个公司，他们言外之意我是个丧门星。我承认。我就是块花钱的料，要么空手道，拿钱赚钱我没份儿。以后有钱人再别打我主意了。

本书收的人物都是我们网站各频道主持人认为值得一聊的。音乐的流行居多，大约是这其中最有名的。电影的起码是在圈子里被接受站住脚的。美术最强，最艺术，大都混到了国外，在西方有一号。我全不认识，作品也很少接触，后来才发现这里一些人平时也在我常去的那几个酒吧出没，再见也算打过招呼，有的聊了。

文学这一块我认识一半，那帮男的，一起赴过酒局。女的没见过面也多数知道芳名。无论男女作品基本读过。

老认为全民经商了，其实搞艺术的人还挺多。至少在北京，一半酒吧被白领占了，一半酒吧聚的是这些搞艺术的，一眼看上去会当他们是小混混。

看上去很不正经的人里有最正经的人。还有很多看上去很有追求的人其实想干的是娱乐界的活儿。这倒也没什么，给娱乐界打打工也不会一脚踏下去就万劫不复。我们介绍的这帮年轻作家都写过电视剧本，一点没影响他们愤世嫉俗。大家都明戏，事情没严重到非把自己逼死的份儿上，心里清楚就行了。

是不是可以这么说，娱乐界养活了艺术界？当然也必须说艺术界滋润了娱乐界。

男的搞艺术女的搞娱乐，这样的一对儿最登对。

之外还混迹着一些搞——搞艺术的，这就不论了。

为什么搞一个网站专门介绍他们？ 也是我不靠谱，拿个人偏好当群众需要了。我是觉得做生意的人比较没趣，我知道一些大款很爱崇拜比尔·盖茨、李嘉诚和他儿子什么的。跟这些人学也无非是学怎么挣钱，这几个家伙也未必说真话。说了，你也未必学得了。搞艺术比搞钱要古老得多，人没吃饱就画岩画了，可见更本能一点。本能大家都有吧，也不必非要扬名世界了话才值得听。

搞艺术说到底就是搞自己。所以我们请了这些人，认为他们无比重要。他们是在这个大家都争着搞别人的世界里坚持搞自己最执着的一族。要不是我决定戒一阵儿说大话的毛病，我要说：在他们身上保持着我们的人味儿。

最后说几句官话。这里介绍的是最新最年轻的艺术家。你越没听说过越证明我没骗你。他们中大数注定成不了气候，最后还得老老实实过日子去。这就是我们的现状，同时也是我们的未来。如果你看完失望，那你就替咱们大伙可悲吧。

为《英语也疯狂》序

1

这些年上市的故事片越来越幼稚，据说是成心送给不想长大的人去做梦，成年人要看点真实的东西据说只能去看纪录片，据说中国纪录片十分繁荣，在国外获奖的次数不亚于地下电影。

当然我也不相信这东西百分之百真实像生活中的人眼，但号称纪录，总有些真实的影子，至少拍摄对象，都是生活中真实的脸。

《英语也疯狂》这本书记录了一部纪录片的出品过程，其中有两个主要人物，一是片子的主角李阳，一是片子的导演张元。

从书中提供的材料看，这部纪录片是经过精心策划的，主要出于李阳自我肯定的需要，也就是说，和一般影片相反，被拍的李阳是这片子的创意者——所谓灵魂人物，导演张元似乎只是一个工具，客观的记录者。一些场面是李阳有意安排的，解放军、长城、清华大学之类的。这么干，张元是不是违反了纪录片的纪录性？倒是很像过去我们熟悉现在依然不陌生的宣传片，如果李阳想借此让人知道，那么他这钱没白花。

我知道了，李阳发明了一种学英语的方法，叫“疯狂英语”；也知道了他的抱负，要让三亿中国人开口讲英语，继而让三亿外国人学汉语；还知道他通过这种英语练习从自卑走向极度自信；还知道他很爱国。听上去这很好，但看完影片，我对这个人总的反应是不舒服，我想这也在他们意料之中，张元说过：这部片子会让喜欢李阳的人更喜欢，讨厌他的人更讨厌。

我不知道到底有多少人通过李阳的方法精通了英语而不是仅仅会在大庭广众之下拿英语喊几句“我热爱丢脸”。看那架势来的男女老少更像是开誓师大会，李阳的兴趣也更多地在唤起民众，或者毋宁说煽动乌合之众。

我见过这种煽动，那是一种古老的巫术，把一大群人集中，用嘴让他们激动起来，就能在现场产生一股排山倒海的力量，可怜的人也会顿时觉得自己不可战胜，这与其说是打气不如说是省事或说愚弄，中国的很多事都是这么办的，做一场梦，把所有问题解决掉。

李阳是在不遗余力、捶胸顿足地传播知识，但那些热情接受他的人群的一张张亢奋的脸显得格外愚蠢；他张扬爱国主义，可怎么听怎么像一个种族主义者；他的打扮、举止和待人接物的态度处处像一个成功人士，但总不免让人联想起其他成功的骗子。

我不知道李阳是否真认为自己是成功的，弄一大堆人在自己屁股后边紧紧跟随，搞一大堆人来向自己欢呼就是成功？

我同样不知道李阳是出于无知还是刻意追求戏剧效果，还是他就是那么认识的，他那些频频使用的、一上来就能得个满堂喝彩的热场词儿可说是赤裸裸的种族至上叫嚣。这不幽默，我不相信我们国家强大是为了你那个不靠谱的种族主义目的。我们国家是没有有关立法，但在那些、尤其是那些曾经做过李阳那种种族优越梦的西方国家你这样讲话是会立即受到起诉的。有什么意思嘛，如果你是个大学生或者正在春节晚会演小品倒也可以原谅。也许西方观众看了会把你当一个玩笑哈哈一乐，作为一个种族歧视长期受害国的国民，我笑不出来，想措辞温和一点也很难。我相信李阳爱国，但这么干，你的爱国主义只怕会像种族主义一样变成臭狗屎。中国有很多坏的传统，最坏的就是借名为爱国主义实为种族主义的口号动员群众。不管你的本意是什么，就你列的参考片有《意志的胜利》，我感到拧巴。更拧巴的是，参考片目录中还有《毛主席八次接见红卫兵》。用一句现在流行的话说：见过拧巴的，没见过这么拧巴的。

2

如果一个纪录片不是像商业剧情片那样为了讨观众喜欢而是把一个人一件事端给观众让观众自己判断自己决定喜怒哀乐，张元这部片子也达到目的了。张元在这部片子中很好地掩藏了自己的观点，做到了客观忠实地记录对象，从张元的拍摄笔记中可以看出他对李阳有自己的看法，有自己的看法，不用自己的看法修改对象的观点和形象，这大概是纪录片导演应有的职业道德。

张元的电影我大都看过，作为导演，他有异于其他导演的就是他对当下真实环境和真实人物的重视，这重视不是通过营造剧情来重新建立，而是有一说一，不妄加色彩和意义。这在今天大部分导演都向过去取巧即便表现当代也要涂上厚厚一层奶油的普遍无奈中尤为难得。有时候，生活形态越原始越有力量，所谓“生活比戏牛多了”。张元的成败往往也就在于选择生活原态的眼光。他最好的电影《儿子》，没有音乐，不顾时空关系，镜头紧紧盯着那痛苦的一家人，你甚至会认为他没有剪接，就是这样一个粗糙简陋的东西，曾经干净利落地震撼过我。这时候你会觉得任何手段都是多余的，生活的真实已经包含了所有艺术的追求。

我一直不大懂艺术真实何以成为挑剔生活真实的刀子，有孤悬人外的艺术吗？人无往不在生活中，生活有种种假象，人有种种面具，艺术如果是一把刀子就应该是用来戳破这些假象和面具而不是扮演假象和面具。关于艺术的说法实在太多，谈论这些就让人很累，张元的路子也许是结束争论的一个办法，让生活自己说话。有一种说法，说我们已经丧失了在生活中发现美的能力，那也不要紧，即使生活都是垃圾，我们也可以像棉棉表现出来的那样，把垃圾当糖吃下去。

我们没有理想，那也不代表我们打算任人摆布。很多人希望我们相信他们，有人不认为这个世界是真实的，有人说电影就是做梦。电影商们和李阳做的是同一个梦，把人群聚集起来，看他们的表演，他们管这叫“人民性”。那同样是一个开错了的玩笑，因为人民的对应词是统治者，吓死他们也不敢用人民性取代统治者的意志。

再多的观众也只是“大众”，大众的对应词是“个人”，电影的一切争论也无外是大众性和个性之争。这不是打群架或议会表决，谁纠集的人多谁占上风，谁也别想靠票房决定这个世界的面目。操纵大众的人是可耻的，假装大众宠儿也不会永保平安，大众并非至高无上。一个美国法官这样写道：个人拥有的权利是自然赋予和不可让渡的，多数人不代表一切，人民不可以为所欲为。

从这点上讲，张元有义务关注李阳，李阳通过观众什么也得不到。

3

以上是我看完这本书和《疯狂英语》影片的感想，像不像个序，也只有这样了。

| 何平序 |

看何平的这个集子和看陈村文章的感受有点相似。首先是惊叹作者的兴致高,眼神儿好,什么东西都不放过,看了一眼就有一番议论。二是觉得奢侈，这么多聪明就这么大方地平均使了。第三觉得幸亏有这样的人，拿无聊的生活做菜，那些没意思的事才在他们笔下显出几分意思。看得高兴，好像大家都没白活似的。

给报纸写专栏没必要受制于人。事关正义，可以请一些热血笨人没头没脑地发火；事关风月，可以派一些多情女子顾影自怜；其他无关紧要的，全归何平他们了。也不知天生就是这么一支笔还是千锤百炼出深山，何平似乎很适合给报上写这样的专栏，就是说光气人不打架。这也高明。咱们国家还是礼仪之邦，许你牛不许你抬杠。可惜天下的人和事没一个配大家照死了夸一点不觉得寒碜的。多好看的姑娘，切开了也是一肚子拿不出手的下水。“文化大革命”中国登峰造极了两大恶文，两害相权，大字报比颂歌还要好点，大字报无理得可笑；颂歌，什么时候听，还是那句话：太麻人了。一定要写差文章，千万别再去夸谁了——

双倍恶心。

夸人，我所不愿；骂人，国情民俗大面儿又拘着，我亦不愿；饭要吃，报上的空儿必须填，只好冷嘲。若画漫画，就是跷着腿，一杯茶，独坐高楼，面带冷笑，对楼下行人指指点点。看状不恭，真被问上门来，也可以不慌不忙反问一句：我说你什么了？也许是上海楼高楼多吧，这一路写家就属他们的好。

小宝文章丛中五分之二好玩，五分之二可看，余下五分之一由两大没劲组成。一是“餐桌日记”那一辑，抄了一些外国段子，我以为这是作文的一个定律：别人的东西再好，抄进自己文章两败俱伤。另一是几篇也谈不上夸、很谨慎很克制地流露出倾慕的小文。董桥是好，那也不过是介于周作人徐志摩之间的一种东西，拆开了一对一还谁也比不上。村上春树也好，当得起日本的佛郎索瓦·萨冈吧，但要论堕落之美，村上龙更好，如同我国亦舒和棉棉的作品区别。至于倾慕吴倩莲，那还不如倾慕三毛呢。

看来夸人真是要小心，一不留神就要授人以柄。那些美好的情感咱们还是深藏心中吧。

|鸟儿问答|

——答《读书周报》记者问

（时间：1999 年 4 月 5 日上午 9 点 30 分到下午 2 点。地点：《人民日报》招待所 113 房间。房间内有两张床，一张罩着床罩，一张铺着被子，枕头被压瘪，看得出睡过人；靠墙摆着两只木扶手沙发，中间隔着茶几，旁边一个双开门小柜子上放着一台“康佳”牌电视机；顺墙靠窗立着一个酒红色两屉桌，桌上放着一台海蓝色白键电话、一台血红色镶黑边儿台灯，灯座上装饰着一只红黑两色的塑料小鸟，此外空无一物。

《读书周报》书评栏记者陈虹和《黑处有什么》一书作者王朔并排坐在沙发上，正在进行访谈。

窗外有一片叶梢发黄的竹林，几乎完全遮蔽了窗子，时而可见《人民日报》职工和下岗的武警战士在竹林外经过。透进室内的阳光忽明忽暗，想必高空不断有流云飞过，房间内突然亮起来时，人脸也顿时豁然开朗。）

陈：这小说是什么时候开始写的？是《看上去很美》的第二

部吗？为什么叫这个名字，有什么特别的用意吗？

王：还没写完《看上去很美》就开始写了，实际上这小说的第一章就是《看上去很美》的第二十一章，故事、人物、时空关系是连贯的。我计划写的《看上去很美》比现在成书的那本要长，《黑处有什么》的内容本来也包括在内，但写到二十一章时发现这本书已经二十多万字了，再写下去只怕四十万字也搂不住，那就太长了，出版时定价也会过高，影响仅靠工资收入的读者的购买决心，像电影长度一般在一百分钟之内，电视剧以二十集为宜，出版社一般更乐意接受二十万字的小说，那是市场最欢迎的长度。另外我也有写作上的问题，在这一章我迷失了方向，那里有一个时间跨度，经过“文化大革命”初期的混乱，一个长达八个月的假期，小学又开学了，我那个主人公受到时代的震撼，也变了，这意味着我要重塑他的内心，重新捕捉他的性格，这不容易，在做了大量无效劳动后，我意识到这应该是另一本书的工作。我在前二十章中已经用尽了那个格式所能容忍的一切手段、技巧什么的，再往下进行已经力不从心，我怕出现最坏的情况，那就是不自觉地重复，明智的做法是就此停下来，重打鼓另开张。

名字也没什么特别用意，就是写着写着心头慢慢出现这样一个问句，挥之不去，一天到晚想着它，觉得这一句好，就用作书名。“黑处”是指主人公这小孩不能理解只能感到其存在的一切：更远的地方，他人的想法，最主要的是他自己的内心，在成长过程中纷至沓来的陌生情感和新鲜欲望。这些东西使小孩很不安，很好奇，同时大受困扰。我已人到中年，仍觉人生无涯，大量东西摸不到边际，望眼欲穿，所以这一发问也是我此时的心境或说乃是我奋而创作的动机。

陈：这是一本有关“文化大革命”的书吗，所谓“一个人的遭遇”之类的？写完自我感觉怎么样，还满意吗？

王：不是，与“文化大革命”无关，有那个背景纯属偶合。我也不觉得我有什么特别的遭遇，都是一个人发育中必然要应对的问题，在“文化大革命”中也好，在抗日战争中也好，即便是在今天改革开放的一派大好形势下，这些问题仍会出现在一个人身上。老实说，我宁愿晚生二十年，在今天这种社会环境中度过童年，再写出来，那样人们就更关注事情的真相而不会被表面热闹转移视线。我不是说时代对一个人不会产生影响，我必须承认环境可以强化人的感受，突出人的弱点，但我讨厌有那样一个时代，动荡异常，充满戏剧性和悬念。这所谓的“大时代”实在是喧宾夺主，常常使我们丧失人性，在人之为人的问题上放弃发问的权利，似乎认识了时代就可以代替认识自身。我想人在不同时代本性是岿然不动的，所以历史才会有“惊人相似”这一说。与其不断总结吸取历史教训，不如把自己打开，看看自己存在于何等局限之中，有什么是总也改不掉的，总是会发生的，事到临头才不会惊慌失措，才会坦然受死，用一种积极的乐观的态度看待自己的宿命。我在这个小说里关心的主要是这个，也就是说寻找自己的宿命。

自我感觉不好，写完之后很不自信，痛感到笔力的不够和文字的无力量。与我曾拥有过的想象比，这本书记录下的只是一个拙劣残缺的摹本。我可以写出刀子，写不出刀刃上的光芒，只能说确有一部好小说产生过，随之便埋灭了，我这脑子要是一电脑就好了，就不丢资料了。

陈：你是说很多想说的东西没写出来，难以见诸文字？

王：难以见诸文字。想到了，无可名状，还特别受小说既定情节排斥。我是想包罗万象，可小说自有章法，两万字后人物就自己行动了，有时我们可以合二为一，情投意合，有时，往往，他不理你那一套。跟作者比，小说人物总是显得头脑简单，过于本能和感情用事，硬加进去，也啰唆，破坏阅读，一般读者看来也无必要，搞不好还会有反感情绪：拿我们当傻子了？

陈：这正是我想说的，实际上你在小说中已经大量插入内心独白和——怎么说呢？精神亢奋时的漫天遐想。有的尚属精彩，有的，只能说自以为得计了。你以为读者真会关心你曾经想过什么，不分好歹，一切的一切，你讲话包罗万象？恕我直言，你是我什么人啊？你唠叨得好，我姑且一听，唠叨得无趣，我为什么要当你字字珠玑，认真学习，像学什么似的？

王：你是说读者是势利的，并不在乎作者要说什么，能得到自己需要的就可以了，譬如说好看、有趣、情节连贯，再有追求点，看到一种“深刻”，就完了？

陈：你以为呢？你是老作家了，又畅销过，你一向怎么看读者，一帮跟着你小跑的傻瓜，还是你妈，你的知心爱人？这我倒想再问一句了，你过去靠什么赢得的读者，你自己知道吗？想过吗？

王：想过，没想明白，叫他们一说我媚俗，更给我说晕了。电视剧电影我是媚过俗，侦探小说和部分言情小说也媚过，有那个讨特定人群喜欢的动机，主要“立腕儿”的小说没打着写时冲一拨读者去。也不是一点不考虑读者，但是那么想的：我就随便来了，你要跟我是一势的，俗称臭味相投，那我算找着知音了；你要跟我八竿子打不着，不待见我这东西，那也活该了，我不能为你做牛做马，这叫“把一切献给自己”。这拨读者是我觉得咱们说的“读者”，电视电影的那些都不算，那是“观众”，看戏的，进电影院开电视机时动机严重不纯，心态很复杂，基本上属于不可捉摸的，没准主意的，统计自己基本队伍时可以忽略不计的。

所以你要问我靠什么抓的读者，还真把我问住了，我只记得我越不管不顾，读者越踊跃，凡我想讨好人家的，反而热脸贴上个冷屁股，这是经验，这也就是我为什么不在乎批评，只信自己。你们爱说什么说什么，谁的我也不能听，不是不谦虚，也不是别人说的就没正确的，是天条、定律、规定不能听别人的，一听准乱，信自己，那就无往不在读者当中了。这就像爱情，有缘千里来相会，不是找对象，宽窄胖瘦一二三四五列出来，按图索骥。所以……

陈：所以你更来劲了，更以为甭管你拉什么，只要是你拉的，就有人上赶着趁热乎去吃。

王：你这比喻很不恰当。

陈：你就是这意思，你这话里有对读者很轻蔑的口气。我就是你过去的读者，你说的那种有缘千里来相会的，臭味相投的，人世间有百媚千娇，独爱你这一种的，倒不完全跟你是一势的。

王：惭愧惭愧。

陈：你先别忙着惭愧。我喜欢你过去的作品，首先不是你所有作品，其次不代表人卖给你了，再有什么都喜欢。喜欢你是因为你那时作品中跟我那时心情有暗合之处，本来以为我独有，噫，你那边说破了，不免感动，进而注意到你，对你有了关注，再找来其他书一读，虽不是篇篇动人，也没太多讨厌，当你是同类，就一贯给你支持。你想你要不是当初感动我那个人，那副文笔了，我还会喜欢你的作品吗？这和你以为的是不是有很大差距？还是应该分析一下，别那么盲目自信，没有一成不变的东西，是，我选择过你，我也可以不再选择你，这不是你坚信的根据。

王：我受累问一句，你喜欢——不用这个词——你中意的是我哪一路作品？

陈：这个，告诉你也没关系，言情。

王：噢。

陈：噢什么？

王：没什么，没别的意思，只是代表知道了——你没有要我只能写言情，写别的都不应该的意思吧？或者这么说——你不是希望我一辈子言情，一辈子不换手，永远这样下去，那么感动着你，被你选择，一成不变——吧？

陈：当然不是！我发现你这个人很爱歪曲别人，我是那个意思吗？我说读者喜欢你是有原因的，并不是说给什么吃什么，并不是说不许你变。你可以变，但有些根本的东西不能变，也不是不能变，而是变了就要付出代价。

王：譬如呢？

陈：譬如你不要变成假道学，不要变成事儿逼，对不起，我这词儿用得太粗，我的意思是不要变得劲儿劲儿的，说话假文酸醋，任什么都捎带有一番人生之论，貌似真诚，壮怀激烈，俨然“德”“赛”二先生化身，背着五千年文化传统，上小菜场买菜也豪气逼人，开个会也跟荆轲似的。

王：这种人我叫大尾巴狼。

陈：那不是你，你也学不像。

王：是学养和素质不够吗？

陈：那倒也是屁话。你可以不言情，言其他，柴米油盐，天上地下，言你从小到大的下流事，你不就是一暴露狂吗？随便你。

但是，你千万别板起脸来做一副正经相，一副久经历练大彻大悟的金刚状，真的，我求你了，那没意思，我这里要起鸡皮疙瘩的，你比较可爱的就是你那副小流氓嘴脸，大流氓都不对。这是你的精神，你的元气，你纵横天下，无往不利的法宝——你懂我意思吗？

王：懂，懂，我没你想的那么傻。

陈：你不是傻，你是聪明过了头。你要傻点你早成大事了我还告诉你。

王：精神？多可怕的词？没想到你们也用这个词了。

陈：我不一定要用这个词，只是借用，没更合适的词，和他们不是一个意思，你不喜欢可以换一个，不要利用这个词歪曲我的本意。

王：换人文精神行吗？

陈：胡说！

王：那叫信仰？气质？锐气所在？锐气——这个词好，就叫锐气吧。千不该万不该，我不该失了锐气，添了暮气——你说的是这意思吧？

陈：你这个人很小心眼我又发现。姑且就这么说吧。

王：我能给你总结一下吗？

陈：我就知道你不歪曲我不会甘心。

王：不是歪曲，是归纳，论点嘛，说起来洋洋洒洒，总要归纳一下才方便往下说。你也别警惕性那么高，老虎屁股摸不得，批评别人嘛，总要有胸怀承受别人的反批评，你瞧我这胸怀。

陈：咱们俩谁摸不得呀？一摸，隔了多少年，拐了八道弯，一定要回了这句嘴一点儿亏不吃。我这还没批评你呢，只是泛泛而论，纠正一下你对读者的错误态度，你这就急着展开反批评了。

我说你这新小说一个字了吗？你总结什么呀你给我？

王：那我能说你对我的新小说《黑处有什么》评价很高吗？

陈：那不能，你凭什么呀？

王：能说你刚才那些话是胡说八道都没过脑子吗？

陈：你才胡说八道不过脑子呢。

王：还是的，你还是有感而发，刚看了小说，见到作者不想说不想说一不留神说出来了。您不是那见人就奓翅儿，唯恐天下不乱，非给谁添点恶心否则对不住自个儿的刁人跟我似的。您多善良啊！若不是受了刺激，哪能对我这态度，恨铁不成钢……

陈：得得，你别废话了，夹枪带棒又捧又摔的，我好人家孩子没受过这个，你非要说我这是对你新小说的看法，那就是吧。你总结吧。我早听说你是讲歪理的好手，今天正好一睹风采。

王：……

陈：怎么不说了？

王：被你一打岔，忘了要给你总结什么了——想起来了，你认为小说是武器吗？

陈：这没法回答，这问题太大，三言两语说不清楚。

王：只回答，“是”或“不是”。

陈：我不能，也是，也不是，看在什么时候看了，我不能一言以蔽之，你这是个问题圈套。

王：起码你认为有的小说是，或说在某种时候应该是对不对？你说“也是”了嘛。

我这不算歪曲你吧？

陈：先不算，你往下说。

王：你认为我的小说是武器吗？

陈：这问题不回答。你认为把你的小说当做武器是一个贬低吗？

王：你认为是一抬举吗？

陈：我先问的你。

王：别胡搅，除非你先回答是与不是，否则我也不回答。

陈：是又怎么样？不是又怎么样？

王：看你年纪不大，人这么狡猾，是不是都让你说了。你在学校回答老师提问都这么回答，也对也不对，老师不拿大耳刮子扇你？

陈：对你这种人必须这样。来做这次采访前，我一师哥就叮嘱我，照腰眼上问他，那人倒不大要脸，他要反问你，永远别正面回答，那人太油，装真诚已经不用过脑子，不定在哪儿刨着坑等着你——这是原话。

王：啊，啊，原来是这么回事。

陈：你很生气吧？

王：我不生气，我很难过，这是什么世道啊！一个著名作家，那么无耻地向大伙儿掏心窝子，结果群众认为他比谁都油，看来我只好去当叉叉叉去了。

陈：你别难过，我跟你说实话。不是。我没拿你的小说当武器，单冲谁去。我还是把你的小说当小说看的，好看的小说，爱听了吧？

王：爱听爱听。就是说你还承认我的小说还是小说，你在读我的小说时还把自己当普通读者，没把我当一面旗帜。

陈：这个，据我所知，还真没人把你当旗帜，有拿你当枪的，你有点儿自作多情了。

王：是是，我有点自作多情了，抱歉。这我就放心了。

陈：自找。

王：什么？你说什么？

陈：我说你自找。你能说你写那些调侃小说时没有自己把自己当枪使的动机？我见过你那时在报刊上的言论和人前表态的样子，说你很为自己的定位得意不算讽刺你吧？他们说你没社会责任感真是说错你了。我记得当时我们宿舍有一个你的拥护者，你在哪个报刊一出现，她就很紧张，一定要找来看。我们还笑她，至于吗？真成追星了？这同学说不是，我是替他担心，怕他哪天不留神说出来自己是鲁迅，你瞧他这话都到嘴边了。好在你还没那么不要脸，到底没说，我们那同学才没急死。

王：太损了你们！我找一茅坑一头扎死得了。

陈：你不会的，你现在仍然很得意我看得出来。那感觉一定很良好，大庭广众之下，就显你能，敢为天下先，别人不敢说的话你说，别人不敢做的事你做，带动社会风气，是不是还有些人把你当精神领袖？我也愿意，一辈子能这么风光一次之后变成臭狗屎我也愿意。

王：我，当时，确实是那个德行，我还就不否认了。是有些顾盼自雄，是有些占山为王，是有些以天下为己任，书生意气，挥斥方遒，明天一早打冲锋，把蒋介石几百万军队都消灭了。是把自己当大片刀耍了，没好好写小说，把小说当别的了，当当当……

陈：当武器了。

王：算你对一次。

陈：好啦，这个问题你自问自答了，可以往下问了，你认为自己的小说被当做武器，是贬低你了还是抬高你了？

王：他妈的又成你问我了。

陈：这不好吗？你自己的问题自己回答，我看再合适不过了。

你也老实一次行不行？不要每次都想占别人上风，噎住了，理屈词穷了，怎么了？向真理低头很困难吗？

王：你开始放肆了，不是一开始那副来学习的样子。好，我让你见识见识一个老同志是怎么正确对待自己的，在放下架子反以为荣这儿上一个人的底线可以多么，哦，无穷远。

陈：我确实已经见识到了一个人可以多么设身处地地、不屈不挠地往自己脸上贴金。

王：杀他阿破！不贫了，说正经的——尽管我很得意，尽管我也受益匪浅，但在内心深处，我不乐意自己的小说被当做武器，被当做武器，那是一个贬低。像我们这种知识分子，被哪一方利用都不太乐意，更乐见这是一个纯个人的胜利。

陈：刚说不贫了，又贫。

王：怎么啦？我不能自称知识分子吗？还有比我更当之无愧的吗？以笔为生，朝思暮想，贩卖的都是精神活动衍生物，每一个字都在知识产权保护范围之内，创造价值以亿计，你行吗？

陈：我当然不在乎你是不是知识分子，我也不觉那是特殊材料制成的一伙人，爱是不是。问题是人家认你吗，公论你不是一痞子吗？

王：痞子，也是文痞。他们还别想把我开除出去，我还就拼死跟他们站在一起，推也不动地方，拿脚踹也不出列，关汉卿怎么说的？咬不动，嚼不烂，摔不破，响当当的一颗铜豌豆；耶稣基督怎么说的？打左脸给你右脸；蓝花花怎么说的？咱们两个死活都要在一搭。不丢光知识分子的脸誓不罢休。

陈：痞劲儿又上来了。

王：起码这次不是了。我不能跟鲁迅似的，净跟人打架了，小说正经的一部没顾上写。打嘴打嘴，怎么又提他了，不定急死多少人。鲁迅很伟大，小说写得好，我写一百部也赶不上人一个阿Q。就说这事儿，我不能净想着当“水兵服战士”，拿小说当匕首到处给人放血。也不是玩“纯文学”，要一个专业认可，说句那什么的话，像我这样有广大销路的作家不需要任何权威再来给我加冕，也不怕来自任何势力的否定。就有这自信，除非我自己一高兴把自己灭了，别人想灭我，那都是痴人说梦！所以，王靖雯讲话：失去世界也不可惜。我多自恋呀，不写个充分自我满足的小说怎么显得我目中无人？何谓倒行逆施？只做我喜欢的事，写我一时大感兴趣萦绕不去不吐不快之事，啰唆也罢，自以为得计也罢，你们不关心，我关心，我关心就是天大的必要，就是圣旨，就是小说只能这个模样不可改变的决定。我不能强迫读者，读者也别想强迫了我。我不是什么人心目中的什么人，谁要那么想谁就是表错情。我借此重申一遍：我写小说是为我自己，怎么写是我的权利，看不看喜欢不喜欢是你们的权利。我会注意不冒犯读者的立场，那些强加于人自作聪明的话你们也大可不必多说，什么“想用哲思的眼光看生活”，孙子才想用哲思的眼光看生活呢，我多感性啊！咱们都别把对方当活王八，你们都知道奸情，就他蒙在鼓里。

（陈虹包里的手机响，陈接电话：没有啊，我现在在外头采访人呢。完不了，很难说，现在说不准，现在几点了？怎么也得下午了。到时候我给你打电话吧。

王起身倒烟缸，添水，开窗户，走绺儿，转腰子。问陈：你吃午饭吗？这招待所食堂是那种多少年前机关食堂的大锅饭，挺香的，现在饭馆做不出那味儿。陈一边听电话一边摆手：不吃。

王：不吃好啊，我也没吃午饭习惯，给人民省一顿吧。

陈合上电话，喝茶。）

王：怎么没词儿了？

陈：你都急了，我还说什么？气量不大。

王：谁急了？说不过别人就告人急了，这也是你们的惯用伎俩。我那是慷慨陈词……

陈：别说了别说了，你，爱写什么写什么，没人管你，好像谁都多待见你似的，没你，我们还不看书了？

王：一样。没你，我还不卖书了？

陈：你就这么一直自我感觉良好下去吧，早晚有一天，你写出什么也没人吭声，都当没看见，你就在寂寞中孤芳自赏自拉自唱吧。

王：我还就等着这一天了，那也不改初衷，什么叫“匹夫不可夺志”？你今天看到了。

陈：你就狂吧，匹夫。赶明儿我给你写一篇，“香山脚下访王朔”、“上个世纪红极一时的痞子作家晚景凄凉”，没准儿有你的老读者从失业救济金中挤出块儿八毛的捐给你。

王：我有女儿，不是孤老，没辙了她得管我，不劳你大驾。再没辙了我吸毒去，给自己留一针纯的，搭包的。

陈：肉烂嘴不烂。我发觉你们这些写东西的没一个是真谦虚的，都是自大狂，想要你们接受点别人的看法等于要顽石点头。我也是可笑，还想和你做一次认真交流，唉——

王：这就是说真话的结果，把人得罪了。我是看你一副聪明相，说话也知书达理，当你是个明白人，才跟你说这么多，觉得你配……

陈：你别夸我，别夸我，我就是一傻子。

王：是呵，我也发现我看错人了，还是应该坚持一贯看法：一个也不相信，一句实话没有。

陈：你这些话都可以公开发表吗？

王：闹。

陈：敢说为什么不敢公开呢？

王：不是不敢，是不想给人说俏皮话的借口。有些家伙只会往下作猜度人，明明是拿你下酒拌饭，反说你在炒作。我都猜得到你这一登那帮厮们会给嚷嚷成什么，没什么新鲜的，先把你说成他，再把他心里那点不可告人的想法都挂你身上这手法我也老用。

陈：这会儿说实话了。

王：你说你跟他认真吧，也认真不过来，你不理他吧，显得你嘴笨，说不过他。

陈：还是虚荣心啊。你也有虚荣心，我很欣慰。

王：所以，一是不让他们挣钱；二是我还想保持我那个笑骂由人笑骂，好钱我自搂之的开明相。这是我最后引以为傲的不多的几个形象之一。我不能跟那些动不动就跟人急，跟人打官司的人混为一谈。有一傻帽儿平时装孙子装得别提多匀实了，就显他光明磊落，一会上有人一批评，听说当场流氓相毕露，捋胳膊挽袖子要跟说他的老作家打架。什么东西，有血性到科索沃当志愿军去。

陈：就是说你们其实是一路货，区别在于有人装不下去，露了馅儿，你打算装下去，属你匀实，继续保持最孙子的纪录。

王：是这意思。

陈：可我还要发表，不管你同意不同意。反正我心里有底，一你不会跟我打官司，二你不会动手打我，得罪你也没什么后果。

王：我会否认，不承认说过这些话。

陈：我这儿有录音，你大概忘了。

王：别天真了。你以为我会公开否认，给你一个讲真相洗清自己的机会？我只会在底下散布，有人问我的时候，而且一句你的坏话不说，只是作豁达状，不计较状，很不乐意多谈状，轻飘飘说几句：那是人家的工作，谁不想抓卖点呀，现在竞争多激烈？这就算好的了，好歹还是见了一次人的，有的更恶劣，陕西一本女性杂志登了我一篇谈爱情观的文章，完全是杜撰，还假装是录音采访，还括弧配“笑”、“开心大笑”什么的。听者会意，见了你也不会说什么，我呢，走到哪儿都一副坚毅状，默默地腮帮子都凸出一轮一轮的，受逼不过才甩出一句：这种问题不回答！给群众一男子汉忍辱负重坚忍不拔沉默是金掷地有声的观感。

陈：你再说，再说，别停，让我知道你有多卑鄙，现在你还没吓倒我。

王：我这意思就是让你去登，我希望你去登，原文。那又怎么样？无外乎两种结果，正面的，说我这人实诚，敢说，现在就缺这样直来直去的；反面的，觉得我狂，不尊重读者，水能载舟亦能覆舟，再群起而攻之，替我炒作一把。

陈：你这么说也没用，改变不了我的想法，只觉得你无耻。

王：我真的是希望你去登，知道我的底线在哪儿吗？在叶群那儿，庐山会议之后，林彪要危，叶群讲了一句话：充其量能坏到哪儿去！

陈：你的目的达到了。我，我我成全你。

王：如果你们总编给不了你那么大版面，实在发不出去，找我，我给你找地方发。

——急了？我还没急你急什么？哎哎，哪儿去？

陈：上厕所！可以吗？

王：灯在门外右手，那马桶有点堵，你多冲两遍。

（抽一根烟的工夫，陈从卫生间出来，拿小包纸巾擦手。王在看报纸，翻了一页，自言自语：这《人民日报》是真没什么看头。

陈直直坐在沙发上，眼睛瞪着对面的墙。）

王：还气哪？

陈：来这儿之前，我是有信仰，有世界观的，现在被你摧毁了。

王：没那么严重吧，人的世界观要是能这么容易就被摧毁，只能说你什么也没有，你只是以为有，还傻帽儿似的坚信着，其实那儿是一片空白。

陈：你再说，我这茶缸子水泼你脸上。

王：要不你躺会儿，改善一下脑供血？要不今儿就到这儿？改天，改天再聊。我晚上是约好有饭，否则就请你了。

陈：别这儿假惺惺的了，谁要吃你的饭，你大大得罪我了！明天，明天我还九点来敲门，你起得来吧？

王：你还来呀，你这不是够了吗这一大堆，好几面磁带？

陈：我该问的，正经的，都还没问呢，被你这通打岔，时间都耽误了。

王：我跟你说得够正经的。

陈：我们是读书报，是介绍评价新书的栏目，你以为我们的读者真爱听你这些胡说八道？就你这个登出去，总编倒不一定说什么，准有读者来信臭骂我们：为什么给这么个痞子登这么多浅薄无耻的——谰言！认清你在读者心目中的位置很重要——同志！

王：要是我让你们报那些读者都见鬼去呢？

电影《诗意的年代》中的几本声音

（关于这部电影，我所知甚少，只知道这影片中有一个笔会，导演决定用纪录片手法拍，于是请我们一干人等去开这个会，我们在那里聊，他们在一边拍，话题是这个年代还有没有诗意？你怎么看电影电视和流行杂志？这是根据现场录音进行的整理，因为是很随意地聊天，机器停了话不停，有很多半截话，很多语焉不详和语无伦次，但读上去还是比正儿八经写的文章多口活气儿。我喜欢这种口语的感觉，看来过去那种所谓的口语式写作跟真正的口语相比还是有很大区别，还是真口语新鲜意外，另有一番滋味，早晚我要用这种纯口语写本小说试试。

我本来是想把聊天中涉及的观点整理成一篇文章，后来想想算了，观点不重要，语感才重要，就让别人看看我在日常生活中的口语多么芜杂和泥沙俱下——别真以为我是个乐于思考的人。这里一些句子中的括弧是我加的，怕意思过分含混。交代动作和镜头的括弧是原场记本上有的，留下是个气氛。因为丁天是在我前一个发言，我又觉得他说得好，舍不得拿掉，就留一股截儿在开头，算个引子吧。声音中有删节，主要是“他妈的”太多。）

纪录片部分第十五本 [535]

时间：1999 年 11 月 8 日

地点：桃园宾馆主楼三楼会议室

景别：室内，日景

主要人物：丁天，王朔

注：第十二本 AATON 同时在录反应镜头，及王朔说话的镜头；与此本平行。

语言：

丁天：（镜头给丁天）我吧，反正这个，就十几岁的时候，十二三，十三四吧，都是读着这个徐星啊马原的小说，可以说长大的吧，然后才开始写小说。反正那时候吧，也是特别想，就是像他们一样，做一个自由的、愉快的人，过一种无用的生活，所以就是我初中毕业之后，高中刚上，就退学了。也是到处瞎漂着，后来觉得吧，这无用的生活吧没什么劲，你无用的生活，你无用没人爱搭理你呀，哪有？没钱吧，就没自由。我这两年才整明白。所以说吧觉得回顾以往的生活吧，觉得没有什么有诗意的地方。我认为生活，现在就是认为生活中的诗意就是，比如说我现在特想买辆车，也不是什么好车啊，但是夏利太丢人了，那个捷达吧富康那种，车一到，新车，加足了油，然后晚上围着二环路转三圈，是有诗意，（现在）没有。

（陈晓从右进，拿走烟灰缸从右出）

然后也没地儿住现在。买套房子，装修完了，我一人在那儿溜达，推开窗子，我觉得有诗意。现在生活中都没有。反正就是明白得晚。反正就是觉得，也看你怎么理解吧。

（陈晓拿新烟缸从右进，放桌上后从右出）

反正在现代生活中，别人有没有诗意我不知道，反正（我）现在暂时还没有。啊，要向王老师学习的话，以后估计就有了。完了。

吕乐：那是他们俩绝对是，马原和徐星这俩人给（丁天）坑害了。

（镜头摇晃，后重新开机，未打板）

丁天：（镜头给丁天）现在吧觉得就是说，文学不挣钱吧，我不信，我非得在这儿扎出血来不可。我，王朔反正一本书就是一百万吧，我一本书，（晓辉画外音：安宾开机）可能也就是，现在签的合同吧，看起来一本书保底两万。我一年写十本儿，反正咱这个吃苦吧，咱不怕。

阿城：我跟你说，绝对，一年十本别都抛出去，留两本儿，以后价高了以后再卖。（声音很小）

丁天：咱以后再写呀，还留它？

阿城：这就是你没经验。（声音很小）

陈村：这个就是你没经验了，你以为你总能尿得那么高？（众人笑）

马原：不听老人言，吃亏在眼前。

丁天：反正人说那个不可能的事儿吧，我就特拧，觉得没不可能的事儿。

徐星：这有诗意我觉得，这多诗意啊！现在我就觉得尽是不可能的事儿。

吕乐：丁天觉得物质生活更有诗意啊？

丁天：我觉得这是两回事儿。就是说我没有物质生活，然后一小撮人每回都在这儿谈这个艺术的话，就有点儿那个，然后再把那个物质生活骂一顿吧，我觉得就……就说咱没挣过钱，然后咱说钱没用，差点儿。像王朔这种，挣到钱了，丫就开始回过头来咬一口。

徐星：他没说过钱没用啊。王朔，什么时候说过钱没用？我记得王朔特爱钱。

吕乐：不是，马原他也当过经理嘛。还是回到陈村这个，就说先去一下，然后再回来，是吧？

丁天：不是去一下再回来。我说如果要是能挣到钱的话，肯定是绝不回头。因为那个文学艺术吧，它是生活的一个副产品，我以后有了钱，没事儿的时候我再写写东西，或者说是，看看书吧。

徐星：哎哟这昨天是谁说来着，阿城说的吧，真的我觉得阿城说得特别好。说我先铆足了劲挣钱，挣个七八年钱，然后再安定下来写东西啊，再全找回来，完了。

马原：钱挣了以后，写东西写不了。

陈村：你有钱以后你可以养几个文人，就是现在成立一个“徐星作家协会”，然后养几个专业作家，给他们去写。

丁天：都挣到钱了，还回什么头哇！（众人议论）

徐星：丁天那就是说咱要有个千八百万，咱就不好这个了，咱就不写东西了？

丁天：这是一爱好，肯定。

阿城：现在就是今天像我这么说诗是什么了等等这个，就是因为你们出钱了嘛。（众人笑）

徐星：这个我觉得谁不爱钱？我反正特爱钱，真的我老觉得没招儿，正想找人咨询咨询怎么挣钱。

丁天：不是因为吧，这社会上所有的人他们，这出去上街上他们都很爱钱，就你不爱钱，你没法儿跟他们融在一起，你知道吧?

徐星:怎么能不爱钱呀?谁不爱钱呀?不爱钱怎么活呀?

丁天:就是啊,他们都很爱钱,你要是不爱钱,你没法儿跟他们融到一起,我写什么东西呀?一人在家里,把自己给隔绝了。

马原:赚钱恼火。

徐星:赚钱也不恼火吧?那过程挺好玩的吧应该?我看朔儿写的那个东西,怎么挣钱……

马原:不,他那个是另外一回事儿。我说就专门去赚钱,就做其他赚钱的事情,专门去赚钱。人家写作本身就赚钱了。

徐星:那是你不了解王朔。他写东西以前赚(过)钱,那个……

丁天:赚得着啊?

徐星:赚着了。

丁天:是吗?

王朔:肯定挣钱不如花钱乐呵。你(说的)就是挣钱的时候对钱的看法,和你花钱的时候对钱的看法,可能还不一样呢。有钱当然花……

徐星:这钱的意义,这两年变了。真的。从前吧我觉得,说没钱吧,好像都没钱,就是特自然。现在好像说没钱有点儿……这人可能有点儿弱智吧怎么能不会挣钱?有点儿这个。

陈村:从前还有一个,钱真是没用。比如说你要买个照相机,它没有照相机,它要凭票,它要什么的,那么你就有钱也没用。你要住宾馆,宾馆不让你住,要介绍信,要护照。那么你现在钱有用了。而且以前人都是赤贫,就是从国家主席啊,到那个什么伟人的儿女吧,都赤贫,都差不多的生活。那么现在那个生活距离拉开了。而且评判人呢,都很难。说你徐星智商一定比王朔高，那很难说，你怎么证明？

（镜头左摇到徐星）当然它就有一个……（AATON 第十二本第一条同时录下陈村说这段话的正面镜头，时长：36”）

徐星：你怎么就证明不了我智商比王朔高呢？

陈村：那么它就用一个非常俗气但是也非常方便的法则，就是说你有多少钱，你有一尺还是半尺？王朔有一尺，那么你就比他差一截。

王朔：那都（是）俗人那么判断。

阿城：那以前也不一样的，一个部长的儿子……（众人说话，杂乱）

吕乐：还回丁天这块儿啊，我觉得他自己吧，有点儿像林白这个，（镜头右拐回丁天）怕被这个社会丢下，有这么一个心理在里头？

王朔：不是我倒没有（觉得）。我倒觉得他这个想法跟我（在他）这个岁数的时候的想法是差不多的。（当时）我觉得我得先有钱，我才能摆正很多事儿。而且那个时候物质生活是有魅力的，就是你没有这个东西的时候。

（镜头左摇至徐星、丁天；AATON 第十二本第三条在录王朔说话的镜头，时长：57”）

真的，我要有一车队，我可能不喜欢开车了，但是没有车的时候，其实挺愿意有一个车。因为占有物质其实有快感，那个快感我觉得，就在身体上，它的那个程度不见得会比你欣赏艺术得到的快感少，或者说质量低。我觉得倒不见得，就是好像物质和这个，和这个什么，好像有点过分对立了——和这个所说的诗意，是吧？所以，好像我们物质越丰富，诗意会越来越少啊。现在大家都这么，好像都有这么一种看法，在好多地方。但实际上我觉得，反正我觉得，咱们小时候，我小时候是一个相对贫困的年代，也有诗意。但是相比，两个时代比，我觉得其实倒不如现在诗意多。要是我现在是一小孩儿……可能（现在）好多小孩儿的乐趣我不知道。我当然在这个时代也是越过越不适应。那我觉得是因为我年纪大了，（现在的小孩）他们丫那么乐呵，穷乐呵，我觉得没劲。

徐星：这就是二十多岁的时候吧，就特焦虑的话，觉得好像那个事儿特多，然后天天发愁，没钱也是事儿，没女人也是事儿……

王朔：因为我觉得，现在肯定是有钱的人那个，比过去那个有钱的人多了。因为过去，（刚才）阿城说那个，我觉得特别对。过去咱们好像是（都）穷，但是中国社会等级比现在要严重。那时候那官儿，那还能看吗？

（镜头右摇，能见到天麟拿 AATON 拍摄）

他对普通人民群众的蔑视是全面的，政治地位、经济地位他都是优越的，他工资高。

（注：差一个第十六本，没找着，我也忘了怎么说到妓女那儿去了。）

纪录片部分第十七本 [535]

时间：1999 年 11 月 8 日

地点：桃园宾馆主楼三楼会议室

景别：室内，日景

主要人物：王朔

语言：

王朔：我接着说？

吕乐：还是一个我觉得你说三十岁以前和四十岁……

阿城：他刚才说到鸡和白马王子的区别，挺好的这个。（陈晓给王朔上茶后站在右后方）

王朔：鸡其实很堕落，但是她（应该）只认钱，做一下鸡，给了钱就完了。我那个朋友在当地，他是包了这女的，（陈晓自右至左走出）他包了三个同时，都是他供着的。按说他们俩关系很清楚，就是金钱关系，谁谈爱情谁傻 ×。这是这么一关系。（陈晓端茶杯从左进，至右后方站立，喝水，听）那女孩儿是一四川女孩儿，丫就爱上这哥们儿了，这就太可怜了，悲惨至极。少女失恋那算什么呀，站在街角笑嘻嘻，（陈晓从左走出）最后还可以……

马原：妓女？

王朔：她，她犯了大忌了，她妈的，她谈恋爱了，双方极其尴尬。

陈村：坏了行规。

王朔：旁边一女的坐在我这个朋友这儿，他一拉手，（这四川女孩）她旁边儿掉眼泪了，所有人特别尴尬。我觉得，那是纯情啊，言情小说！所以我看到有很多喝醉的人，狗子，甚至那些吸了粉的人，我觉得，他们丫显得特别单纯。就是有特别大的诗意！比那个，我觉得正常的状态下人的诗意——实际上一谈到诗意，似乎就有些做作了——只有他们可以谈。我看那个，有时候在那个国外的酒吧里，看到有人吸完毒以后就，台阶儿，他倒着躺着，所有人都从他身上迈过去了，丫就横着那么躺着，丫完全不知道哇。叫咱们看着跟野狗一样，可是我觉得这哥们儿挺舒服，丫不定舒服成什么样儿了，不管你们丫怎么着吧。所以我觉得那些东西，有些东西是要极致的堕落才能得到这个东西。我总觉得我这辈子，目前我没有体会到那种极度的诗意。那个东西，我觉得需要生理刺激。我看他们丫唱歌的，有时候打了一针，那真不一样。我又看最近街上卖那个村上龙《近乎无限透明的蓝》，那哥们儿绝对自个儿扎针儿了，那写出来的文字感觉，我觉得我想象不到那文字之间能那么写。他眼中看出那些东西来，那是吸毒之后的。甚至不是也有一种说法，就是迪厅实际就是吸毒者的幻觉做出来的。那所以我觉得，我现在觉得，我因为活在这上，在这生活里，有一些社会负担在这儿，我还不能谈，我觉得我还没资格儿谈那诗意。就是，其实过的是日子，就你（和别人）没什么特别大的区别。完了当然这个社会我原来是如鱼得水的，我中间有一段儿是如鱼得水的，小说也发了，但是实际上那个过程中，就挣钱也好，出名也好，过程中实际上有很多妥协的。就是说不是说谁强迫你妥协，就跟说我做了官不自由，大家都会觉得他有点儿装孙子啊，就是你要做这个只能付出这代价。

比如说那写小说，你说我完全不管你们怎么想，可能有这事儿，但是恐怕你不敢这么做，你还恐怕就想想我怎么这下就挠着他们的痒痒肉，他就乐。开始写的时候，可能是一些自然的过程，到中间的过程中会有一些算计在里头。这个东西肯定是有害的。但是我当时也是需要这个。因为我觉得，像我，从小，有一种傻 ×优越感，实际上后来发现，其实屁都不是。在这个国家，你完全处在一个，没你丫什么事儿，在里头，你纯是跟着哄的一位。赶上现在，后来就，你可以靠自个儿活着，你说你怎么证明呢？那你必须，肯定挣钱是第一个想到的，就是说，我不能比你没钱，钱其实是能给人带来很大自尊。其实快乐都是非常具体的，比如发一本书，吃了一顿好的，我当时认为幸福的标准特别简单，就是吃一顿好饭，看一场好电影，认识一好的妞儿，我觉得，这一天也挺完美。

那到，我就刚才说到三十岁之前四十岁之前，到四十岁的时候，然后在美国，阿城有一个朋友叫顾小杨，他那会儿是刚到四十，天天说他妈招谁惹谁呀，奔四张儿了，招谁惹谁了，四张儿。当时旁边有一个，还有一个上海的朋友也说，我呢谁也没招，也五张儿了。当时可我差一年四十岁，我都没那感觉。等我去年，到四十了，一下儿心态大变。心态大变是什么呀？我觉得，我看那社会我处处看不顺眼，我觉得红尘万丈啊！街上走的人我觉得，你们丫美什么呢？我看到一些，别说20世纪70年代的作家了，20世纪80年代有一批小崽子就出来说，我们比上一代人牛×多了，我们早就明白了，我们现在吃麦当劳，我们听这个听那个听音乐。(我)觉得你丫真傻！我觉得就是这沾沾自喜。我倒不是说人不能有钱，有钱就容易学坏，或者有钱道德品德一定降低，品位就降低。我是觉得现在这个有钱啊，或者说有一些时髦的东西，有些时尚的东西，其实是没有什么特点，没有个性的东西，比如说那些名牌，那些发型，那种酷，其实全世界是一样的。他们丫就觉得特别沾沾自喜。这个，我不是说他们不对，我是说我心态改变以后，我看他们是这个。后来我想了，我年轻的时候，那帮老帮菜瞧我也不顺眼，也觉得我不是东西，你丫这是什么呀？你觉得好的我们都玩过了，那时候他们这帮老帮菜在上海说，我们20世纪30年代这个那个的，就说一堆乱七八糟话。他们完了之后，我想这可能每一代都这样，到了岁数，看下面，就不好看。下面的，(刚)把上面瓴了，没两天(再)下面的又开始，脚尖儿顶着脑袋瓜儿就上来了。谁一辈子都踏实不了！

那我能不能客气点儿啊？明白道理不是？不是(都说)认字儿的人懂道理？能不能把心态放正点儿啊？对这个，对社会上的事儿宽容点儿啊？对年轻人提携点儿啊？我想那我得捏着鼻子这么干。就我心里不会舒服，是跟我本意相反的，我才会这么干。那我干吗强迫自己呀？我，人(只)活一辈子，我给你们丫得罪光了算了。我现在这么想我就这么做。我现在确实也认为钱不重要，钱不好，钱不好，就是说，它和那个(诗意)就是(打架)。因为我觉得这个有钱你得多有几年钱。就是，这个我估计我以后可能会越变越保守，但是，但我就决定就这么下去了。因为好在有一条，我觉得有一个底线在哪儿啊？我没有权力。就说我没有能力看谁不顺眼我给你丫灭了，就不许你这样，给你弄死什么的，都不可能。所以我觉得我可以保持自己的这种，这种我是什么样就是什么样(的状态)。

那我觉得现在的社会，我觉得那种所谓诗意，诗意它必须得有空间才能存在。其实跟过去比，它就是有空儿了。我可以在我自己这空儿里发疯，影响多少算多少，影响不到，其实人家忽略也可以，没事儿。我觉得过去咱们是不允许你这样儿的，都是人家要把你往一块儿捏乎。我觉得我现在，说来说去，我刚才就，我没想到现在社会是不是时代比过去更有诗意，但我现在好像得出结论，现在好像比过去更有诗意。因为它还允许诗意存在，你不管是什么样的诗意，都可以存在。所以我觉得，还是这句话的，还是(比过去)好的吧。现在，我愿意中国变成一个像新加坡那样的，就是那样的国家。因为我觉得，变成那样的国家以后，我会显得非常重要。那个，因为那个时候，因为新加坡，香港人实际上是我瞧不起的人，我觉得他们是一些，就是动物一类的人，就是只会进行一些感官上的享受吧。

（第十七本完）

（注：换片子这中间说到监狱，大意说住在监狱里的人也有

自己的乐趣和诗意。)

纪录片部分　第十八本 [353]

时间：1999 年 11 月 8 日

地点：桃园宾馆主楼三楼会议室

景别：室内，日景

主要人物：王朔

语言：

王朔：我觉得好，就是那种快乐都已经有了，跟外头是一样的。你们哥儿几个拿我(当人)，我就觉得活得很有价值，忘了外头还有事儿了，乐不思蜀在里头。所以，哎，我怎么又说上了，我没话了我。(众人，杂乱)反正那就那么说吧，就说不管什么样的生活，诗意是肯定存在的，就是你可能是大家不喜欢，或者不习惯，或者说看不到，但是肯定是存在的，就是以各种不为人察觉的方式存在着。我们家周围有一哥们儿，他，我觉得他可能生活很苦，就是普通工人，一月挣两百多块钱，两口子，四百块钱，在北京生活，那个压力会很大。我看天天在家里乐呵呵的，喝着二锅头，唱着小曲儿，当然那可能是快乐了吧，也许可能被文人看……(众人有简短插话，不清晰)其实就什么都可以……

阿城：什么都可以，但是呢，你如果说，现在你感觉哎呀，真有诗意，这一定不是诗意，那是别人看你，噢他挺有诗意的。是这样。

王朔：所以山水之间，我其实看不出太大诗意来。就是那种可以令人吟诗的那种，说我得说一段儿，得唱一段儿，那个感觉我没有。我觉得基本上是，不是什么大触动，就是看它好看，好看就好看吧。所以可能就是说，它不见得是最后一定要形成诗

(意)吧？反正就是说，我还是，我其实可能因为在城市这种，待长了以后，城市的垃圾堆给我的感受可能更多一点儿。有时候我看那垃圾堆我觉得特别好看，什么都有，有各种，而且特别，就颜色都很斑斓，我就看。我听你们第五代导演说在城里就没机位，觉得不好看，大家东西都一样。其实根本就不一样。真的那垃圾堆里，塑料袋儿的颜色都不一样，包的东西，用的程度全都不一样，我觉得特别好看，有时候看半天。所以我是觉得，人得沉沦到极致，就是说刚才说，有钱之后你可以蔑视钱，有了一女的以后你可以不喜欢她，那个就是诗意恐怕也(是)，你得落到底，可能那个诗，就是真正的诗意是在那儿呢。就是把自个儿摧残到底，身心全部降到最低点，而且一定是要不道德的，就是在社会层面上是不道德的，是有一个天然的社会谴责在那儿，这个视你为不道德，视你为什么，把你压到那儿去。因为我觉得社会的承认和社会地位都是有害的，对于体会诗意都有害的。那种时候你真的是会接受，对社会某些流行的东西就接受它一部分了。哪怕是说话的方式。其实你比如说，咱们见的人多，但只是说朋友之间说话就无拘无束，但(凡)是它有生人，或者大家拿你当一人，你想那你们拿我当人我得拿自个儿当人啊，我说话我就得，好像就是先得按一种习惯方式来表达一下，好像说过了一点儿就对大家就有歉意，就觉得好像我不该这么讲，我这么讲好像对别人是个冒犯。所以，但是我觉得，这种东西一出现的话，就谈不出，我觉得就不可能再有类似于诗意的东西了。所以我觉得恐怕还是得，自个儿跟自个儿弄吧。就是，肯定是好日子和它是相反的方向。

吕乐：那你说掉下去还回来吗？

王朔：不回来了。你诗意在那儿，你回来干吗呀？过平

（常），日常生活吗？当然年轻的时候这身体很重要，我现在不，所以我打算七十岁过一种有诗意的生活，天天（混吃等死），而且我跟谁都没有利害关系了，具体说我跟女性都没有利害关系了。我七十多岁了，我看她我就可纯粹地看她，我不想别的了，我摸摸手，行了，挺好，就完了。我觉得那个时候，可以变成一个纯粹的欣赏者和体会者。你现在总情不自禁想当一个参与者，那我觉得，一行动起来，我觉得好多美感就没了。所以这是我觉得我现在要，要先把俗人做好，然后到岁数，就，玩那个……谁不会呀？拿自个儿不当东西，毁自个儿。而且，而且我对一句话特别不服气，他（们）说中国净诗人自杀了，作家没一个自杀的。我想我，我挺不服气，我想我给你们丫破个这说法……我想这搭的东西太大了。

陈村：上了他们的当了。

王朔：对，我成全他们了。

马原：这口气不斗也罢。

王朔：不斗也罢。但是我准备我八十岁的时候，我我，我一头撞死，我这算不算自杀呀？我最后给自个儿一下。

须兰：然后（大家）说王朔变成诗人了。

王朔：他们那么说？那他们太孙子了。我那时候要有胆儿，我就豁出去给大家添一大堵，我挑一高楼，当街跳下来，拍死在这儿，让你们丫的恶心好多天也行。我我我，那会儿，因为我觉得，我不知道那个怎么脱离现实，但……

吕乐：你刚才说那个还是回忆当中，年轻的时候是个回忆，但过了……

王朔：我说的是这过程，这过程，我不是说回忆，我不是说那个时候更有价值，或者说在回忆中更有价值，我觉得那都无，不重要。因为咱们现在是每一秒时间都在过，你肯定都是对上一秒时间的回忆，回味，或者说什么的，那个东西都不重要。就是，也没有说哪一段儿生活更该过，其实我现在觉得我现在活着没什么目的，但是我现在觉得，你们今天提醒我了，就是应该寻找诗意的存在。我原来觉得那是一堕落，我现在觉得好。因为在正常生活中，没法儿体会那东西。就是你没有机会脱离现实。做的梦，梦里有一些，其实因为你看这梦，梦里其实可能有一部分超现实的东西。我说老实话，我这梦里甚至有些知识储备，我有些东西是在梦里学的，就梦里，有的句子就在梦里造的，真的，就是……

马原：真的，他不是说瞎话，我就有这种感觉。我，我这些年写不出来东西，后来我发现啥呀，我都有十来年不做梦了。

王朔：我跟你说我正经做过一个完全的法语的梦。我不懂法语，梦里我就胡说八道，但是我意思我全明白，跟人说话，这那的……

马原：带字幕的是吧？

王朔：不是，就是大概都懂，但是一睁眼我就，我在梦里觉得这是法语，我懂，但是一睁眼全忘了。就是我觉得有好多特别有意思的，而且它，你知道为什么我觉得那，那是一外语呢？它的表达方式不一样，跟汉语不一样。可能不是法语，但是我在梦里觉得那是法语，而且我说，还沾沾自喜，我怎么会了，没学过呀。它有一种特别怪的那个表达方式。我不知道那是不是法语，反正肯定不是汉语。所以我觉得除了这个机会，那平时没有机会脱离现实。

吕乐：颓废才有诗意。

王朔：你可以这么说，或者说颓废到底才能见真诗意。你理性存在的情况下，不可能看到什么像样儿的诗意吧？都是一个被训练过的一种看法和一种自己，自己跟自个儿较着劲，反正就是说凡是理智牵引着你的时候，你肯定体会不到那种感觉，再一表达，那中间就掺了很多那个东西在里头了。就不是那种不可言说的东西吧。不可言说的东西那确实得是，人不可言说的东西你（想）都想不到，它那东西完全，给你弄蒙了就，不是一回事儿。或者是疯了。我有个朋友小时候也是被冰雹砸瞎一只眼睛，然后就……1968 年北京有个……

陈村：冰雹怎么砸？

王朔：这个你就不知道了，1968 年北京下一场巨大的雹子，树，全都重新开花。我们那哥们儿在海军（大院），看演出去了。那天那云彩真怪，火烧云，特别可怕，我是一什么事儿都凑上（的人），那天好像海军（开）“三代会”，那个积极分子毛泽东思想“三代会”，哪儿来歌舞团跳舞，我那时候性感的场面在哪儿啊？就是舞蹈演员身上，小裤子都是合体的，不是大裤子，我准备去看美人腿，一出门儿给我吓回来了。就是天上这云彩可怕，特别狰狞的，特别鲜艳，艳俗的那种云彩，我这他妈，这是要下什么呀？咱见过下雨下雪，这是……就我就傻了，我没敢去。我就说回家打牌，不看也罢，别不知道要出什么事，就感觉要出事儿，反正那感觉，极其，就天空中就有一个特别不安的，惴惴不安吧，那叫？就是我那小哥们儿，就是住我们楼下的去了，特别漂亮一个男孩儿。去了半道儿上就狂风大作，然后那个玻璃全部打碎，就是，这哥们儿就拿着伞往回跑，所有的海军全给砸昏了……

（第十八本完）

（注：没了。后面聊的是没录下来还是没给我就不知道了。

大意是说人疯了也就有机会体会到诗意。)

纪录片部分第二十八本 [535]

时间：1999 年 11 月 8 日

地点：桃园宾馆主楼三楼会议室

景别：室内，日景

主要人物：王朔

语言：

王朔：这电视啊，最早啊，我是把它当一广告看的，就是说跟我的关系啊。我觉得过去电视它比较重要，是电视剧好像收视率比较高，其实这些年倒不见得了，像我就不大看电视剧了，(只)看那些访谈节目啊什么的。当时我确实是有意识地利用过电视，我觉得那个电视剧你要参与它的话，是可以借助它给自己带来一些名声。这个我当时觉得真是这电视就是这么一个利用它的态度。我觉得电视它就不可能是一东西，我指的是电视剧啊。它那个，因为它的制作成本，完全受制于广告的费用。广告费用小的话，它就不可能无限制为了你想拍成什么样拍成什么样。所以它就要克制在成本之下。比如说在前几年电视剧单集成本不超过十八万的情况下，电视剧除了情景喜剧，别的戏基本不能拍了。但现在有些突破了，个别剧都突破了，不说了。而且它因为太长，一个四十集的戏，差不多六十万字，要在两三个月内搞完，靠一个人实际上根本搞不完，它就等于大家一起在弄这个电视剧。当然电视剧我觉得其实还有一个，就是传统价值观，(陈晓从右进，到左后方椅子上坐下)恶有恶报，善有善报就这一套。因为我觉得电视剧的普通观众大部分是女性和中老年的人，这些人相对来说是生活中的，怎么说，他不是生活中的得意者，就中国传统价值观有对人心有安慰的作用，那些东西他们很接受。你破了他那个(就不行)。它完全是一操作，我认为里头完全没有任何创作成分。

到今天的电视剧就更不像样子了，就是中国的大众趣味其实本身就比较可怜，所以他自己的趣味没有形成之后，就被那个港台的这些东西上来了。港台的东西我觉得，当然有些人喜欢它在那儿胡闹，认为总比板着脸在那儿说教好，可是我觉得，胡闹也胡闹得像回事儿，他们有点儿糊弄人在里头。当然我不看，我不作为电视剧观众的一分子，我觉得这对我也没什么伤害了，这都无所谓。所以今天要是说呢，而且我觉得电视剧，因为它失去它的，它虽然仍有很大影响，但它失去它的信用了，就你搞一电视剧，影响再大，能挣点儿钱，但是丢人。就我现在丢不起这人了。说你搞电视剧，那就不可能是好东西，就没有好东西，就是，而且一般人，真的，我觉得城市中最时髦的那一部分不看电视剧了，他们晚上都在街上在酒吧里，或者在哪儿干什么他都不看了。这些(看电视剧)的那些人往往是你不太需要的人，后来我甚至想到我的读者都不在电视剧的观众里。我在这，它对我的广告作用是完全没有的。那如果说电视剧要改编我的小说，我绝对不给他改，除非出天价。我觉得那个东西搁上去，它已经起不到有效传播小说。因为小说有一个，卖是一，另外呢也不能做得太寒碜了，就是电视剧已经有点儿过分了。

话又说回来说到这电影儿，电影儿我觉得在很大程度上好像还被中国人当艺术对待。但是这些年我觉得电影儿也都特别差了。电影我觉得，当然始终有人讲它没有形成一个独立的编剧队伍，它有点儿过分依赖小说作家。反正我自己的写作经验，这个小说跟电影写作是完全两回事儿，就是小说家不见得能成为好编剧。所以它就造成那种，就是编剧过程特别复杂，就是导演也不明白要干吗，编剧也不知道要干吗，大家就在那儿来回琢磨，这么来回一琢磨，这个编剧就给蹂躏得实在厉害了。反正我当年，这么有志气的人，都给弄得一点儿脾气都没有。后来我说我再也不干这个了。因为，我觉得电影怎么说，就边设计边施工，我觉得好的导演可能会，好的导演你要说把每个镜头都想清楚，那我觉得这导演也有点儿匠气好像，你要说每个镜头都不想都现场琢磨，我听到有的导演说，我就到现场琢磨去，那你就苦了那编剧了。所以我觉得这工作不能干。而且花的这个钱，就是，那原来有一阵儿我觉得，我得的这个钱，值当被人这么蹂躏一把，后来我觉得这钱不值当了。所以我觉得电影在某种程度上，它恐怕可能，就是假如说要是弄商业电影的话，我觉得中国现在的小说帮不了商业电影多少忙。因为中国的小说，我觉得好的小说大部分不是特别商业的小说，还是比较个人的。

而且呢，电影的那个导演队伍我觉得好像，它不像小说一拨一拨地出入，始终保持着一种特别的规模，特别整齐，而且是有一个频率在出现。导演好像也，我觉得也不太好，十几年就这么一筐人在来回折腾。那些人眼瞅着都奔五十了，老实说真的是越拍越差了。

当年的头角峥嵘的大师们是一部比一部格局小了，一部比一部小气。你说是本质化了吗？那就说明他原来就没什么东西。原来在，我觉得那个时候可能是文艺批评啊，思潮都比较明显，电影那个时候得到好评的有一部分其实也是非常迎合当时的那些时髦的理论呀什么的。我知道有几个电影就是这么出来的。它一出现马上被纳入到那种批评当中以后就得到很高的评价。

我觉得反正这个，我倒比较同意郑洞天讲过的那句话，中国电影恐怕还是得搞艺术电影。搞商业电影一点戏都没有。市场本来就小，就三四千万的这么一个盘子，你稍微地投资大点儿就盯不住了。商业上的东西，我觉得我们没有被，就是没有那么一批被商业完整训练、非常熟练的工匠在做商业电影。而且好像一个搞电影的人总还是有艺术梦的，他最后造成一个既不艺术又不商业在里头，骑在中间的比较多。所以我……

（第二十八本完）

纪录片部分　第二十九本［535］

时间：1999年11月9日

地点：桃园宾馆主楼三楼会议室

景别：室内，日景

主要人物：王朔

语言：

王朔：电影这是集体创作，可是受导演意志的支配。我见过有特别臭的导演，他把一个班子整个儿带坏了。我自己干过一次，我有感觉，各部门有的时候在集体创作中，我认为是一个互相减分的过程。互相增分的过程我不知道，我干那次是互相减分的。我原作就有缺陷，到剧本的时候又减了点儿分，开始拍的时候就又减了分。

那我觉得现在有人抱怨说现在小说不好了，所以电影不好了。那我觉得这是瞎掰了这有点儿。小说的创作水准始终其实是没掉的，只不过它里头有很多地方，有很多侧面在转型我认为。出现了越来越丰富的侧面，那么上了年纪的人他看不明白了，看不明白他就不可能利用他。因为过去小说很容易被利用，哪个小说一轰动，大家都知道，这个小说好，就市场上你就明白，天生有一批观众扑在那儿了。没看明白不要紧，有一批评论家你可以请去，花不了几个子儿，他就给你说了，你就照这个来，有很多是这么来的，这个，成大师的也有。到现在，第一，这个新小说年轻作家在创作，起码有一个特点我是觉得非常有意思的，那五花八门，别说你一个行外的，一个半吊子导演，就是专业的评论老腕儿，专门给人捧场，专门给人说去的这帮评论家都看不明白，这可就瞎了。他不知道，他再找个不着调的人，那就越说越乱了，那拍出来的就不叫东西了。有人是靠别人架着往上走的，这在现在(就不好使了)。

电影现在是死到底的东西我觉得，在这个中国的小说也好，流行音乐也好，什么电视剧也好，电视剧一片庸俗的灿烂，它还可以蓬勃继续走，电影是死了。要不然你就是最好的，你才能出来，中间混，没机会了。靠炒作，电影靠炒作还真大不起来了。就是《甲方乙方》，什么那个《不见不散》，根本就没赚钱。（郑小龙讲）《甲方乙方》税后利润七十万，那叫赚钱吗？还不如卖本儿书呢。（刘小淀讲）《不见不散》打一平手。这都在宣传上。我们就是关于电影有很多欺骗性宣传，就认为哪个是最卖，其实大家那里头黑完成本，纳完税，片商拿回来的东西，根本就微不足道。

所以我觉得商业电影在中国就没希望做。它就没有可能，也没有必要做。那只能假装，一个片子卖了，只能假装(卖得好)。因为这么大一个国家，也不能说我们这个电影就不拍了，那也不好意思。所以还必有些糊涂的生意人，每年都有些人刚刚发财，好这个，就给带进来了，然后骗一个算一个胡乱弄。

所以我觉得，拍电影现在是一个搞艺术的时候了，你在里头实际上没有什么巧可取了已经。作家也不会帮你的，职业编剧没有，您想拍什么，您先上来您确实得想清楚了。你指着天天去看杂志，看杂志说，这有一好的，我把这个拍了，不太可能了已经我觉得。这个巧取不成了。另外呢，胡乱弄个钱，就是大家一通炒作这个片子就假装成功了，反正这个那个谁也不摸底，只有片商吃个哑巴亏，也不太可能了。毕竟有个美国俗片在那儿比着（再一入关，大批一进，一修多厅影院，你连档期都排不上）。那你恐怕就是要走国产艺术电影的路子。成功就在小观众群里成功，或者在电影节成功。

我觉得中国的电影观众可以放弃他们了。反过来说电影对文学也不重要了。原来我们好像有一阵儿很时兴（一种说法），电影一个导演把一个作家给改（编）了，这个作家就怎么着了。就这种情况我觉得（以后）没有了，再改也没戏了。就是（说），那这个互相利用关系我认为结束了。结束了以后，那就各自好好干各自的。

写小说的好好写小说，拍电影的好好拍电影。互相，我觉得是没有机会互相利用了。这个，这电影可能，当然商业片有商业片的操作，也许中国将来有一天能像美国那样把编剧彻底分工的，有写台词的，有写对话的，有写打斗场面的，也有玩幽默的，有专拟故事结构的，可能那时候能弄成那样。但是我觉得就中国的电影（本身）甚至已经没有财力搞这个了，就你得（先）拿钱养一帮人，不是说写一个就一个能用的。

纪录片部分第三十本 [535]

时间：1999 年 11 月 9 日

地点：桃园宾馆主楼三楼会议室

景别：室内，日景

主要人物：王朔

语言：

吕乐：杂志。

王朔：那我现在说什么呀？

吕乐：好莱坞，你怎么看好莱坞？

王朔：好莱坞的电影，那当然它非常商业模式，而且我觉得没有人能学的。就是香港勉强地攒出一套商业电影来。像它那种的，那个电影，那当然它纯粹以票房定胜负了。电影本身，那我想都是非常模式，它也没有什么原创性在里头，反正它大概齐，它那个我觉得它那个完全是为人民大众服务的，摸一下大众趣味，然后这么来，成功以后就不断地这么来。分成类型，它那什么科幻片呀，惊悚片呀，浪漫喜剧呀，它都每年这些类型都要走一遍。也许今年恐怖片好卖，那就多拍点儿恐怖片，明年浪漫言情喜剧的好（就拍浪漫喜剧）。但（每年）每种类型肯定是都有（一点）。这个我觉得中国谈这个已经没有意义了，学也学不来了，因为美国电影它有个模式它有一个，还是崇尚个人的，就是英雄也是个人英雄。我们国家说个人英雄？说恶势力都是政府都是社会，就他一个人包打天下，这样的美国模式在中国也不太可能。这在中国背景（会被人讲）有很多（反）社会色彩，本来是一通俗片儿倒变成一政治片儿了。所以我觉得这种电影在中国也不可（能出现）。那我觉得，那中国我觉得只有走两头儿了，一是港台那种庸俗电影，因为这种合流趋势已经很明显了。香港电影烂掉了以后，他们的制作人员，一部分资金都竞相流了进来，它接触内地的一些人员啊，资金，反过来，它要靠内地市场来支撑它那个港台庸俗电影了。港台庸俗电影，它在电视剧上在电影上，现在（和内地）都是合流的。内地主要的每年开拍的大戏，那些电视剧也好，电影也好，都是中港台三地人员，三地俗人大合作。这个好像已经，就是(港台)它的二线演员，基本上都靠在大陆吃饭了。

那剩下的(第二条路)，我觉得本土的电影，那我觉得就只有走作者电影这条路。那就是说，比如说我将来也，我也想将来我可能还会拍一两部电影。那我想我拍电影就只能是为自己拍了，就拍一好玩儿的。就是可能，我想任何一个好东西，其实我想越独特的东西它实际上还是会有特定观众群的。这个就是你创作过程当中，你自己有愉快之后，也不见得就没票房。那我觉得有很多中国被骂成专门给外国人拍电影的一些导演，在欧洲上电影节拿奖的，我知道有的人呢，那个那个片子因为它成本低，它实际上是赚钱的，比在中国搞一商业片赚钱的那个利润率还大。咱就说张元，那电影，他没少赚钱也。所以反过来说，我觉得，就说中国电影，我这成车轱辘话了我。咱还是说杂志吧。

杂志，杂志说老实话，我不怎么看。有时候看，就文学杂志我看。因为我干这个我得看。我得都知道大伙儿都跑哪儿去了；大伙儿都跑多远呢，这我得看看，然后(知道)还有哪个空儿没有人，没有闪动着活跃的身影，这个空儿还是有。另外我觉得文字它本身也是一种非常带试验性的东西，它每年其实(都)在不断地丰富，我指书面语都在不断地丰富，不断地发展，能看到那样的发展的痕迹，对我写作有技术上的支持。这个文学杂志看看对我来说是专业需要吧。我觉得中国文学杂志啊，都说文学不好了，文学杂志少了，其实真的是凭心说，没少，没少多少，还是全世界最多。那个里头小说也(还在)大量地发。当然我希望(文学)杂志多，如果文学杂志能维持下来越多越好。因为实际上文学书不(好判断)，我到书店里经常不敢买小说，不知道哪个小说好。杂志呢就比较简便，它的容量小，我大部分小说都在杂志上看。我就是每个月，每两个月买一批，文学杂志少的话，我觉得我，可看的东西就会少。

剩下的杂志，我印象里一般的报亭一片花绿，一个封面上站着一女的冲你笑。里头一看全是……那里头东西不太好看，就是，因为它们大部分都是，现在好像那种真正的，有魅力的演员也好，歌星也好，不太多。都被这个商业化以后把她们弄得都非常千篇一律了。要么扮酷，要么就是扭扭捏捏地扮纯情，反正大部分就是这么几类，在上头作时尚状，头发什么梳得(神头鬼脸)。那些东西其实都是形式上的变化。而记者的水准呢，我觉得大部分采编记者，水平不行，因为可能因为商业文化需要他们大量地制作，他没有机会好好写这种东西，他就胡乱写，他就能发。我想，我对那些杂志，那些大部分流行杂志的看法是，不是给我看的，所以我不看也正常，它呢另外有人看，所以对我来说，那个东西不是我生活中的一部分。

吕乐：要是让你写呢？

王朔：我，说老实话，我这骂金庸的本来就是，是一个他们要办的一个，牛群办的一个“名人杂志”(约的稿子)。是一个非常这种娱乐型的，它里头有各种他们互相捧场的玩笑话，本来说让我在那儿开专栏，后来我写(完)了我怎么都觉得不合适搁在上头。因为吧，它那个东西，怎么说，就是娱乐的色彩太浓了，太重了。娱乐不是说娱乐就低一级，说我让大伙儿高兴了我低一级，不是。但它是要你们为这娱乐付费的。我让你们高兴了，你们掏点儿钱，掏个一块两块的，这里头带有很大的赢利色彩。中国人嘴太坏，我要是在那儿登了，肯定要叫人说，你丫拿金庸挣钱，这个人我丢不起。他不会看你写的东西到底有没有观点，他先往坏处给你一通瞎说，给你，给你说寒碜了，然后……所以，这流行杂志我有这忌讳，我不愿意在那上头。而且我觉得大部分现在的小，就十几岁的那些看这些流行杂志的这些小孩儿吧，他们刷刷，我在路边看过他们翻杂志，拿起来刷刷就翻，他不读字儿，他看图片，所以我觉得字儿搁上去有点儿糟践。你费劲扒力地写一东西搁上去，他是一翻而过，他看的是那些衣裳，看的是品牌。这些杂志有个趋向，就是它越来越图片化。你像牛群他们办的那个杂志，百分之六十图片，剩下的文字都是图片说明。像那些，有些时尚杂志有时候也说，你能不能给我们写点儿，我心说但是问题是，我到那儿我实际上是一摆设我在那儿上。我呢，自认为是能跟人民群众打成一片的人，但是(时尚杂志)它那个，我确实我觉得，我不愿意跟它们摆在一起。因为它那个，就那种杂志我觉得大部分都像那个女孩子的卧室似的，摆了一些见不得人的东西搁在上头，看似漂亮，（其实)见不到什么(真)东西。就是整个，就是说，记得川端康成形容说一个妓女的家就说跟一狐狸窝似的。它们(时尚杂志)吧就是一狐狸窝，那(些)个女性杂志软性杂志往往体现了这种特点。我搁在狐狸窝里？我觉得丢人，这是我的态度。

吕乐：你刚才说到经济上面，这个挣钱，在杂志上面，电视剧其实也是挺清楚的，每一集挣多少钱，影视的。

王朔：是啊，电视剧，因为电视剧制作我也参与过，里头绝对是冷酷地计算。就是可能明明这个演员比那个演员好，但可能每集他多要多少钱，我不能付这钱。因为中国，中国人是没搞过这个，但是港台和西方电影进中国的时候他都做过市场调查，中国哪个演员有票房号召力，没有，一个都没有，就是大陆演员。没有一个觉得(可以)说，观众会冲他去看。就比如说美国(香港)演员都是可以量化的，什么他是几千万，他是几百万票房，他是可以量化的。可大陆演员没有一个。说，比如说姜文好吧，我用姜文，我保证有两千万票房，不知道，也许会，但不是说板板儿，只要他一拍就有两千万票房，不一定。葛优好吧，也是，不一定。葛优现在越来越，这个我觉得必须得是同一类型电影才可能出来这样的，比如说葛优要专拍北京这种大俗喜剧，他在北京大概能稳定一千万票房，也许可以。但在全国就难讲了，那他就会出现（这种情况），在北京一千万票房，在全国收五百万，里外里合在一起，就成这样了。

（第三十本完）

纪录片部分第三十一本 [535]

时间：1999 年 11 月 9 日

地点：桃园宾馆主楼三楼会议室

景别：室内，日景

主要人物：王朔，林白（第二板）

语言：

（断一次，重开机）

吕乐：明星呢？

王朔：就说没有，但是可能将来会有。咱就说赵薇变成了一个，她是显得有票房号召力的。那我觉得这个东西在商业上都应该量化。就说应该有一个就是长期定点跟踪（调查）的。就比如说，包括在我们小说家里面也是这样的，每一个作家到底有多少读者，他的读者群分布是怎么样的，这个民意测验应该做。我觉得可能是有好处的。再商业的电影，它也是对特定人群的。我想好莱坞的电影，它不同类型的电影它也有不同的人群，比如暑假，对学生他拍一类东西，对那些什么卡车司机那些蓝领的来一档，他还是做一个（分类）。就是商业也不见得就是说，人民群众是一个整体。人民群众一说起来好像全是一个样，其实我觉得就在低级趣味中也有不同的低级趣味。有的人就好这个黄色的，有的人就好这个打打闹闹的。我觉得我们现在市场化这个第一步缺这么一步，所以等于大家全都昏在里头，蒙着来的。制片人永远说自己的片子赚钱，演员永远说自己受欢迎，那编剧也在底下互相吹，你一万，我两万，他三万，就是都不知道谁应该值多少钱。假如商业化操作，我觉得商业化最关键就是，大家谁值多少钱应该弄明白了，量化，弄不明白你就有可能，就是这中间乱了行当。你本来是，你追求利润的时候我觉得你会找错人，就是对这个操作。不见得会好。所以我觉得电影，商业电影，商业电视其实失败的比例，和成功的比例是九比一这样甚至更大。它不是商业化。商业其实是很计算，要有会计在里头算。

（第三十一本第二板完）

| 何东提问 |

何：一两个月前，我还听别的朋友谈起，说你最新创作的一部长篇正卡在一个坎儿上，后来几次碰见你，也感觉你心思全放在写小说上。可没想到你后来这么快，就把新小说的第一部给完成，并交付了出版社。那我首先想问你，你是什么时候开始打算写这部长篇的？又总共用了多长时间，才完成这部小说？

王：1992 年就动笔写过，没写下去，以后心有点涣散，不务正业，就拖了下去。每年想起这事，也写一点，始终没找着合适的形式，感觉也过于纷乱，加在一起大约开过二十多万字的头，都废了，没进行下去。直到 1997 年，上帝亲自出面干预了，把别的路都给我堵死了，我只好老老实实坐下来写小说。说来我这人也有点儿贱，非要走投无路才认真对待自己，但凡有机会，就要混。当年我走上这条路也是基于这种处境。别人听是矫情，其实我的意思是说，写小说是一个人的最后手段，什么都没了，这东西还能支持你。我这不是自嘲，而是抬高自己，这种心情写小说总比拿小说当敲门砖那种写作动机要高级一点。我认识的写得不错的作家，大都与现实格格不入，没几个是到处吃得开的人物，我想他们之所以拿起笔，一定也曾面对绝境。这是我的一个迷信，不到万不得已，写不好小说。

现在成书的这本小说写作时间是 1997 年 10 月到 1998 年 10 月，差不多一年。本来也没想就此结尾，只进行到预想的一半，已经二十多万字，怕太厚，干脆一分为二，余下的另外成书得了。我自己是把这本小说当做要写的这个大长篇的第一章。一章就二十多万字，也是没想到，全写完恐怕也该死了。

何：说起来很偶然也很碰巧，我在出版社见到了你的小说原稿，在得到编辑允许后，我翻看了前几十页内容。虽然只读了那么一点，什么问题也说明不了，但从小说的名字，还有我读后的直觉粗略印象，就是它的朴素和平常。换句话说，我首先感到了行文的疏松和流畅，它让我迫切地很想读下去。

可现在有好多长篇小说买回家之后，让人不能卒读的原因，就是它们即使从文字表面上看，也是非常紧张和压抑的。那么在你创作这部新长篇小说时，是否有某种反刻意、反经典、反时髦的意向？

王：倒没刻意反什么，顾不上。要说刻意，也不过是刻意和自己过去有区别。我最想的是给自己一个变化，若无新东西，我自己也觉得没意思。一个小说有一个小说的路子，像一个人有一个人的相貌。我找这小说的相貌找了好几年，好容易找到了，没想过多么与众不同，只觉得这是唯一合适的，即便落入时髦什么的，也只得如此。如果你觉得它没那么紧张压抑，那大概和我写作时的心情有关，写小说这一年我是常常处于喜悦当中，有时还自鸣得意，得意自己还没失去对文字的驾驭能力。前些年，我差不多以为自己废了，像伤了手的弹钢琴的，对自己否定得很厉害。

这次算得上瞎子复明。

何：你现在完成的这部小说，是不是你原来在《我是王朔》里说要写的那部《残酷青春》？还是一部和过去所说、过去所写完全无关的新小说？它和你过去的小说，有没有创作上的连续性？

王：是那部到处张扬过要跟《红楼梦》和《飘》一拼的小说。我是把标准定在不能比它们次的水平上。《红楼梦》是经典，《飘》是流行之王，都是我们学习的榜样。我当然不能把标准定在《废都》和张爱玲那儿。做到做不到是另一回事。取法其上，得乎其中，也很可以了。我还就这么想了，不要脸就不要脸了。但不叫《残酷青春》这名字了。这名字现在看有点顾影自怜，又没逃过荒又没判过死刑，倒霉净是自找的，何残酷之有？可悲可笑再加点可耻，而已。所以还是它，但名字没有，我是说整个全书没名，等最后完了再说，也许有更贴的，没有，那就算了。照这个写法，一百多本也没准儿，谁还关心它整个叫什么呀。

这小说跟我过去那些小说还是有一定关系的，主要在人物线索上。我是写自己的那类作家，俗称不大气，视野局限在个人一己之私的。我也没比谁多活一辈子，再写，还是那筐人。过去，写得太零碎，仅仅是一些侧面，也不免情势所限，忽略了很多，夸张了一些，歪曲了大部分真相。我的想法是这次把我过去小说中的人物统统集合起来，给他们当然首先是给自己一个重新做人的机会。我觉得这很有意思，像又活了一次。重新目睹那些发生过的事，又和老朋友们在一起，真是百感交集。有时我觉得自己像在写遗书。

何：你以前出版的四本《王朔文集》，我全都认真读过，有的还不止看了一遍。像《空中小姐》，即使今天在我看来，也是少见难得的一篇纯情小说。像《过把瘾就死》，其深刻也是今天许多爱情小说所不及的。可后来，到《顽主》，你的写作风格又完全变成了另一种风格。那么在你新创作的一部或是一系列小说之中，是否又将采用新的写作方式或说有什么风格变化？如果有，又将是一些什么新变化？能否先向读者透露一二？

王：风格？这个词经常叫我困惑。老实说我不太想这事，这是非人力所能左右的，我倒想要约翰勒卡雷那种冷淡的英国风格，可是学不来。说到变化，我知道的是口语少了，书面语多了。这也不由我，活泼的口语大都出于少年之口，我不年轻了，强做少年状也可怜。中年了，还是稳重一点，描情状物准确一点，可能有点啰唆，有点伤感，青春一去不复返了嘛。我以为这情调是适合回忆一类故事的。我的同龄人应该都正经点儿了吧。身体再结实，也该看到自己生活的尽头了吧。前些天我往电脑里录资料，看到一些过去的报纸，上面有一些我当年的言论，看时觉得特别好玩，真是一些狂话，根本不考虑后果和对别人的刺激，难怪当时惹得有些人那么生气，我现在看也觉得这小子太不是东西了。那时年轻，确有几分拿人不当人，你别让我逮着开牙机会，逮着就没好话，见四十岁以上的就灭。现在自己也四十了，说不了那些气盛的话了，开始学一些老谋深算，锐气是不复当年了，谁要还想看我的小说解气，浇心中块垒什么的，肯定要失望。

你们自己往上冲吧。

何：有记者访问你时，请你对自己的小说作一个基本评价，你说自己的小说写作，起码在当今中国作家里也是独一份，那你自认为自己的小说最大的独特之处又在哪里？

王：你是说过去吧？那还不明显吗？用活的语言写作，中国多吗？这不是狂话，是得天独厚。外省南方优秀作家无数，可是只能用书面语写作，他们那儿的方言和文字距离太远，大都找不到相对应的方块字。咱们要是拼音文字，恐怕这块大陆上的文学也不是如今这副模样，你讲话：紧张压抑。当然这事关国家一统江山大业，我有时觉得中国几千年大局不堕，实在有拜这方块字之赐。像欧洲，想说什么话都按音拼得出来，再出几个作家，都各行其是了。

独一份的关键就在这儿，我是用第一语言写作，别的作家都是第二语言。当然我也不是说满北京就我一人是作家。这里有三种情况：一、是被老舍框住了。北京话写作我以为开山祖是曹雪芹，二世传人老舍。老舍影响很大，距今又为时不远，很多北京作家学他，当那是正宗北京话。其实活在北京的人都知道那是老北京话，现如今只有胡同里的老人才讲。由老舍那儿可以看到一种语言从口传到成文到规范——从活到死的全过程。水大漫不过山，跟着老舍跑的，能出息到哪儿去？

二、人在北京也不说不懂北京话，两耳不闻窗外事，要不就觉得北京话土，不够雅驯，说话写文章也多用书面语，就愿意下这个工夫。这是一类。

三、被我抢在先了。到现在我还常在北京的酒吧里遇到愤怒青年，有意写作，跟我是同一副笔墨，遭编辑退稿，认为全国有一个这样腔调的也就够了。

另外，还有那组“顽主”群像，一般时评称为“痞子”的，我叫他“社会主义新人”。这两手是我的最大独特之处。

何：在中外作家之中，有没有哪位作家或什么作品，对你最初的小说创作，构成了很大的影响？如果有，是哪位作家或作品？

王：最初的？中国是曹雪芹和鲁迅，外国是雷马克和海明威。曹雪芹和雷马克是真正打动我心的，鲁迅和海明威是我觉得可以借鉴的，就是说前者使我不再轻视自己的生活，后者使我有了写作态度和书写形式。这是当初啊，后来大批中外作家不断影响我，这要开名单也很长。中国的，先是几个姓王的，王蒙王小波王安忆王山。王蒙的华丽文风，那种叠床架屋，一语多句，后边的不断倾覆前边的，最后造成多棱效果对我有直接影响，不瞒你说，我模仿来着，很过瘾，因为有时确实觉得一言难以穷尽，有时又觉得下什么断语也是偏狭。后三王是作品和我的某些生活经验重合，阅读时有亲和力，对他们我区别不开喜欢和影响的关系。王安忆对我有一个写作上的启发，是她《纪实与虚构》中的人称角度，很奇特，当她用“孩子”这指谓讲故事时，有一种第一人称和第三人称同时存在的效果。再一个是上海的孙甘露。他的书面语是一个极致，可说是一句句都是晶体，匪夷所思，是上帝握着一个人的手写才有的那份神奇。我认为孙甘露是把中国文字发扬光大的第一人。他使我对书面语重新抱有尊敬，或可说敬畏。还有刘震云，他的幽默确实当得起“幽默感”三个字，有他在，我时常要考虑一下自己的分寸。还有林白、陈染，她们让我发现原来我们还有那么大一块，深不可测的内心世界值得开发。跟你说，这意义差不多等于我又重新发现了一个自我。这个底不能再露了，再说下去好像我压根没自己想过什么似的，都是学先进。下面这些外国作家都是我喜欢的，只说名，为什么不讲了。英国的约翰·勒卡雷；美国的约瑟·海勒；法国的帕特里克·莫迪亚诺、佛朗索瓦·萨冈；日本的三岛由纪夫。还有一些外国作家，咱们这儿喜欢人家的人太多，都给念叨俗了，我就别说了，好像跟着鹦鹉学舌似的。

有一个人最近对我有很大影响，精神上的，就是意大利那个小丑达里奥·福。我只看过孟京辉改编导的那出戏《一个无政府主义者的意外死亡》，那才是喜剧，其他搞喜剧的会在那个剧场中发抖，不说他。震动我的是他妻子，也是他的演出伙伴，在他成功后说的一番话。大意是他们本来意在讽刺的对象，意大利的中产阶级，以一种优雅的气度很雍容地接纳了他们，很欣赏，到剧场为自己的弱点放声大笑，用他们的教养把达里奥·福他们的批判化为笑料。达里奥·福的妻子很悲哀。你能想到我读到这番话的反应吗？我脸红。我为自己羞愧。我们这里环境多好，而我却曾用力去争取达里奥·福他们不屑的东西。

何：你曾谈到，自己不愿写报纸杂志的随笔和短文，平时也真的很少见你写，你认为写这些小东西，是否会对你的小说创作，产生什么影响和妨碍？

王：第一，写小说是玩命的工作，全身劲儿都得使上，平时就得攒着元气，到时候爆发力才强，耐力也长。没事就胡写，感觉都零卖了，怎么才能言之有物不重复自己呀？

第二，随笔杂文都得是真人真事，写惯了小说，笔野，受不了那份限制。我不是不说假话，写小说的嘛，专说假话，但我不愿打着真话的幌子说假话，咱们这儿大伙对实话也不是什么都受得了。说闲话就更没意思了，什么名牌啊、时尚啊、休闲啊，说那个干吗？婆婆妈妈。另外那也不值，写给报纸才能给几个钱？都是死数，按字论价，我不是没写过，最高拿过俩字一美元。那也不如书，抽版税，万一卖一千万本呢？我这辈子能卖的字就那么多，卖给这家就不能卖第二家，咱们是不是还得讲点职业道德？我不愿意年轻时累死，老了穷死，我还想把版权传给我女儿呢。

何：这两年国内作家写的长篇很多，一部跟着一部就像军备竞赛。而且文学评论界和新闻媒介，对这几年中冒出来的长篇小说什么说法和褒贬都有。那么你这几年看国内作家的长篇多吗？你怎么看目前国内长篇小说的创作状况？你觉得哪部长篇写得还不错？

王：好的有。我这算一部，林白的《一个人的战争》算一部，王安忆的《纪实与虚构》，韩少功那个《马桥词典》都算。张洁有一本献给她妈的，名字忘了，也算。《尘埃落定》也还可看。

确实是不如中篇好的多。咱们国小说还是中篇可看的多。我最近看了很多杂志和中篇结集，每本都有几篇十分好看，新人老腕都有上佳表现。这说明咱们国作家状态还行，长中篇相比不就是个形式吗？只要写得好，短点也无妨。对于繁荣长篇，我倒有个建议，把文学期刊都撤了，只许写长篇，那就好了。文学期刊抓稿抓得很凶，一般作家一有好东西先被他们抢走。你看那些最活跃的、新起的，哪个不是在刊物上飞来飞去？立住了，成名了，再想写长篇，人也枯竭了。最好就是统统憋住，想零卖没门，写就是长篇，岂有不好的？

何：作家史铁生曾说：王朔、钟阿城、陈村，是三个比较特殊的作家，别人看来挺平常挺一般的事儿，他们仨总能看出或说出点别人看不出的新鲜之处来，你能不能粗略的评价你们三位彼此的不同之处？

王：先说我不同意你转述的史铁生之说。把平常事儿看出不平常来，能人多了，又何止我们仨，咱们国好多事儿乱不就乱在把平常事儿非看出新鲜来？

陈村，我看他的小说不多，好像这几年不怎么写小说了。你说他的《鲜花》好，我到三联书店去找，也没找到。这里只能说说对他随笔的印象。这人文章写得很刁，也很巧，是聪明人的作文，看似什么也没说，其实什么话也讲了，夸你还不如骂你呢，是那种好玩又不让你太舒服的东西。我以为他属于 20 世纪 30 年代海派文人那一路。20 世纪 30 年代上海滩那些文人是很会讽刺人的，眼睛毒。看他们打笔仗那些文章，大狗小狗都叫得很好玩，也很有幽默感，彼此又有很大的雅量。依我之见，这才是文人之间当有的文字机缘，你来我往，指名道姓，都不许急，哪儿说哪儿了，见面还是朋友。这个传统失掉了很可惜。现在上海文人写文章都很正经，一副卫道的架势，要命名只能说是新海派了。当然上海也不光是陈村一个人文章写得好玩，有段时间我就特别爱看上海一个叫“小宝”的写的时评，既尖刻又得体，文笔可说又快又光，十分好看，每次看到都忍俊不禁。有一次是指名讽刺我的一些做派，我看后还是笑，觉得写得妥切。有些生造的词我还是看他第一次用，譬如他讲余秋雨是“电视教授”、“媒体英雄”。这人跟你一姓，真名叫何平，也是记者。后来在上海见到，一见如故，我当面表示了佩服。北京人老有优越感，以为上海人不懂幽默，光陈村何平两个就可以证明我们所见之谬了。

阿城，我的天，这可不是一般人，史铁生拿我和他并列，真是高抬我了。我以为北京这地方每几十年就要有一个人成精，这几十年养成精的就是阿城。这个人，我是极其仰慕其人，若是下令，全国每人都必须追星，我就追阿城。那真不是吹的，你说他都会干什么吧，木匠，能打全套结婚家具；美术，能做电影美工；最不可思议的是他在美国自己组装老爷汽车，到店里买本书，弄一堆零件，在他们家楼下，一块块装上，自个儿喷漆，我亲眼所见，红色敞篷，阿城坐在里面端着一烟斗，跟大仙似的。他们家楼下的黑人都来跟他商量想买，就是说他不是装一辆自己玩，是以此为职业，卖。这是一般人能干的事吗？当然这车有一毛病，不能停坡上，有一次我们去一人家玩，阿城把车停在坡上，一拉手刹，手刹被他拿下来了。我住洛杉矶时，周末经常去阿城那个小圈子的聚会玩，听他神侃。各地风土人情，没他不懂的，什么左道偏门都知道，有鼻子有眼儿，诙谐得一塌糊涂，那真是把人听得能笑得摔一边去，极其增智益寿。我还问过聚会中一人，他老这么说有重复没，那人说，她听了十年了，没一夜说得重样儿的。这样能说善说的人现在北京也很少见到了。十年前，北京各小圈子都有一个主侃人，每到傍晚，各家饭馆都可见一桌桌人围着一位爷谈笑风生，阿城就有那时节的风采。现在，往酒吧里一坐，每桌人都在打"跑得快"，要不就是摇头狂饮，地道的侃爷绝代了。我想，要是把中国作家都扔到一个荒岛上，不给吃的，最后活下来的那个人准是阿城，没准还能跟岛上的土人说上话，混得倍儿熟。

说到文章，你一提这问题，我脑子里就有一比：我和陈村是那种油全浮在水面上的，阿城，是那种油全撇开只留下一汪清水的。论聪明，这个不好说谁更聪明；论见识，阿城显然在我辈之上。谁像他那样十年都在世界上跑，而且现在还在跑，这在文章中就显出来了。我看去年他在《收获》开的专栏，讲常识，句句都是断根儿的道理。同时在上面开专栏写"霜天话语"的余秋雨跟他一比，就显出力纯，不过是一些世故的话，家常看法，不说也罢。

这个人对活着比对写文章重视，幸亏如此，给我们留下了活着的空间。

何：除了小说之外，你平时比较爱看的都是什么书？你现在还看不看什么报纸和杂志？如果看，你比较欣赏哪一类或哪一家报纸杂志？

王：看什么书就别说了。杂志还是主要看文学和文艺类的，流行杂志抄上了也翻翻，不太过脑子，除非那上面有人写出特别恶心的文章才注意一下。有些女的，情调实在是不健康，风花雪月我们就不说什么了，老是顾影自怜是不是也该换换样儿了？报纸最近比较爱看足球类的。我也不是球迷，也不太看比赛，但最近发现足球报纸很好看，一帮糙爷们儿，脾气都不好，有点事儿就在上面开骂。倒是比文艺类报刊少很多曲里拐弯，有话直说，大概是我们国家最少避讳的一个领域。有时需要看看痛快的文字，否则，时间长了还以为中国人都不会说人话呢。

何：我和好几位作家说起报纸和杂志，他们都对这些新闻或文化快餐没多大兴趣，甚至有的作家对报纸和记者根本就瞧不上眼，你个人是怎么看新闻媒体及其从业人员的？

王：跟哪儿都一样，有好的有次的。总体水平不高，但又不是你们一家不高，咱们不是发展中国家吗？除了乒乓球和武术，哪一行水平都不高，各自提高吧。

何：大概是在《编辑部的故事》火起来之后，你好像就把写小说暂时给撂下了，那你当时是写不出来了，还是有意放下不写了呢？

王：这个好像在别处说过，不止一次。是写不出来了。本来想趁热打铁，一鼓作气，四十岁以前说尽所有的话，之后换一个活法儿，好好享受人生。没戏。所以至今又，那叫什么来着——重出江湖。

何：在你的新小说即将出版之前，华艺出版社曾经出版了你的一本自选集，在这本书的前面，你写了一篇挺长的自序，我最早是在书店里边站着看完了它，当时觉得挺好，就买了你的自选集。可后来回家再细一读自序，就又觉得不好了，我感觉你好像在就关于你的小说的争议想论什么道理，而且行文和你以前写作一贯的流畅很不一样，我觉得好像有些滞涩。我以为你写的小说，看懂的也就看懂了，喜欢的也就喜欢了，但如果那些根本没想看懂或根本不想喜欢你的小说的人，你是怎么也和他们谈不通的，因为彼此完全不同也就根本无法沟通。那么，你那篇自序的目的，是想和别人还是想和自己说清些什么道理？

王：是想和别人也想和自己掰扯掰扯。这个事儿我也没准主意，一会儿是你那种思路，就让他们锁在他们的偏见和无知当中吧；一会儿又想，难道中国人之间真不具备起码的互相沟通的能力和那种彼此容忍的气量？写那个自序时，我正准备写眼下这部小说，重新面对文字，我有一个怀疑，对文字的怀疑。过去写的小说引起那么大的歧义，是不是中国语文本身不严谨，多音多义所致？这涉及我使用什么风格书写自己的新故事。过去我是推崇简白流利的，能用对话表现就不另外叙事和心理描写。这样写显然会出现这种效果：看懂就看懂了，没看懂的就似懂非懂，当成别的。特别是用北京话这种一个地方的方言写作，淮河以南的读者很难领会那只言片语中的确切所指，发生误读也就怪不得人家。那就能因此把人家当傻瓜吗？这两年无事，有时我也想想跟人家冲突争议的起因，很大程度上也是我态度蛮横，以无理对非议。很多人开始是在讲理，对错不管他，谁会全对呢？谁又会全错呢？譬如“痞子”，这命名很准确，我觉得不对那是我不自知。老实讲，直到那个自序写完我才心领了这一称谓，不以为耻。想起一再与人争辩，指斥人家不懂人话，告人家我们这里痞子是有专指，也觉得自己迂阔。毕竟是对文学作品进行评价，又不是给你写鉴定，人家当然可以引申出去，甚至言在此意在彼，本来也是借你说其他，又何苦笑人家言不及义。我也想起自己当时的用意，也是意在借争议炒作，也不是很光明正大，我个人在这里也有搅浑水的做法。所以在出我过去作品自选集的时候，我有摆出一副讲理的架势的内心需要。

我无意引入重新评价自己作品，讨个说法，重新包装什么的。我还是我，也希望众人继续坚持对我的过去看法。对所谓批评界，我还是认为那是一张皮，不是文学的根，与创作的发生无关，我也不承认他们的权威性。我这么写这么说不是和解，纯粹出于自省，找一种德国式的优越感：只有我们这种人，才会深刻反省自我。

不过我确实希望，有那么一种气氛，大家都可以公开表达自己的喜欢以及不喜欢，都对反方的论点认真对待，拿对方当正经对手，不互相指为狗屎。我没权要求别人，只希望自己做到，输理恐怕免不了，至少不输人。

何：你以前写的好多小说，都被改编成了电影、电视剧，到目前为止，有你个人特别或比较满意的没有？如果有，是哪几部？为什么对它们满意？

王：这个不说了，牵涉到朋友和合作者，单方面表态对人家不公平。其实过去也说过，后来觉得不好。影视是集体创作，其中一员出来褒贬其他人比较卑鄙。也是常见一些导演在那儿喋喋不休，好像别人净给他添麻烦了，好，都是他的，甚觉可恶。由人推己，我已经很为自己过去的一些大言不惭内羞。

何：在所有的中国男女演员中，你认为哪位，还算能比较把握你的原著精神的？

王：没人能把握住另外一个人。好演员能把握住自己就不错了。吃透原著也无非是为自己的另造踩上一脚弹簧。谁有看历史上的出生过的那个活秦始皇？都是想象中的，就看谁的想象有说服力了。如果有这个前提，不涉及演员优劣，我可以说：没有。

何：你自己也曾参加过不少次对自己小说的改编剧本，而且我好像听你说过，写剧本特别破坏写小说的感觉，为什么会这样？

王：这个牢骚我好像过去也发过。先说这里的剧本是指电影电视，不包括戏剧。中国的影视剧本仅仅是为动作做提示，本身没有文字要求，写清楚就行了，真正在那儿浓墨重彩、烘云托月的是摄影机。它是作者的书写工具，完成创作的手段，所谓语言习惯都不同，不是叫“镜头语言”吗？根本跟文字表达是两回事。你入了它那辙，一写就是它那一套，关键是标准搞乱了，自己看不出文字好赖了，一写就是一备忘录，是挺清楚，可小说是光清楚就行了吗？我写的又不是武侠小说，除了人物，事件，还要有文采呢，那是指语言本身精彩。写剧本等于是给摄影机做秘书，写小说等于是自己开公司，你让一做惯了秘书的人去当董事长，怎么看他还是个秘书。

何：在你这次又从影视圈转回到写长篇小说，完全改变了写作路子，这中间你有没有遇到什么挫折困难和不适应？

王：我没有完全改变写作路子。实际上我就没好好写过剧本，一上手我就发现路子不对，这些年净给他们对付来着。闲了若干年不拿笔，也是去去味儿的意思。至于挫折困难那都是正常的，不沾剧本，写小说当中也都会有，没有特别要向人哀告的。

何：有一段时间，你个人几乎成了传媒上最热门的作家人物，在各种报纸上随时都能见到你的名字，没有一个国内作家，能像你那样在媒体上走红。可一旦你安静下来要写小说了，又能从报纸上消失得不见踪影。也有作家，就想在媒体走红，可就是红不起来，一旦红起来又自己收不住自己，你又是如何能活得这么收放自如的？

王：你是说我吗？我怎么没觉得自己收放自如？我就是那红起来收不住自己的。前几年我在报上多闹腾啊，有事儿没事儿给自己制造抛头露面的机会，鸡一嘴鸭一嘴，后来没影儿了，那也不是自己走的，是让人轰下去的。你不知道那会儿媒体都抵制我？嫌我说话不靠谱，着三不着两的，人品可疑，格调也不高。当然我后来自己也有点臊眉耷眼，好多年不干正经事，一本新作品没有，还这儿现呢？这会儿就吃老本儿，当名人，当媒体英雄，早点吧？

何：上次和你闲聊天之中，你曾说过，还是回过头到作家圈里待着心里感觉更踏实，你为什么会有这种感觉？在这话的背后，是否有这样的意思：尽管你一直在影视圈里连续获得成功，可即使如此，你还是认为自己客串在影视圈中，没有什么太大的劲？

王：首先讲，我在影视圈确实可说是混迹其中，参与了一些影视创作，你说那叫连续成功，我知道那叫连续投机，压根谈不上有什么成就感。我的旧小说现在还在卖，还有大量盗版，那些影视有几个现在还能拿出来看的？我在人群中出入，遇到知道我的人，没人把我当影视圈的，都当我是个作家。偶有人问：听说你这几年搞影视了？言下十分惋惜。不瞒你说，从我搞影视，我家里人都看不起我，认为我是瞎混，糟践自个儿。我一开始还是把这当事业的，被说来说去，自己也觉得是在混了，也真丢了不少人。我也不是离开哪个圈儿就糟蹋哪个圈儿，如果你还记得我过去糟蹋作家的那些话。还是那句话，哪一行也有好的有次的。不过就大面儿上说，与作家，我认得的作家，比，影视圈从业人员，现在叫演艺界了吧？演艺界从业人员一般点的比例大一些。作家，你没法糊弄，全靠你自己，要出头必须回家一个字一个字地写。咱不算那些请人捉刀代笔的，这等人我也没把他当作家。怎么说也是凭本事吃饭，单打独斗，能出来的都是，香港人讲话：有料的。演艺界就不同了，集体创造，大拨哄，左牵黄，右擎苍，真有欺世盗名的。不会写找人写，没想法就开会，连改编带商量，拉拢一些媒体，谄媚一些领导，巴结一些大款，还就叫他成了事儿了。说百分之九十，打击面也宽了，起码有一半是头脑空空，一天到晚泡在酒桌上，见缝就钻，天下事一问三不知，就知道找谁蒙钱，找谁通过，找谁宣传，再加上一个找谁演，把这事当政治搞了。

我也是一势利眼，也不乐意混在一圈里净是没本事的人，这就跟老和臭棋篓子下棋一样，时间长了，你也没段了。与人交际，又不想偷人钱，有点独到见解也是好的。这点作家就都不错，没谁跟谁重样儿的，都有自己的一路，爱不爱跟你说是一回事，只要开口，自有一段故事，总有几句话是听得进耳朵里去的。咱们这么说吧，拿中国叫得上号的作家和中国叫得上号的导演一起出来排队，哪边人多啊？我当然是要往人多的队里站了。跟这么多优秀分子同事，我能不心里踏实吗？

何：你现在还关注国产电视剧和电影吗？你感觉咱们的电影、电视剧和前两年有什么变化和突破吗？如果机会合适，你还会重新介入到影视圈里去吗？

王：关注。但确实没什么可看的，所以实际上也很少看，不看，也就谈不上关注了。

跟前些年的变化就是越来越没法儿看了。这个情况也得两说着，也不全赖从业人员素质低，有些前些年拍过好片子的导演，素质没问题，这两年也露了怯。电影学院一教授讲过，我就甭说是谁了。他说20世纪80年代后期中国电影确立了一种普遍的艺术和技术标准，这两年很多新导演仓促拍的电影完全不讲究了，一性突出，二性皆无。这最可怕。电影生产有大小年，一两年不出好作品不要紧，标准乱了，什么时候再恢复就很难说了，也许又要一代人的努力。我理解他这番话的意思是指一些急功近利的导演只想着怎么通过，脑子里只有这一个标杆，甚至更为下作，专找一些能通过的其实远未成熟的本子去拍，以圆自己的导演梦。这事我还真见过，有一剧组，本子一塌糊涂，哪儿都不挨着哪儿，一干人也知道要修改，但只按领导意见改，说改哪场就改哪场，多一步不走。领导通过了，皆大欢喜，自己也觉得通过了，立即投拍。这种心态实在不敢恭维。

以我目前的心态，不会再介入影视了。在我能想象、计划得出的未来，也没那个打算。能写小说的情况下，我是不会再干别的。

何：你前一阵子在美国待了一段时间，感觉那边怎么样？你为什么不在那边长住？能否说说你对美国的种种感觉？

王：这问题就不回答了。咱们只说中国的事。

何：几乎所有读者，都一致认为你写的小说很具有挑战性，可你自己却说，其实你也是个个性非常脆弱的人，此话该如何解释？你能否自我评述一下自己这种文字内外的性格多重性？

王：你说的挑战性是指浑不吝吧？这个多重性大概就是我们所说的人性。谢谢你如此恭维我，我确实是在自身上时时表现出极大的人性，一方面坚强，一方面脆弱。还有很多呢，譬如有时自信有时不自信；有时孤傲有时从众；有时宽大有时狭隘；有时高尚有时卑鄙；有时信佛有时无所畏惧。

何：尽管有不少与你素不相识的人，对你先前小说中调侃和尖刻，都表示异议或反对；但只要有朋友一旦真的和你相处久了，就都一致认为你是很能吃亏的人，那么你这种待人的宽容，是一种本性使然，还是后来慢慢从生活经历中感悟出来的？

王：我自知自己有多不宽容，所以我无法接受你的判分。我能吃的只是小亏和难与人争不得不吃的亏，譬如一起吃饭买单；把车上比较舒服的座位让给更胖的同志。有些大亏，譬如一起合作少算钱或不给钱，我也可以吃，但吃了就会记住这人。一次可以，两次不行。我爱钱，但耻于谈钱，尤其在朋友之间，你要逼我张嘴跟你要了，那我就会恨自己同时也把你恨了。我帮过一些人忙，很多人最后就黑不提白不提了。这些人我还当他们是朋友，但合作免谈。

何：除了写小说之外，你平时还有没有什么特别的嗜好或业余爱好？

王：没有。写小说就是全部喜怒哀乐了。这也是我有时厌恶写作的原因，太占脑子，干上了，还想干好，就跟出家差不多。

有段时间贪杯，后来喝出毛病来了，不太敢了，梦里时常回味。

何：和你一旦接触多了，就会感到你性格深层中的腼腆和自我保护意识，这种个性的逐渐形成，是否和你小时候的生活有什么关联？我注意到，你在和别人交往之中，总能自然保持一定的距离，那么，在你出名以后，还有没有相处很深的朋友？你与朋友交往和相处的起码原则是什么？

王：原则是只交酒肉朋友。这和我小时候生活有什么关系我也说不清，我也不是心理医生。我现在写这小说倒有自我分析一下的动机，也许分析完了会有结论。我小时候很愉快，很多好朋友，都是一个院的。现在我一想到朋友这个词，还是觉得单指他们，虽然现在各自遭际不同，再见面也没多少话，但那份一想起来的亲近感大了，以后交的朋友都赶不上。也许是小时候交的朋友印象太深了，妨碍了长大后和人的相处。我认识的很多人一聊起来都有这种感受，也不知是不是病态。总觉得像两世为人，小时候纯洁地生活过，现在活得再久也是苟延残喘。

何：能不能公开一下，你个性中最大的弱点和长处？

王：最大的？爱自己——而且自己知道。

与孙甘露对话

王朔
孙甘露
时间：2006 年 7 月 20 日下午
地点：北京北郊

孙：我就把它开着，就不关了。

王：行。

孙：说话，昨天我录着听还是挺清楚的。

王：我自己其实光靠写作也没挣到能活一辈子的钱。其实 1991 年以后我也没写什么大东西，也是不愿意重复自己，自己抄自己也没劲。觉得要写就写一个跟以前不一样的小说，但又不清楚是什么。这几年，大概有十几年一直在写，写出来的都不是那意思，也不知道自己要什么。

孙：有同感。

王：（笑）时间长了，总有经济压力，总是要挣点小钱维持基本需要，社会多势利呀，我又那么虚荣。又不想太劳心，所以没事去做电视剧、电影策划、编剧什么的，主要从这行业挣钱度日。这一行整体水平确实不高，钱挣着不累。

本来挺浅一池子水，前两年开始往外冒所谓国产商业大片——所谓美元上了千万的，亚洲一线红人到齐的，吊起来打的，宣传忠孝节义的。遭到狂宣，争挂票房红旗，好像中国人忽然会拍电影了，忽然爱看电影了。其实就我在这行里做看客的感受，以为这种商业大片对本地电影市场是一种严重杀伤。因为这样的片子，一个就差不多把全年国产电影的放映空间占满了。全国目前票房不到十个亿，这里还有二十部外国大片的票房收入，一部国产大片，譬如说卖了两亿四或一亿四，就占了整个国产片票房的大半。据中影公司人讲，每年国产片票房百分之九十五就那两三部片子拿。不是说它卖钱有罪，问题是卖到上亿就一定意味着它对影院实行了垄断性放映，应该说至少要在最佳档期放三个月以上才卖得回来。谁也别说因为您好看影院势利，把别人吓着了，不敢来。那是结果。开始怎么回事谁都知道，没动用行政资源才叫见了鬼呢。你敢说电影这行没有官商勾结？当然是为了提升华语电影在本国市场的影响力，进而带动整个民族电影的繁荣。动机没的说，目标很高尚，通过行政手段分配档期保证长时间独家放映，比起过去下文件逼各公家单位集体买票看电影，我认为是一进步。但是，这种梦幻组合造成的市场疯狂，或说市场热烈反应，用某小报的兴奋口气说：老百姓又看电影了！能如预想带动整个行业的繁荣吗？

一部大片仨月，两部半年，二十部进口片占半年，甭算了，其他国产片不可能有档期。但是，都想到了，不会想不到的，每年夏天最热的天有一个月还是两个月，不许上进口片，原来叫主旋律时段，现在叫国产片放映月，都来，没人看也放，观众口碑叫爱国月。

中国电影目前年产大概维持在两百部左右，听说啊！没两百也有一百五六，大部分电影根本排不上档期。而且档期要拿钱砸的，不是光给你档期就有人来看，要忽悠，拷贝差不多一万一个，全国影院同时上映至少印两百个，记者来听一下，一人五百红包，回去发一报屁股。定点连续大块吹捧是朋友怎么也得数给人家上万、三五万。还不能光收买一个记者，要一批大大小小，正反托儿，才折腾得起来，以为出大事了。听说啊，我这可全是听说。

小电影三五百万拍的，拷贝费、宣传费都付不起。一个电影要在全国煽得大小城市每只耳朵都听见，基本宣发费用去年问一个兄弟还说五百万够了。转过年就听说一千万。昨天专门问一姐姐，这位专跑发行的大姐假装脑子里算，沉吟了片刻，中肯地说，怎么也得两千万。

其实都是瞎估，真发过上亿片子的都不出来说话，免得让人听出省钱的地方来。但是，五百到两千万是一基本面这是一共识。

你说你拍了个两三百万的片子，我会给你投两千万再损五百万发行吗？我要真有这心，我要瞧得上你，我为什么不一开始就投你片子呢？就说你自己觉得好，周围一帮朋友也都说好，请谁看都哭成泪人儿。没宣发费，街上没人知道，真正掏腰包进电影院那帮怕叫时髦落下的小姑娘小小子不知道。

大片的成功只是一次性成功。这成功甚至都没人敢说一定延续到其本人的下一部。如果说这几年这几部一巴掌数过来还有富余手指头的大片，对电影市场确实产生了影响，就是在新一轮进场的影视投资公司、国外基金经理什么的新投资人心中打了一针鸡血：投就投大的，全球分账，进主流院线，一千万美元以下的，上房不带剑的，叫人瞧不出咱们从前心里其实挺狠的，不叫电影。都成知道怎么在电影市场赚钱的明白人了。什么是商业电影，比你会聊：商业电影，就是全世界卖的，观众喜欢的。这不跟没说一样嘛。

那也符合我们的思维习惯，我们特别喜欢找一条正确的道路，唯一的道路，就跟开车堵车似的，就瞧着旁边队走得快，掰出去并进来，就瞧他那儿忙跟马路上编筐呢。其实本来也没走在坑里，就是见不得别人快，旁边多过去一车头，立刻觉得排错队了。就造成一个，全国一年只放一部电影，大片和大片还互相躲呢。放俩，今年就太热闹了。没什么见识的小报记者就得满世界嚷嚷有擂台。

还不如样板戏呢，那还八个呢。特别逗，好像天阴太阳忽然出来了，大家一起指着一帮古代人喊：这是电影。

孙：我十年也去不了几次电影院，我一朋友王佳彦原先在上海影城的，有一回指着我开玩笑：中国电影就是叫你这样人害的，不上电影院。

王：其实，原来我觉得电影从业人员还是很坚持青年时代的态度，用台湾跟咱们聊天的话说：一中各表。既反映别人，也反映自己；既反映主旋，又反映边缘，还有个百花齐放的基本态度在这儿。老一茬投资者也是凭着个人兴趣，胡乱挣来的钱胡乱扔出去，没说指着电影挣钱的。基本上我接触的投资者态度都是无所谓，你拍什么都行只要能通过别让我太糟心。没有谁一口咬定必须什么是电影，什么不是电影。电影成功的标准还有口碑，还有获奖。

孙：具体作品在暗示某种标准。

王：现在好像都知道什么是电影了。这几个片子起了示范作用，只有类型片才是电影，只有高票房才算成功，哪怕满地捡骂呢。

其实算笔账也未必挣钱吧。因为它投入大，国内就这么大盘子，国外全叫没准儿。当然投入也有水分。票房也有水分，特别是新浪上登的特别轰动，鼓掌多少分钟什么的。

《英雄》应该是挣着钱了，其他的国外卖没卖咱就不知道了，没见太吹，不像他们呀。就算都挣着钱了。至少已经造成了全市场投资意向全部转向古装武侠。每个投资者都在聊一个古装武侠，全亚洲明星阵容。

孙：它甚至幻想这是为中国人的精神世界提供了漂移的可能性或者存在空间，就像武侠或所谓玄幻作品中那些飞来飞去的人。

王：要说中国电影媚外，从来没这么媚过。过去说这些人拍电影是为了电影节，但电影节也是要求你多样化。你不能老那样，譬如说你拍到第四个，还是你们村，就换伊朗他们村韩国他们村了。还是有一股从没人明说但人人感觉得到的压力逼着所有人都在寻求变化，哪儿没人去过奔哪儿。原来在我看来是天经地义的，就是一个所谓创作，你要保持原创性，你就不能重复。在武侠这类东西正好反过来，它可以说非常模式化。

孙：对，对。很多东西一模式化就死了，而有意思的是，武侠是靠这个活着的，特滋润，咱们这儿还有好些这类东西，不过现在也难说了。

王：它，比如说《英雄》，这个政治严重不正确，我觉得其中包含着它一个正面的努力，它就是为了打破传统武侠的那种狭隘。它的这个努力是正当的。结果，你不服从它这个模式不行。就像通俗小说似的，你不服从它这个模式，你就是错。观众就会不认，而你又是专冲他们去的。当然，那到后来，创作的多样化就被彻底取消了。

这个情形，我觉得就很像70年代了。那个时候，通过政治手段，通过示范样板取消多样化。今天也是这样。你看市场多元选择，但大家就追求利益最大化。哪个利益最大化，好嘛，我们所有模式都按这个来。其实这造成一个特别可笑的结果，谁都知道什么赚钱，谁都拍不成。

孙：金钱是一种超级模式嘛。

王：譬如说，你必须有这个三千万美元的投资，你必须有这几个演员，就华语圈这几个演员加上点日韩。你凑不齐，演员也不能分身一年拍两百个电影，那你就别拍，全拍不了。电影院也都急功近利，除了这个别的它不爱放。我还费电呢。新人，你千方百计弄成了，没地方放。

其实中国内地电影市场在全球微不足道，还不如香港呢，它完全无足轻重。养不活人。我说我电影只为本国人拍，就在国内放，爱国吧我？有志气吧我？那对不起，你就不能超过一千万。一千万就需要三千万票房。咱们这儿分配不合理是很明显的。电影院和院线公司要拿走你每张票里的百分之六七十。噢，拍电影的钱我全掏，放电影的钱我只能拿三分之一，谁能拿百分百的成本，靠百分之三十的收入，支撑这个局面？

孙：那这样不就等于为电影院拍电影了。

王：甚至都不知道为谁。电影院完全是巧取豪夺的，老实说。放映一部电影真需要抽这么高水吗？不需要。你不就这点人工、电费和建电影院的折旧吗？至少院线公司跟在里头抽百分之三十没道理，他跟电影院是一家，都是老省一级国营发行公司变的，电影院上级。院线公司不承担宣传费，还是得制片公司自个儿掏钱。院线实际上也不管放映，也就是帮着安排点档期，组织点首映权拍卖，开点记者会，跑前跑后，坐地收钱。他们完全是通过垄断形成的强势。

早年有人做过尝试，跳过院线公司直接跟影院勾上放片子。你一部电影挣钱了吧。院线公司跟影院说了：全年供片我不供你了。特别是外国片。外国片最挣钱，又有人看，给外国片商分成又低，比国产片低，好像是百分之八，不知是不是保护国产片的举措。外国片进口归中影公司和华夏公司，两家抓阄分配额，到省市这个配额就分配给各地的院线公司，由院线再下影院。实际上现在叫院线公司了，还是起着过去省发行公司的主导地位，计划经济市场经济两头好处都占着。

那你说你要自己维持一条院线，一年至少要二十部电影。俩礼拜放一个新片不算多吧？你这个多厅的，就要再多买些电影花搭着，使你这个电影院里才有电影可放。

孙：在我听来脑子完全是蒙的，就跟看某些电影一样。

王：国家电影厂基本不投电影了。投资主要靠民营公司支撑，一般民营公司上来，在2000年之前，投资千万就算大手笔了，在市场上就算领跑了。2000年之后，开始出现投资三五千万的，那就已经很有叱咤风云的气象了，可以为导演们传诵一时了。我还真没见过谁一把砸进来三五亿的。三五千万已经算很大了。三五千万的投资，生产一两部电影够使，全是小成本可以玩十个八个，怎么可能生产二十多部电影呢？当年北影厂，长影厂，上影厂，一年也就十几部电影。一条院线的胃口靠一个制作单位是不可能满足的。所以就造成享有进口片配额的院线公司在中间什么也不干白抽三成影院还不敢得罪他。发行还得导演制片人自己去发，或者找民间独立小发行公司。这个民间独立小发行公司，像那个“保利博纳”的于冬，就算做得最好的了，据说也主要是靠发香港下脚料，在香港放完了拿到大陆来放的黑帮片挣点辛苦钱，利润空间非常小。也就百分之几的缝儿吧，那么一口剩汤。

商务——就是企业赞助、贴片广告，说起来好听，其实大部分是媒体交换，不是现金。譬如说，当年《天下无贼》放映前就号称拿下了三千万的商务，那里头大概有一亿条免费短信，多少家国美电视同时播你的片花什么的，事实上这些个东西只起到宣传效果。

孙：眼下任什么都跟短信扯得上。

王：为什么还那么多人哭着喊着干电影，还真就拍成了也没见谁饿死？应该说大部分人都是自己晕投资。晕着一个是一个，电影只要上了，工作人员就先在成本里挣钱了。这个电影的成本里，过去说一半是人员成本，三分之一是这个器材胶片洗印费用，剩下的是人吃车马喂。宣发费还不算，过去没有这一块。现在一般来说宣发费和制片费你得按一比一投入，你拿十块钱做片子，就得再拿十块钱做宣发。这就造成完成一部片子到推向市场的总成本翻倍。

而且，现在人员成本又大幅上升，你请骇腕儿所谓大卡司的钱要另付，不在制片预算内，但还是在总成本里。所以整个人员的成本就可能变成影片成本的三分之二，五分之四。器材胶片的增长不太吓人，因为器材公司之间的竞争还在不断打折，器材是趋于便宜，至少是没怎么增长。

这样看来，电影成本在某种程度上也是被人为扩大的。因为从业人员越从放映上看不到利润，越不肯事后拿钱。必须先拿钱才有保证。有一种说法是，一个制片主任最后只从你的成本中拿走百分之二十，那他还真是拿你当朋友了。有的剧组，投资下来揣一半拿另一半拍戏，也有，拍出来也还行。

孙：那就是吃成本这块儿，电影挣不挣钱再说了。

王：咱们这儿往往导演兼制片人嘛，他也是这种大权独揽没有监督的。所以说电影人他生活得不错，相对于其他写小说的，做音乐的，生活得都好。一个再烂的电影，一个再烂的电视剧，拍下来，按合同拿钱，一点不黑，也比一本最畅销的小说版税拿得多。再从成本里省点，假如你是包制作，省的就全是你的。一个片子，五百万也是拍，两百万也是拍，全看导演要求了，出品人一般看不大出来。

实际上，你比如说像这个《梦想照进现实》。如果大家都先不拿钱，直接成本不会超过一百万。这还是胶片呢。如果你又拿高清——数码摄像机拍，没洗印，当代戏，没服装，不搭景，实景拍，也就百十万到头了。

当年拍地下电影和小成本电影，一直有十几万拍戏的传说。还有笑话说，一电影节，设一巨奖，准备奖给全世界拍片最苦的导演。我们国家一哥们儿，用特别少钱忘了是多少了反正是骇人听闻的数儿拍了一电影，心说没比我再惨的了吧？就奔着这奖去了，以为必拿。结果，给俄罗斯一哥们得了去。因为这哥们更苦，是要了若干年饭凑齐钱才拍的片子。（呵呵大笑）

孙：这就给往后指着获奖挣钱的导演出了难题，还有什么比要饭更惨的招呢？

王：最极端的例子就是那《女巫布莱尔》。两万美元拍的，两百万被一个发行商买走了，在全世界卖了两亿。这就是电影它有奇迹，所有人都奔这儿想。反正隔几年准有这么一个奇迹。

孙：这误导了不少做电影梦的年轻人，还包括些不年轻的呢。

王：就像当年李安那个《喜宴》吧，号称性价比最高的一个，一比二十一，超过所有的大片。今天，你看大片，它再卖钱的美国大片，也不可能达到这样一个性价比。它能翻一倍就不错了。是不是？

所以吗，当然就是，说实在，我觉得这件事儿电影的从业人员明白，电影学院的老师明白，电影管理人员明白：电影是丰富的，没有一个限制。只要你胶片记录下来，甚至现在你拿磁带记录下来，都算电影。就是一个用通过电子头放映出来的影像而已。

只有观众和媒体，我觉得现在媒体特别奇怪，媒体也应该明白，但他们表现得好像很不明白。（孙笑）认为那个——大片才是电影。将来真要信了这个，要么就拍这种夸张电影，要么就不拍。

孙：（同时）不拍。

王：也不可能不拍。没有人会放弃自我表达的权利。其实电影和小说一样，最终目的都是表达。你说我表达能力不行，我也要表达。早期的拍摄是这样，今天也是这样，每个人的第一部电影都是倒贴钱也要拍。至少是不考虑拿钱。电影学院每年都毕业出很多学生来，他们都是要挣资历的，他们开始都不在乎钱。

电影其实也没什么，演员也没什么。没那么神秘，专业性也没有像飞行员啊，潜水员呀，需要长期的严格训练，一丝不苟地执行。差点也挺好。

孙：所以有人生经验的人大都觉得自己能搞艺术，演个电影，写本小说什么的，但是没人觉得自己退休以后可以搞搞航空，开开潜水艇什么的。

王：中国人特别崇拜技术，以为电影是汽车呢，管懂技术叫有才华，其实未必。当然咱们做什么水准总是起伏不定的。这也是一特色。所以，你说，去年的时候，咱们一股风嘛，我也写了一武则天，也是一古装大戏。拿出去了。老外们，当然，老外们，我觉得是不知道中国现实，中国现实太复杂了。我们国家是有一定的管制，表现现实非常困难。你看五十多岁那帮人，有一个正经表现过现实嘛——这些第五代巨匠，最多是尚且黑白分明又被刻意简化的昨天。现实总是让人不愉快的，我们又不愿意让人觉得我们活得很狰狞。我觉得也就顾长卫的这两部戏，《孔雀》和《立春》很不回避。他那编剧挺棒的，像写小说一样努出屎来写剧本。——但它也是正在远去的今儿早上，虽然连着今天，但还不是此刻。

这个，也就是说，古代这点事，惹不出多大事。你说这武则天，老外也未必人人知道。但她不是一女皇帝吗？人人都对女人有权力有兴趣，他觉得这挺稀罕的：早听说你们那儿妇女解放搞得好。你跟他大概一讲，他就能假装明白。但他一定会先去国际市场打听打听，相当于预售。你看，估计在欧洲，法语地区，德语地区，英语地区，北美，日本，韩国，这些都是能拿大价钱买中国电影，都有掏过百十万美元买中国电影的记录。他们是主要市场，主要被忽悠对象。

但是，就说这些从《卧虎藏龙》到《英雄》到《十面埋伏》到《无极》跟了一路的老外，已经跟恶心了。人家是爱看杂耍，但不等于天天要看这个，不看不答应——人怎么那么缺心眼呀？就跟第五代那种他妈的历史宏大叙事似的，人家现在也看恶心了。虽然三大电影节主席都沾新左什么五六的，对中国有特殊感情。像意大利的马尔科，六几年就来中国当留学生，中文说得很好。这帮当年都是欧洲愤青。中国当年是激进主义的代表。他们年轻时对中国的兴趣保持到了今天，估计现在也是觉得没劲了。我就听《外婆桥》那法国制片人让·路易说：中国现在越来越平庸了。他上中学时每天少吃一顿饭捐给英勇但是在挨饿的中国人民。

孙：宏大叙事、新左派、政治正确，我忽然想岔了，想起我正写的一小说中人物，我借他的口，挪用歌德的话：生命是灰色的，而理论之树常青。

王：说实在的，国外卖电影非常简单，就问你谁演的，我必须知道。但华语地区他们知道谁呀？他们不就知道一两个人吗？别人还有谁他们都不知道。你跟人说，我这里有武打，吊威亚，听说你们好这个。人说谁说我们好这个？你有一个行，你他妈全是这个，你成火车往这儿拉，就跟卖鞋似的，不能夸你们，一夸你们，我们这儿就臭了街了。所以现在市场反应都是一听武打古装就要吐。

都说挣着钱了，谁挣了钱了？《甲方乙方》投四五百，北京收一千二，全国三百，总共一千五，本利和，税前还是税后满挣二十万。《不见不散》投一千，收两千七，本利和。《天下无贼》投三千多四千，票房一亿二，谁挣着钱了？反正我知道投资方之一“太合”没挣着钱，一年之后投的一千还没收全呢。票房成功，都是聊出来的。

只能拍小成本电影。小成本电影，比较可怕的是中间那种，五百万到一千万那种。低于两百万的小成本电影靠国外电影节和艺术院线、博物馆、大学、基金会、私人拷贝就能把本钱拿回来，还能小赚。所以你看拍地下电影的日子都过得挺好，光听说有投电影赔了跑路的，没听说拍电影的有活不下去改行的。

你知道前两年那个刘庆邦小说改的电影《盲井》，得了一堆小奖。当年是卖得很好的，但是发行电影的所有的发行商都亏钱了，放到电影院里没人看。上座好才是真好，还有下回。比如说《小武》当年发得好，上座也好，那些欧洲左翼中产，忽然发现了中国另一面，一个非常真实到今天还像是战后的小城镇，而且人物也是以他们熟悉的那种意大利街头罪犯的态度在对待生活，既自暴自弃又光明正大，甚至比一般人还要正直，硬着头皮维持着自己的荣誉感，其实那荣誉感在他家人面前都不存在。我这是瞎说，但我确实觉得《小武》像意大利电影。他们看得懂，也会喜欢。那个电影大概是贾樟柯电影中最无心机的。接着《站台》野心就太大了，痕迹也出来了。我觉得贾樟柯同志成熟得太快了，他的访谈已经超过了他的电影。他越坚定自己要什么，越像一个80年代的校园精英，无比正确但属于强行跟人民站在一头的。当然我认为他的《世界》是一次不成功的商业片试探，意图太明显了。关系太对应了，再也没有比世界公园更笨拙的隐喻了。他显然不是个万能导演。也不必去寻求广大观众的认同。商业片就是类型片，做元素嫁接是没有意义的，一次成功也不能解决今后所有的问题。就像第五代导演一样，第六代至今也没一个有机会脱胎换骨成为真正的类型片导演，他们注定只能是摆脱不了个性的作者导演。要广为大众传说，只能关心现实中的穷人了，这大概是每个小知识分子走投无路最方便的去处，但那最好不要去拍电影，不要把人家当资源。

比黑，比狠，地上电影永远比不过地下电影。要拿票房当标准，地下电影也做不到这点。欧洲新红资们再不是东方穷人天生的同情者，也是暗暗希望穷人有尊严地活着，在道德上和他们保持一致。《绿帽子》是试金石，有谁不清楚自己是不是中产阶级，看那个片子就测出来了，出来喊脏，觉得大受冒犯的就是。那片子卖得也不好，全世界中产阶级的趣味代表——发行商们一致拒绝。

孙：可惜了。那刘奋斗可真是不错，有股子狠劲。阿城可是有眼力，一看一个准。

王：获奖容易，卖片难。国际上还有一套放映的技术标准。我们往往达不到。比如说，我们国家洗印车间，空气洁净度不够。药水太脏，老不换，还经常给你洗坏了，洗坏了意味着重拍，重拍，重新搭景，成本一下子上去了。你不敢相信他，样片没出来的时候，不敢拆景。

因为质量不保证，你要达到国外放映标准，比较稳的是到国外洗去。去日本，去澳大利亚，最損泰国，还不是钱？还不是成本？

孙：我在悉尼见过那洗印的地儿，人人都会告诉你，谁谁谁的片子在这儿洗的，成一景点了。

王：国内也有很好的混录条件。长影也有最先进的，但是混录师不靠谱。譬如说，我们这里特别喜欢往声音里加混响，好听。唱卡拉 OK，那叫好听。那你放电影上那叫做作。

孙：徐静蕾也说这个，混响的事儿，说了好几遍。

王：你说为什么好多电影后期要拿到国外做？花钱也要出去做。胶片一批批坐飞机，上人家国外洗，就是这个问题。其实，不是政治原因，是技术原因。但是同时引发政治问题。很多电影拿国外去洗，底片搁国外了，你枪毙它枪毙不了。它从国外带过去参加电影节。这又成政治问题了。

所以，五百至一千万这一级别的投入，实际上就等于你既没有国外市场，国内又根本吃不下来。比如说，你花了一千万拍了，你还要花一千万宣——现在要花两千万，合起来三千万。一个亿票房才打平手。这还不算财务成本、管理成本和税收。所以五百至一千万是个很危险的数。

孙：咱们这边一直有这种说法，好像不学好莱坞，弄它几千万宣，就不是卖电影呢。

王：三百万危险不危险？一样危险。三百万，一千万的票房。口碑极好，一千万票房，到头了。《疯狂的石头》也就是一千来万。再有，你是不是能如期收回分账也是个问题。多少年，就是这样，电视剧也一样，每个收钱的环节它就不给你及时打钱，我欠着你。中间还有税收，还有好多问题，你最后拿回来的毛利可能不到百分之几，好多时候，钱没回来，公司已经散了。

当然卖DVD，卖电影频道，也是一笔收入。DVD一般四五十万算高的，还在不断往下滑，电影频道一百万上下。如果你有版权的话，还会有长期效益，国外电视台，上星节目偶尔会来买你的播映权，跟其他中国电影打捆买，好的一两万美金，少的比一台电视钱多点，如果你活的够长，过一百年可能发了，你是不是愿意等这么多年？所以，显然，三百万也高。

那就两百万吧。两百万那您就不能搭景了。老实说，您也搭不起。你也用不起腕儿。因为电视剧，现在最骇的腕能给到一集二十万吧。一线小腕儿十万八万都能给到。她演一个电视剧，电视剧覆盖面广。带来的广告效应高。你累死累活马不停蹄拍戏，像张国立这样一年干两百多集，也能挣好几千万。

但，那个，你拍电影就不可能啦。你再怎么，除非这位，说我拍电视剧拍恶心了，我换换口儿，我玩一个这个。因为电影毕竟拍摄时间短，戏集中，人物集中。葛优就演过这些，比如《卡拉是条狗》。我相信他不会要太多钱，比拍商业电影价格要低。这也是个传统，相当于好多腕商业够了，会演个话剧呀，艺术电影呀过过瘾。

孙：好多艺术门类在今天还活着，是因为是等而下之的啊？

王：但是你不能指望这个呀，拍戏是很重要，也别到处求爷爷告奶奶。这个戏一开始也想过葛优，但后来就觉得，与其那样不如做到极致。何必呢？而且小电影就不适应明星，它和商业电影要求不一样。越陌生越好。大家看时也不会被他的特定形象带出戏。像葛优，被固定了。让他长头发，我看着都别扭。最好找大家不熟的，小成本玩的就是新鲜。

再比如说，你可以找一家赞助，赞助你机器，赞助你胶片，赞助你洗印，这都可以。甚至，你把音乐版权预先卖了，音乐公司赞助你声音。那剩下就是服装、道具、人、景儿的钱。你这儿没这预算，压根。只能穿各自衣服，从自己家搬桌椅板凳茶杯茶。景儿不能搭，最多只能搭一堂主场景。演员不能多，都找实景拍。实景也只能在屋里不能上街。上街就要给警察钱。组织群众场面要给群众演员钱，哩哩啦啦二三百人，一个人三十元——从前啊！现在不知道。你还得管饭，少一顿不行！你管不起，拢共就一百来万，那你群众场面也不能要。

这样一路盘算下来，还不如就一场景，还不如就俩人。而且当时也有《爱在日落前》和《爱在日出前》那两个片子，人家两人聊得挺好呀，而且，其实，平常大家经常聊。是吧？其实就看你聊得有意思没意思。

它当然就不是一般电影。你再会聊，聊得特别有意思。也不是所有人都对这个话题有兴趣。热闹嘛，大家都能站着看会儿，打架，都能站着看会。聊天，那就得跟朋友一起聊。所以，小成本电影注定是针对特定观众的，不是给大众看的。

这个成本降到一百万，老实讲可以不上电影院。因为电影频道给你吃进去了。它可以拿一百万买你，你就不用多想了，不用想我他妈到哪儿找两千万来发行这一百万。

而且你要一面对大众，就有一严重后果。因为那种所谓的商业包装，是他妈的不分对象，不分好歹的狂轰滥炸，可能把很多完全不适合看这电影的人都给轰进去了。人花八十元——正经一顿饭钱——进来，看了半天两人聊天，那他看电视剧，看访谈节目好了。像《东方》这种访谈节目做得好的，他看着行，他也没什么不乐意，闲着也是闲着，我看你聊会天，不好我就换台，他有选择性。但电影院是个强迫集中行为，而且我是被你蒙进来的，出来肯定不爽。而且这账怎么算呢？我花一百万拍了部电影，花两千万发行。回来钱先分发行的，最后才轮到我这儿，到最后我没准一百万也收不回来。实际上，怎么算都是不合适的。

孙：这些事儿听着多像相声，侯宝林拿去直接用都不带编的。

王：《梦想》这个戏，最后硬着头皮上院线的原因是拉来商务了。商务赞助要求你必须电影院放映多少场，它有这个要求。那当时就是见钱眼开了。你要不见钱眼开，你就说您这要求，对不起，我做不到，谢了。还是见钱眼开了，把自己搁在难受的位置了。

孙：俩人说话确实是件怪诞的事儿，就像咱俩现在这么着……

王：当然，在写这个剧本的过程中，我也有一种无力感。经常问自己有必要非弄这东西吗？（笑）但是又觉得你作为演员也好，导演也好，你不能一年一年不拍戏呀。你总得拍，好赖你也得拍，当热身了你也得拍，手不能生了。

说是不为别人，就这些对话一聊到底，还是感觉有压力，来自大众的压力。说实在的，你就说两亿四的票房，八十块钱一张票，三百万观众，到哪儿你也不算全体观众呀，怎么都不算。甭拿观众说事，谁不是观众啊？现在没有谁在为大多数人在拍戏，也不可能，永远——只能是少数人为少数人。所以也别一听不为您拍戏就炸，觉得您花几十块钱就是上帝了。

孙：永远在说为大多数人。

王：戏里两个角色一个女演员一个男导演，我当然也有目的。媒体不是经常爱搞那种暧昧猜测吗？演员、导演这两者关系先天给人感觉暧昧。得，那我就利用你这点下流吧，当然我这想法也不高尚。我不正派，我投机心理，我承认。

一男一女大夜里聊天，聊什么哪？很多人都奔那儿想去了——奔他妈生理需要那儿想了。但是，正常一个组，导演演员夜里不睡一般还是想工作。真正使人感到需要聊聊的还是怎么把自己想要的表达出来。当你努力半天，却发现自己完全不知道在说什么，你表达的完全不是自己。这种表达的错乱，不全是外在原因的问题，是表达有先天的局限，语言它本身是一个不能完全表达人思想的工具。所以，陈村说过，最好的小说是脑子里想的那个。你就得面临一个表达减分的过程。其实拍电影，就是一个不断减分的过程，从最初的想法开始。

孙：老话说，最好是好的敌人，求极致结果就是什么也不做，什么也做不了。

王：这个问题，其实是大家经常聊的，甚至拉下脸来互相大骂的。最狠的评价就是：您没有自己。那我觉得在这个戏里，这两个人是既信任又不信任、既合作又怀疑的关系。其实演员和导演，包括制片人，包括组里每个人之间的关系都是这样。咱们现在合作，我们互相不可能绝对信任，甚至有时候我会迁怒于你。认为你没有给我表达出来。

很多导演片子拍砸了，赖演员，你没演好。演员拍砸了认为编剧不靠谱，导演不靠谱。好像自己的问题都是别人造成的。其实，都顺，都随你，你表达出来的也未必是你真想表达的。

孙：就像卡夫卡说的，我写的不是我想的，我想的不是我应该想的，直至我的内心深处。呵呵。

王：在这个问题上，我绝对认为，没有谁有能力把自己表达准确，还能完好无损地传达出去，使对方一点不误会。我自己就有这个感受。冲上来强烈夸你的全是前门楼子。你说这叫误解，最大的误解往往来自于拥鳖、饭厮。

孙：有人，只要是赞扬，误解也行。是不是有这么着的？

王：再恶毒的谩骂，你说他面目可憎吧，也有好的地方，决不让你产生丝毫误会，表达绝对清楚，就是骂你了。要说什么时候人表达无障碍，就是骂人的时候。你记不记得《绿帽子》里，那几个演员，只要一开口怒骂，立刻无比真实，所有表演都顺了。

我觉得，绝对无障碍的自由表达是不可能的，没有人能，否则的话，在言论自由的国家，它就不会这么多焦虑了。你表达不出来就是你的问题。不管商业，那些全是因素之一。完全自由是不可能的。就这意思。所以，什么事光聊，到最后不可能有结果。

我这剧本，老实说，就对话而言，这个密度差不多两万五千字就够了。情景喜剧的话，聊为主，差不多一万二到一万五千字，四十五分钟就到了。电影的话，一个半小时，两万五足够了，你中间总得留点缝吧。所以，原来我剧本都写到两万就打住了，这个写冒了，写到后来，聊聊扯出别的了。

我其实是跟自个儿乱聊，全聊到我自个儿心里头去了，跟别人没关系。我是自说自话，聊得倍儿他妈高兴，我自己特别高兴，就是自己说话说痛快了。所以，这个剧本大致就这样的。（大笑）

孙：这个剧本，我看了，其实是拍了三分之二吧。不到三分之二。

王：从量来说，是二分之一。

孙：其实这里头，我看的就是说，我觉得可以作为一个小说来读，一个对话体的小说来读。而且这里头还有很多很有意思的东西，是在你的叙述中。就是你在说这两个人描绘这件事的时候，有很多。

王：我写冒了的意思就是，好多话本来说完了又冒出来一小尾巴，明明到头了还有，拉线屎，怎么都拉不尽，怎么都连着，该打住了，还有一串串话手拉手往外滋。这个其实让我有极大的愉悦，这个愉悦就是终于无节制一把。

孙：写高兴了。

王：写高兴了。真要把话说尽了挺难的。不是回回都能赶上，过去我挺装的，好耍那意犹未尽、话里有话的范儿，推崇节制——这他妈是谁装我脑袋里的！其实日后，完全可以多场景再拍一次。我是准备，将来没得玩的时候，重拍一次。从容点。毕竟这个戏太自我了，别人的处理上，有一定障碍。

孙：其实本来那个徐静蕾也说你来导也很好，其实你来演也挺好。

王：我不行，我这人脑子想的和嘴说出来的不一样。当着一堆不熟的人，一帮现场人员面前，我会觉得我跟他们说不着，我说得着吗，我？那咱就别费工夫聊这事了。（孙笑）

其实我是个窝里横儿。出门就紧张，人多就肝颤，特别是我怕群众。我见群众有巨大精神压力。为什么我不爱去各种社交场所？到门口我进不去，人一多就把我吓着了，惊着了。我觉得群众挺操蛋的，你站在他们对面，他们就千方百计逼你逗他们高兴，特别齐心想看你当场变成猴儿。我去过一次什么狗屁大学年轻不自重的时候，刚上台我他妈的就觉得特别糟心，就觉得自己正一脸媚笑，想控也控制不住，我害怕呀！怕底下有人不喜欢我呀。所以什么不得体的话只要有效果就喷，感觉在那儿演了一晚上流氓。中间有一胖大女生愤然起身走了，我顿时就觉得心里掉了摄氏五度，好像做了什么对不起这人的事，偷了人东西什么的，一边嘴里继续胡说，一边想跳下台追上去，叫住她：哎，同学，我怎么得罪你了？那胖姑娘后背我现在还有画面，衣服颜色不是橘黄就是淡红，肩膀上吊着一带儿倍儿长的沉重书包。

所以，我最流畅最自信的时候，实际上就我一个人儿的时候。天生写东西的胚子。过去，有一阵，1991 年以前，我觉得写作我是拿来当饭碗的。拿那个提升社会等级，中国这么残酷的社会，你敢往下掉，你就不是人了，大家能踩死你。我必须往上，蹲到一个至少不挨欺负的位置。我不是说我上去要干吗，我信这句话：贫穷既罪恶。也不能最后他妈的被日常中的那种可怕摧残了，自信全磨灭了。那后来，我感觉挣钱和写作这俩事缠在一块了，也挺拧巴的。很长时间我完全忘了写作其实是我一爱好。就觉得是一饭碗。你想我这么想这事，天天写作就等于天天闷家里做饭，我能觉得有意思吗？用《绿帽子》里的台词：我他妈能舒服吗？所以 1991 年以后我决定不写了，出去玩几年，我一点也不遗憾。我还记得在上海写了一傻逼告别宣言之类的东西发在《新民晚报》上，好像还是钟红明帮新民约的稿。

我现在等于是，把这俩事分开了。写东西就是纯粹爱好，挣钱就是电影了。这回一发杂志，好像又不像了。好像又有点见钱眼开了。心里一股很熟悉的过去那种追名逐利的干劲又涌了上来。我他妈就不能该着我的钱不拿！这是我一大弱点。跟，就是不能让人把我当傻逼！并列为两大过不去。

电影最终是导演的。钱制片人挣，名儿导演出，编剧夹在中间，本来就不是最大受益者，我干吗要负责？我使一半力已经很对得起大家了。我觉得不为钱写作确实非常愉快，真的！我这几年不是还写了俩长篇嘛，当然我不准备发了。不发的原因是我觉得写得不好。写写就发现，其实还是在千方百计偷偷满足公众要求，比如话到包袱口了，必须抖一下，不抖显不出我机灵。靠。我真不是无时无刻都准备谄媚各种恶势力。我怎么这操性啊？我估计啊，什么时候我目中完全无人了，我就算成了。这是我对自己的要求：一辈子不老实，一辈子说瞎话，老了一定要敞开一把。

孙：我正相反，公众没要求，反正你扯什么咱们也不怎么明白。就有年轻的朋友拿亨利·米肖的话来安慰我，说是一个人要是有两千个以上的读者就该去自杀。人总有办法宽慰自己和别人。（王大笑）

王：过去，还不说社会要求你一作家要有责任感，你自己也觉得说出去的话最好别太乌七八糟，做不到正确，就尽量圆滑。最近我越想过去这些也不知谁灌进我耳朵里，就当行为准则约束自己的东西——越觉得可气。我怎么可能每句话都正确？我是谁呀？凭什么我就得正确？而且什么是正确啊？哪儿刻着呢？我对你负责，我怎么可能对你负责？没可能！我都不认识你。

仅仅是不为钱写作，就感到从没有过的自由感。原来，说实在的别看我这操性还有很大的自我克制：这句话能发吗？不能发，我就别这儿费劲了。我绝对自个儿跟家瞎琢磨：这段我不这么写，我拐个弯儿，你们看不出来了吧？好像很巧。其实是把真正想说的，主要的意思，那个原来的坏就放弃了。

因为原来我，大家都说，你写出来的东西是给大家看的，那么你就要对大家负责，大家都挺容易学坏的。我觉得我现在写的——当然我不是指这个剧本了——我写的其他东西，就为我自己看，我就不为大家负责，我甚至都不为我自己负责。

孙："大家"其实是这样一种东西，你指望他的时候，他就跑没了，你不指望的时候，他就蹦到你跟前了。

王：但是生活总是要买很多东西的，有时候人家把钱搁在你面前，就拿走你几句话，我凭什么不让人拿走？几句话嘛，想要还有。但是扛着，不发，不缺钱，等我死后吧。为钱写作多不牛逼啊！回来一进家，真缺这两块钱。有这两块钱跟没这两块钱还真就不一样。说不要，但是回家想。想怎么说服自己：你不是那人啊，让谁将住也别让自个儿将住啊。扛到今儿，一下秃噜了，一秃噜百秃噜。守志很难的。

我想我将来就是，现在因为有这种可能，现在有这种可能。现在这个东西写出来卖出去需要一个中介，比如出版社呀，比如说电视台呀，比如说电影发行公司。这些中介呢，有他们自己的喜好，而且是不问对象向全社会推广，那你就要照顾全社会的道德水平，全社会——就是连小孩也算，精神不正常不能对自己行为负责的人也算，那水平就是最低水平。是啊，他不能负责，只能你负责了。这要求很合理，你要连小孩、精神病的钱都赚，那你当然要负责。

那互联网就提供了一种可能：我东西搁这儿，小孩不许进来，精神病不许进来，就像黄色网站似的，先屏蔽了他们。我相信这技术不难。成年人进来，能为自己负责的人进来，大家先看，看着不满意，您可以不花钱，看着还行，要下载，您就付我这下载的钱，一页一毛，就咱俩之间，一对一，不许中间那些乌七八糟的人抽成儿。事先说好了，出门您打家劫舍可跟我没关系，要签同意书的。或者我在网页底下写上一条：点击下载就意味着您已经承诺遵守中华人民共和国法律，并自动放弃因您本人行为失当对本网主进行的所有精神追偿权利——将来直至永远。

您不能说因为我受了刺激。

我们俩这交易就算完成了。——我就说，避免大量冤魂进来。这想法我觉得挺好。尽管现在未必能做到，赶明日后一定可能。

孙：这就是你写得痛快，买的人也觉得值。

王：就是你这话我看着高兴。或者哪天您看着不高兴了，扭脸骂我一顿，我也知道是谁在骂。不是莫名其妙冤进来看热闹，以为我这是热闹，但一看完全不是热闹。这种人最冤，那我觉得这些人不必了。我也不觉得一毛钱叫钱。当然，那位，花钱不多，脾气也没那么暴。

孙：有些人以掺和为主，仗着人多，觉得自己离真理比较近。

王：我个人有两个梦想，或者说是自我要求：一个现在不能说，一个是希望能最终真实地表达一次。巴金先生说过，讲真话。我觉得讲真话特别难。讲真话就算是有条件和环境，你讲出来的可能未必是真话，可能是被别人灌输的，甚至为了讨好听众说的话，那个可能不是内心真正想说的话。人其实很复杂，内心不断地被遮蔽，最终那个自己，我觉得认识起来挺难的。

孙：“遮蔽”这词儿也时髦了好一阵子了，海德格尔啦、贝托鲁奇的电影啦。

王：我过去讲过的以为是自己的话，大部分是流行观念，是别人的看法被我用了。我都忘了这话从哪里听来的，所有感觉都是别人给的。我觉得这里没有是否正确的问题，我希望我再说的话都是自己的，哪怕是错的，只要是我自己的。当然我也不觉得有些词谁有专利，他说过的话别人说就是受他影响，词儿不重要，自个儿琢磨也能说出差不多的。不好意思，我顶不爱看一本书里乱引用名人原话，好像跟人多熟似的。我当然觉得崇拜是最恶劣的品质，崇拜中最卑微的是崇拜名人。货真价实就不是炫耀了吗？

到今天我也不敢说我完全找到了自己，我说出来的话真是我想说的话。

听说咱们以后是信息社会了？我觉得信息社会，就是社会财富主要靠信息流通互相收费产生。原创信息——原始信息最宝贵。不必经过媒介进一步放大，把你修改成可爱的样子。我希望将来我自己可以不经过媒介加工，直接通过互联网将自己的信息提交给欣赏者，也使对方接收信息的成本大幅降低。一本书、一个电影，中间批发零售环节挣了百分之七十，他就是把这个话递给别人，有必要通过他递吗？他还挺事儿。

《纽约时报》还是一什么美国报估计说，二十年之内报纸会消失，你没必要去街上买报纸，从互联网看新闻就可以了，大量的信息完全可以通过更简单的操作获得。报纸消失的话，杂志没有理由不消失。我觉得电影也没有理由通过电影院来放映。少了中间盘剥，人们互相欣赏的成本会大大降低。

孙：一种科技进步所展现出来的乌托邦。愿景。这个词是我新学的，好像大公司里都这么用。

王：我算过账，每月汽油费加烟钱加物业费，吃饭又不贵，我其实一个月一万块钱就可以过去了。这样我一年挣二十万就够维持。我要卖书的话，现在一本书最多给百分之十六的版税，一本书定价二十块钱，百分之十六是三块多钱，刨去百分之二十的税净挣二十万块钱，至少要卖八万本。如果没有中间环节，我直接面对读者，一本书定价十块，刨去物流印刷之类，卖一万册就可以挣八万，卖三万本一年就齐了，我也不用到处吆喝去了。可是，现在我得给中间多少人弄钱，显得光我爱钱似的，不像话。

孙：好多人都为这事儿堵得慌。

王：到那时候，信息交流的成本大大下降，拍一部电影的成本也将大大下降。吃流通饭的，说实在的，二十年之内，这碗饭肯定不好吃了。谁用你当二传手呀！仗着你占着这块地方，你有银幕，你挣大头。没那事，我们以后都虚拟空间了，不需要你在那儿放映信息了。

不生产信息的人在挣最多的钱，这是本末倒置。“我给你编编。”谁用你编了，编的过程意味着什么？到那时候，言论自由反而可以接受。言论自由大家有顾虑，是怕不该听的人听到。要这样很简单，该你听的给你听，不该你听的就不让你听，譬如小孩，成年人的性生活您就别跟着听了，大家都自觉点，别弄得我们这些成年人现在都只能聊小孩的事。

我想那时候，每个作者、诗人、导演、歌手，都有自己的网站，你需要买他的产品，了解他的信息，可以直接上网购买，大家可以有钱出钱，有力出力。比现在消费一些所谓的信息产品便宜很多。艺术不是信息吗？

在艺术领域的自由表达，我觉得指日可待，我相信我活着能看到那时候，只怕到那时候我无话可说了。

孙：无话可说有一部分原因是不想说，没了那兴致。

王：潮流这事，得赶在点儿上。赶早了，说了等于没说。早年间，多损的稿费，按字算，卖得越多给得越少。将来，到那个时候，信息家——咱们都算信息家吧？容易生活，不用为了生活，摧眉折腰。流通成本没有了，需要一点制作成本的东西，比如电影、唱片，也不是那么可怕了，可以很便宜自己搞。

我觉得，三五年之后，数字会代替胶片，胶片实在太复杂，又要洗印又有很多不稳定的东西，胶片会变成经典，如京剧、歌剧啊，有些人喜欢这些的东西，就像喜欢手工活。

数字化以后，完全可以自己编辑，制作成本大量下降，小富即可承担。当然，你可以拍超级的，人类生活那么多元，可以无限地拍。反正有电脑特技，软件越来越发达，肯定会有。

一般写小说都是写完了定稿了给你看，我想搞一个在线写作，过程中的。因为写作中，至少在知识上是会出现偏差，表述上会出现问题，甚至逻辑上出现混乱。如果在线上，可以像一个在线游戏，以某人为主导，大家一起参与创作。但这种小说，需要一个特殊的类型。如果写我自己的生活，别人没法参与。如果是写公共生活，涉及所有人问题的，别人就会参与，纪实和报告文学就可以这么做。比如写个反腐倡廉的，有人会说“这不是腐败”，有人会说“制度不公平”，那个过程我认为是所谓说话写作本来所要达到的，最古典的艺术目的。那种有教化意义的作品，在线写作是最好的。当然，这要服务器充分支持才能达到。现在看起来，这是肯定要实现的，就是我在那儿一百个不乐意，我喜欢纸版书或者喜欢顶风冒雨上书店，怀着崇敬的心情买一本书，回家摸着书，感觉那纸，啊，像熟人皮肤。——就算一百个不乐意，也得眼睁睁看着它发生，到时那逛书店就变成玩古董了。

孙：这个电影里两个人在说话，有点交互的意思。

王：人就是和人交流。有的时候，一间房子就是一个世界，非常丰富。刚写完的时候，我还跟人聊过，我觉得现在拍的是讨巧省事的方法，是一个粗枝大叶的方法。其实屋子里有很多特殊的地方，那得细细地去观察，要用不同的光把它表现出来，每个人屋里有好多灯，不同的灯光下感受不同，我觉得这是非常可观的变化，可以请摄影全部拍到，然后想明白搁在哪个段落。人那张脸上充满多少细节。当然那有点费琢磨，而且周期要比较长。

你说你在一个城市拍，你在一块平原拍，你哪怕出外景出到天边去，也跟在一个屋子里拍是一样的。只不过大家都觉得外边才叫风景。

人在讲话时在表演时在行为时，他的情绪一直在不停变化，有起有落。所谓情景交融，一个人一间屋子很够了。

年轻的时候，在屋里待不住，老觉得屋外可看性更高，到这岁数以后，外面逛烦了，在屋里才待得住，才有兴趣观察到自己的房间。当然这个屋子最好受外界影响少，如果住楼房，外面走路装修打电话，你也不相信这屋子是完全属于你的。外界因素降低之后，你会慢慢看出这屋子里的东西，当然也能人为地改变屋子。

将来我可能还真要去做一阵导演，没人拦着我还真想不出不干这事的理由。我做电影目的就是钱嘛，只有当导演才能取得利益最大化。指得上谁呀？谁也指不上，求人不如求己，我必须把死前最后这二三十年的钱宽宽裕裕挣出来，早挣够早歇，七十了还为小钱奔波太可怜了。怕的是要受累。所以一直犹豫。有人说你行，因为导演就一条：你得明白你要的是什么。底下人拿出一方案，你得马上给出意见行还是不行。这我估计问题不大，我不想明白了我也不动啊。再说我建组我得全找熟人啊，我这么大岁数我就别再去受人治了。

也有人说你不行，说做导演毕竟要跟人打交道，必须见人说人话见鬼说鬼话把不乐意都藏心里至少不能当场跟人码。而我现在太爱跟人急，不许别人说话，而且跟谁一翻了脸就再也翻不回来了。别一部戏没排完，人都得罪光了，老了找谁玩呢？

其实我最担心、觉得最恐怖的是到电影院见人，铺着红地毯进去和戴着脚镣进去是一回事，我不觉得这些导演演员谁真觉得好，大概第一次被观众瞩目挺好，后来简直是千夫所指，指着夸你也不舒服，这种东西尝一次就够了。

孙：好多人干电影是冲着这个去的，没到那上头溜达一圈，都不算拍电影吧？就跟落奖似的，没得着，那就算白写。（大笑）

王：有个做电影的跟我说，他发自己片子的时候，大中午的跟各省院线公司成箱地喝白酒，喝趴下了才答应放几场。这种流通环节让人瞧不上，哪儿都不挨着哪儿，让人瞧不上。它就是夹在中间的那张皮，就是个张罗人儿，什么和什么呀？弄得跟大爷似的，莫名其妙。

当然还有大量的所谓媒体，飞短流长，古代长舌妇今天的传人！最可气的是他们还经常问别人是不是在作秀，你们丫就是正宗作秀界人士。这些人特别讨厌。他冒充观众代表，经常拿观众知情权说事，谁告你观众什么事都非得知道了？媒婆把自己当新娘了，人家结婚她入洞房，这太可笑了！振振有词冒充在行使宪法更可笑！还不就因为现在大家还处于有线广播阶段，社会上有什么事还要大喇叭广播，要通知必须经过喇叭，喇叭自己就活了，自己在那儿瞎说。这帮孙子现在都开始编瞎话了，假装见面采访，假装自己回答特机智。

孙：我现在一半时间就冒充一喇叭。（笑）

王：当然还有电影管理人员。“我们的前提是要拍部正确的电影，正确的标准在我这儿，你先跟我聊，我来告诉你是否正确，不正确修改到正确，严重不正确你就算了。”我倒觉得实际操作往往不在于政治上的大是大非，谁吃饱了撑的真在电影里反党反社会主义呀？大量的争执发生在趣味不同，他是学古典的，心里有几个碰不得的，你不同样尊重就是冒犯了。

孙：这使事情简单化了，但是审查大概都是简单化的吧。不然没个完了。研究几千年，不下定论，也没法下。文化的多样性，复杂性，诗歌不可译，误读，过度阐释，希腊如何，印度如何……知识分子拿手这个。

王：当然观众也有很多坏人，过去被枪毙的电影基本上都是观众写信告的状。电影局多为难啊。过去的年代真培养出很多懂文艺座谈会的人、爱写信但不爱写自己名字的人，爱骚扰行政机关的人。所以第一，别再说拍电影你不爱看就是浪费人民的钱，人民早不掏钱了。电影早不是福利了，甚至也不是基本人权，是商品，是交易。您逛商店一定不说那些您不买的东西摆在那儿是浪费钱。第二，别再说现在电影不反映人民群众现实生活了，因为你们太爱急。

估计我还要等一等，等互联网再发展得好一点，看情况吧。也许，后来我可能不写小说了，我现在觉得拍电影和写中篇是一回事，信息量和篇幅都差不多，而且现在我觉得文字有很大的局限，简体字简化画面，是残缺的信息。我相信日后人与人交流完全可以依靠画面，接受的信息更全面，是叫全息吗？

文字简化信息简化到最后必然剩下一概念，概念经过串联经过公证就会形成公共价值观，就会形成反对一个概念就是反公共——本来没多大事。

我当然认为所有写小说的作家都有资格做导演。小说多具体呀，每一个细节，都要想到还不能和人重样儿，重了就算抄袭。跟拿嘴盖一座楼差不多。导演都没这个本事，我不是挤兑他们。我见过的，能完全独立想象一部电影细节的只有一个姜文。大部分导演的想象是靠编剧提供，靠编剧激发，再由摄影美术道具一项项做实。导演是所有艺术门类中最不真实的人，他就是一个总汇，是一个整合资源的人，设计打法的人，相当于部队打仗时的参谋长。司令是野心和金钱。参谋长臭点，司令坚决，士兵英勇，仗还是能打的。

孙：我认识的导演少，没见过他们拍戏，不明白是怎么回事。一想到拍戏得捎上那么多人、事、东西，先就想躺下了。当导演先得身体好。

王：日本管导演叫监督，监督大家干活，我觉得挺准确的。在好莱坞，钱、最终剪接权都被制片人拿在手里，导演无非就是现场工头，相当于造房子时的施工监理。所以你只要了解这个流程，有各方面信任，就可以干这个事情。

现在大家不敢干，是对这个行业不了解，以为很深，没一个创作行当带这么多帮手的，活都让人家干，自己蹲一边光点头摇头说对不对。噢，听说画画的卖钱了也有这么干的，叫导画。我还准备导音呢。所有摄影美术其实是提供技术支持的人。这个行业专业化以后，不分是谁，他们现在也不分是谁，无论你想没想明白，只要你按时付钱。

有了技术支持，再省了中间费用，拍一个自己日常生活电影，然后在网上传播，我觉得真花不了多少钱。剩下的就是演员钱。这也是我们常问自己的：你是花五百万请一个明星演，还是花五百万砸一个新人出来，哪个合适？一个电影的成功除了当年票房，更成功的是捧出一个人，随便一个电视剧一线小腕儿只要不心疼自个儿什么戏都上什么广告都接，一年挣千万玩似的。要不现在重点戏用新人出品公司必须跟你签经纪。

每个人都有权利也有可能，也表达得起自己的生活了，那时候，就逼得艺术家彻底平民了。估计将来每个人的成长过程，都会拍一个电影，就像过去每个人青春期都写歌词一样。拍下来，自然有人好有人不好，不好的就淘汰了。咱们是文字接文字很熟，画面接画面不熟，咱们也试一下，接得好，就留下，接得不好，那就拉个洋片，我觉得相当多的导演是拉洋片的。

孙：没准我下回得一机会也拉一次。圆梦。

王：其实电影不是梦，也是日常生活画面的截取和重拾，再奇幻再未来也是建立在人情和现实生活逻辑上的。说梦只不过是夸大其辞给自己吹牛逼。我没见过一部电影不是人类生活投射，动物也全拟人了。谁有什么想象力啊？咱都别给自己吹牛逼。

孙：其实是观看别人的生活。

王：《星球大战》、《指环王》，还不是孩子气的天真神话？坏人那么好灭？正义那么好实现？当然电脑特技人员仍然可以高度敬业，怀揣一颗童心，定期制造出视觉奇观让孩子们过一个快乐的暑假。

这种婴儿食品我觉得中国也有特别好的，孙悟空大闹天宫，《西游记》一路上妖妖道道，孙悟空的性格多小孩啊，特别适合小孩子看，学点反大人。

给小孩吃最甜的，看最甜的，惯着他，中学毕业，想赖着不长大也不可能了。到时可以看一点粗糙的，黑白不那么分明的，你不看，现实也要摁着你看。世间往往正义是最大的邪恶，这个小孩子怎么理解？

孙：他理解不了。

王：我当然得拍成人电影了，我不伺候孩子。真正实现一对一交流信息后，我就把自个儿是怎么回事理清楚了，归归类，知道哪些可以见人，哪些不可以见人，谁都有什么忌讳，见人下菜碟。有三万个菜碟接着，我就够了。之后就是逗自个儿玩，逗完之后，你看能卖吗，不能卖我留着。（笑）

孙：其实可以当小说来写。我读时就是拿它当一小说。

王：这个剧本我写了两个月，叙事得不好，还不如不叙事。

我也见过一句对话没有的电影。全是对话，那就得控制好。经常有时候，一大片平坦的对话看得也特别累。

孙：跟你以前写的那些小说还是有点不一样。你以前的小说，也有对话占很大比重的，或者说叙事通过对话完成。但这个我觉得比较极端。当然指的并不是指其多，而是涌现出来的方式特殊。

王：我觉得这次我比较真实，原来说的不全是实话。我知道电影还要再加工，不会就这样原封不动上去，所以写的时候也不认真，剧本这东西——谁认真谁被动。之前，说实在的，我也不知道什么叫实话，无非是拿公然攀附真理和公然冒充真理孙子的人开涮，给他们喊声倒好儿。见过胆儿大的！攀附真理不叫攀附啊？真理的孙子不叫孙子啊？你跟人熟吗？当然我也很可笑了，不许别人有乐趣，心态很不健康。有完人吗？大师就不犯臭吗？净碰上这样的事，阎王不急小鬼急。都是三代以上奴才坯子。文天祥之后，没有天生傲骨。“文革”之后，没有从来清高。

年纪大了以后以前完全不想的事，现在发生了。老梁去世、我哥去世、我爸去世，迎面给了我仨大耳刮子，基本把我抽颓了。这是年轻时完全想不到的。我那么怕死的一个人，说实在的，这些年一直躲在家里想：死是怎么回事，真一闭眼都不知道了？我当然不相信下地狱上天堂什么的，中间有太多瞎说，编剧痕迹太重？但突然正跑着一切正走的表归零，生活到站，世界黑屏，这个我有点想不通。我觉得一切都不真实了，人们的喧哗、拌嘴都没意思了。进城走机场高速，特别冬天傍晚，就觉得那一片片灰树林子后面藏着另一个世界，就觉得看到了自己这一生的尽头。

读到过太多作家临死前说没写出我想写的东西，我想我可不要那样，这一秒忽然明白了，下一秒就该咽气了，至死方悔。那时，我才开始有点重视我的写作才能了。好不好，这辈子就这一专长了。那时才开始有点感激我有这一才能。一人待着的时候，还有它陪着。写作治糟心，写出来就等于把糟心存电脑了，然后自己就成别人了，可以坐在桌前充满关怀地想，怎么把电脑的糟心解了。

我原来对自己很不了解，一直觉得写小说是一种临时的谋生手段，好比旅行当中的一夜情，感觉再好迟早要挥别。我这辈子可没想光干这个，我还有其他事，好多事呢。

我小时候是在部队长大的，从来不觉得是北京长大的，心里不承认自己是北京人，觉得北京只是个暂居地，长大了一定要到远方另外一个地方生活。实际上平时看到的也是这样，当时“文革”，大人都跟没头苍蝇似的，院里每天都有人家调走。我还没上中学，小学同学就已经遍天下了，走哪儿都有熟人，走哪儿都有地方投奔。

孙：我有一纪录片，韦大军拍的，也说了这层意思。尤其小时候，对上海就是那感觉。

王：那时我就特别想跟上走，特别羡慕那些去外地的人，我爸那时被发去“五七”干校，其实是一倒霉，我不懂就想去河南驻马店跟着下地，只要离开北京，我都觉得好玩。十八岁当兵去了青岛。那个城市也是海滨城市。一进青岛天下雨，一片红瓦的房子，像《瓦尔特保卫萨拉热窝》里的萨拉热窝似的，越走空气越潮湿，海上有雾气，地上全湿了，有海星有贝壳，像假的一样。北京不可能见到。第一声听到的是海在喘气，肺活量倍大，雾气在散去，天大地大哪有海大？当兵的时候，看着海再无聊也愁不起来，海把你的视野全占满了。它在黄昏早晨春天秋天，各种各样的变化。给我印象青岛是个特别绚丽的城市。“文革”结束后，全国都非常灰暗破败阴郁，青岛是个非常艳丽的城市。

我在那儿过得挺好，回想起来像度假，当然后来觉得不靠谱，就回来了。我一直认为眼前的事都是一时的，为什么对好的东西不珍惜？为什么老不买房子，就是心里不落听儿，不知道最终落在哪儿，一买房子走不了了。一旦生活开始稳定，我就感到恐惧、躁动，说实在的，忽略了很多美好。我这前半生的幸福时光都是翻回头才知道已经过去了。后来慌慌张张去了别国，面朝大海，鲜花盛开，海水倍儿凉，花没香味儿，地方是真好，也真和我没关系。那时才明白我就是北京人，去别的地方都是客，我将来哪儿也不去，哪儿生的就烂在哪儿。

孙：是，怀着各种愿望、梦想折腾了大半天，到了还是在原地待着。

王：说实话在中国，我从来没有过安全感。出了国是有安全感，但这种安全感时间长了也不那么重要。在一个等于你不存在的地方，你当然有安全感，什么事儿都找不着你。在这儿，你和人有关联，事物在动荡和变化，你要对自己的决定负责，错了就要付出代价，只有不做事才有安全感，一个人不认识才有安全感。环境很真实，环境要求我对自己负责，我也应该有这个能力为自己负责。

我原来觉得写美好特别难，因为我没见过，除了各种装逼和各种做作。我的青少年时期，老师、年长的人都没让我感觉到美好，丑恶居多。我觉得美好太稀有了，我不是不想表现美好，但我只是听说过，我没见过，我总不能瞎编。后来看宫崎峻的动画片，给我一个启示：美好其实挺简单。

孙：我们很多动画片的记忆来自童年，那种知觉，看宫崎峻的电影让我重新获得了小时候的感受，挺奇妙的。

王：他写的全是小事。和美国的动画不同，后者主要写男孩子闯荡世界，战胜邪恶，前提是这个世界是恶的，需要靠个人的勇气来战胜。而宫崎峻写的全是小女孩，在日常生活中，突然找不到家了，或者像《情书》拍得那种事，突然想起小时候曾经遗失一段感情，曾经发生过，只是你遗忘了。宫老师的动画片非常喜欢表现这个，美好在小事里，在不知不觉里。

我最喜欢的是《魔女宅急便》。当然《千与千寻》也非常棒，稍微有点深刻。——魔女的传统是十三岁都要离开家到另外一个城市独立生活，于是小女孩就骑着扫帚去了个类似旧金山的城市。她也没别的本事，只能骑着扫帚帮人送送东西。老太太的烤箱坏了，小姑娘帮老太太收拾收拾，然后帮她送盘烤鱼去。看第一眼我就被带动了，一下想起好多事，而且那画的城市太像青岛了。

动画里没坏人，最坏的是汤婆婆，也就是要你给她干活，不是要夺你性命。想着就放心。

其实，世界你把它看成美好的就是美好的，看成恶的它就越来越恶。

美好可以发生在特别小的事上，不见得给大家办多大事，一定要在经济上让大家翻个身。宫老师这点拿捏得特别好，大家只是有点自私，有点没顾上，都没有野心，而且都讲理，坏人也讲理，愿赌服输，否则坏人的部下都不答应。我觉得这样的东西我也可以写呀，其实，这不需要看得多透，在一个误解上达到和谐也挺好的。我觉得和谐必须建立在误解上。

孙：交流即误解，和谐即带着误解相处，老话叫求同存异。

王：我经常觉得，我内心有无限的黑暗和光明，不是说我信善或者信恶，不是那么简单。生活中有不公平，有记者去写。电影在承担娱乐功能。那作家应该回到他该去的地方，通过画面看不到的地方——哥儿几个姐儿几个的内心。我觉得作家都是生活中的失败者，或者说是主动退出生活的人，内心都非常扭曲——不包括那些找工作找进作协的。那你又有能力，又比别人扭曲，也应该比别人勇一点，别人冒充完人，咱们就别了，咱们不给社会提供人性黑暗解剖图，那真叫没责任感。

现在小孩的喜怒哀乐，流行歌里有大量对症下药，不像过去一个少年发情那么简陋，只能夜里趴被窝里看《红楼梦》。我现在就有意识进行心情分配，街面上遭遇的爱恨情仇，我都听流行歌曲抒发。你自己在那个情形里，就觉得唱得惺惺相惜，唱得切中要害，就跟专门就你的事唱给你听似的，听一耳朵可以缅怀半年。看《指环王》、《星球大战》，是看热闹，特技到什么程度了。想证明自己还有人性，就看电视纪实栏目，为人间凄苦、自己没丧尽天良感念一把。如果看人心之叵测，人性之无限可能，还得看小说。但是写苦难的小说，我不看，用不着看，我已经看电视把眼泪流干了。比惨，文字冲击力不够，可以洗洗睡了，何况再把下流当穷欢乐写，不脏不叫性啊？

孙：我见过好些看电视慈善募捐节目冲动着要捐钱的。那是真感动，不带假的。虽然最后也没见捐。

王：当然，我觉得好小说每年也能看到一点，严重脱离社会主题的，内心巨强悍的，但是没好电影多。小成本电影跟小说的功能差不多，它表现生活中可能发生的那种尴尬、无解、为难，把人置于怎么做都不对的境地，看了觉得特别惨烈，那些经历你可能永远都碰不到，这么为难，好多情景是相似的。

孙：但有个问题，被讲述了之后，肯定是被加工过的。就像纪录片，有人要求完全客观，其实机器往那儿一支就是观点。

王：那小说家更不能相信了。真实生活的惨烈，你经过传达，经过公共媒体播放，经过各种意识观念的修正，只要有中间媒介存在，谁都不可能避免，我们就姑且信以为真吧！（笑）

二十年后，我七十，我还有很多爱好，我得好好把这些爱好都干了。

孙：我爱好特别少，真是奇怪。闲时就那么待着，也不是想事儿，沉思什么的。没。空白。就像我特喜欢的一句台词：我的内心有一种无生命的东西。

王：我现在越来越感到时代在翻篇儿。70年代出生的人和50年代，其实还是在一个背景上，都是喜欢纸和胶片的。80后就不熟了，听说跟全世界80后都差不多，同一爱好，但他们是废了电影院的一代，很多小孩都在网上看电影，我看不到挡在人与人之间的淫媒消失，他们一定看得到。就让他们多当几年开心的小孩吧。

我本质上还是乐观主义者，谁都动不了的，让自然规律动他。不信谁能永远存在。

孙：你只能信这个。

王：说实话，我原来以为杂志都没了，大家都一副丧家之犬的样子，饭碗都砸了，在北京觉得，不搞影视就活不成了，大家都得改编剧。嘿，我这一听《收获》还十多万呢，发行量。我靠。那可这不就是嘛。都还在看哪，我记得，前几年我最后一次看《收获》的时候也十几万，没什么变化，很稳定。你说《萌芽》都五十多万，比《收获》多一点。（哈哈大笑）它当然《萌芽》是流行刊物了吧，算是那样吧，应该说是流行歌词的培训班吧。应该那样，应该那样一种状况。所以，就是，我觉得说明，这一行还能干，饭碗都在，谁说世界大变？还有退路，隔行的钱不好挣，

就这么回事。（笑）

现在那个，我觉得，光靠写小说养活不了自己。还是盗版问题。至少我相信知识产权是下一个经济增长点。你抓了以后，中美贸易就会相对平衡。然后，很多人都不必这么都跟疯狗似的，上街争同一块肉。我在家里写东西，我过得也挺好。你得保证，每个人使用我的信息，你付我一份小钱就得了。

孙：就足够了。

王：就足够了！我觉得，打击完走私，整顿完房地产，下一个瞄准就应该是维护知识产权。你生产那么多鞋子干吗呀？你应该知道信息是值钱的。你别以为中国人脑子不够使，哪儿不够使的呀！就是脑子比别国人稍微多转了半圈呗。（呵呵笑）你以为谁他妈的都是煽动家，其实是你信息没分级，被不该听的人听见了，除了官话什么话能让人都舒服？面儿上看着都是人，你哪知道肚子里装的是香肠还是鞭炮。都一对一，各自戴上耳机，不存在流毒，忧国忧民的就不会这么疑神疑鬼。

孙：杂志，我觉得，其实，即使说起来，大的环境更恶劣。就是说出版，包括电影，发行。但是你想它，十万，其实十万已经足够了。

王：我觉得现在每个人的阅读量、信息接收量其实是增加的。具体到每个人，你天天都上网看电视或看碟，都听歌，只是看书少了，也许小说不看，但其实总的信息量是增加的。说现在人都没了道德感，都掉钱眼里了，不比从前，你知道你在说什么吗？现在最大的贪官也比从前单位里一个告密者有道德。告密者是不贪钱，他害你全家。当代三大暴君哪个贪了？希特勒很清廉，完全没有私生活。真不明白假不明白我也不知道，居然还羡慕过去。全世界一个人都不读小说，饿死我，我也不回到过去。

当然全世界一个人都不读小说是不可能的。环境恶劣是你原创信息的人没赚到钱，被中间这些人给截胡了。是截胡的问题。如果你把中间问题解决了，大家都踏实了，回家踏踏实实憋大牌，豪华七对也敢留呀。谁有想法谁就坐家里卖呗，不必非拐一弯到你们家这儿才能卖。我觉得那时候，当然《收获》咱也是个网站了，(哈哈大笑)是一个权威介绍关于小说关于这方面的议论这么一个东西。这样可以变成小说家的门户网站。相当于我每篇东西多少下载，每个月我给你提。编辑也能活，不是不让活。(呵呵大笑)希望中间这个工作，工作量下降，大家都轻松。你也别给人瞎改了。——行了吧咱们聊的?

孙：行，这很多了。

|《幻想一：网络连续剧》之一|

去年忘了哪一期，看到《三联生活周刊》上面一个稿子，谈到美国新兴了一个行业，有一帮子导演专门在做电子游戏，这个游戏已经不是过去那种电脑合成人物打枪打炮涉险过关的机械过程，而是讲故事，由真人演员出形象，尽管依旧以动作为主，但同时也不偏废人物性格、心理发展，一句话：更人性化了——至少跟动作电影一个做法了。这文章举了布鲁斯·威利斯的《第五元素》为例，说这就是游戏和电影同时制作的，这次，电影屈尊为游戏的副产品。文章强调了这种因果关系倒置的革命性，这意味着一种新的视听艺术——声色娱乐方式的出现。在洛杉矶，已经有了一个完全独立在好莱坞之外的生产体系，除了导演和电脑工程师，还有编剧，专门为人性化游戏创作、改编剧本的编剧。这些人称他们将“最终取代好莱坞”。

当时我读了这篇文章并没有太多感觉，仅仅作为一个了解：美国那边又出新花样了。这之后第二天还是第三天，在一个饭局上见到了一个南京人，他是台湾“明日工作室”的大陆代表，负责为台湾这家公司收购大陆作家作品的电子网络使用权。乍听上去这是好事，绝大多数汉语网站使用文学作品是不付费的，现在有人出来付费，虽然很便宜(此人开价是千字十五元至二十五元人民币)，作家一般是感到受了尊重，这位先生着重讲的也是有感于互联网上侵犯著作权的现象比比皆是，他们意在规范操作，建立合法使用著作权的秩序。说得大家都很高兴，都认为这个钱不拿白不拿，反正已经出过纸媒书，看不出也想不到文学作品在现今如此自由任意传播的电子网络上还能这么奇货可居，有钱拿总比白给人乱使强，我也这样想——当场，我甚至从心眼儿里把他们当做慈善家。

拿了合同回家，越看越不是味儿，看到了大量的陌生化表述，乙方除了要网络发布权，还要以电子数位化格式自由载入电子网络、磁盘、光盘、集成电路卡或其他类似电子产品进行出版发行，同时还包括根据作品可能产生的电子图形声光产品：VCD、DVD、电脑软件、电子游戏甚至漫画(明日工作室老板之一是台湾漫画家蔡志忠)，以及未来一切随着高科技发展而出现的任何新的电子产品形式的权利。这一权利的转让是永久的，给我看的那份合同中没有关于合同期限的那一款。正是牵涉到图形声光产品的那些字眼儿和“等”、“类似”、“未来”这些涵盖极广、却无实指的措辞引起了我的警惕。这话我懂，跟老外签出版和电影合同时，他们总是不厌其详地将可能衍生的产品形式一一列出，划入同时获得的权限范围之内，并将不尽之意用“未来一切可能出现的形式”这样的话表达，给人感觉是花了一次钱，能抄的尽量抄，有用没用先拿走再说。

我给南京方面打电话，告诉他我不能把“未来”卖了，尽管我不知道我的“未来”值不值钱。我说我认为这是低价抢占资源，赌一把期望值。台湾人这不是第一次了，20 世纪 80 年代中后期就有不少台湾客进大陆超低价或不花钱仅仅靠花言巧语取得大陆作家的海外作品版权和代理权，其代理费最高提成到倒四六，这是赤裸裸的不当得利和恶意把持，我不说这是欺诈。南京方面很不痛快地挂了电话，我相信他是出于礼貌才没有跟我吵起来。这时，我倒是想了一下《三联生活周刊》上那篇文章，但我还是认为那是遥远的事，还是不认为纸媒——传统文学作品在互联网时代有什么利用价值，台湾人的小动作，只被我看做一种积极的商业头脑和全球眼光，放长线钓大鱼，或叫“有枣三竿子，没枣三竿子”。

过了一段地间，大概是一个月左右，一些作家已经和“明日工作室”签了约，我正在犹豫这回是不是机灵过头了，坐看一笔小钱过路而没伸手，接到了一个电话，是我在纽约结识的一个当时在法拉盛当辅助警察的小子。他说他现在回国了，在一家专门制作电脑游戏、号称“全国最大”的叫“尚注电子”的公司做项目开发，有“大事”跟我谈。我和他见了面，在他们公司，他提出要买下我的全部作品做电子游戏，口气很大、信心十足，纽约小子的眼睛在办公室日光灯下闪闪发光，我不知道自己的眼睛是不是也在那一刻发了光，我说：那可是一大笔钱啊！

说来可怜，在那之前我见过的电子游戏仅限于饭店街头电子游戏厅里那些打飞机打卫星沿着屏幕驾驶之类的，在“尚洋电子”，纽约小子给我演示了他们正在做的游戏节目，并在演示过程中再三向我强调：这只是最原始的，受资金和技术条件限制，他们只能达到这东西可以达到的百分之一的效果——那也很惊人了，我发现那就是电影，画面连接是蒙太奇的，人物可以对话，每一个动作都伴随着动效，再不是游戏厅里那千篇一律的“笛笛”声，音乐当然就更不是问题了。与电影不同的是它的画面是三维的，就是我们说的“立体”的，特别是人物往纵深走或在建筑物、树林中往来穿行，可获得远胜于平面银幕的视觉效果。不如电影的就是它的画面不是每秒二十四格，人物动作还是卡通式的，有点木偶，在我看那版上，对话还要用字幕的方式打出，相当于默片。当然这版游戏景致人物都是电脑合成的，画面颜色、人的面部表情、眼、嘴、手指的动作还不能做到像真人那样细致生动。纽约小子说，这些问题在国外制作者那里早已解决，有钱就可以有逼真。目前的瓶颈在个人电脑的运行速度，太慢，厂家做出来了自己家电脑也玩不出来，他用了“带宽”这个词，说最迟两年，“带宽”问题就在全球范围解决了。

我问了他们做一版游戏所需的费用，纽约小子说长度十几小时的游戏大概一百多万人民币，因为他们不用出外景、等光线，也不怕下雨，一切景都在电脑上做，戏在电脑上演，有一帮电脑工程师就够了，而中国的电脑工程师还算便宜。传统影视剧所需的演员、摄影摄像、服装化妆照明场工什么的在这儿都是多余的，美术需要，导演需要，他们叫“策划”，过去他们还不要编剧，现在想要了。

《幻想一：网络连续剧》之二

在“尚洋”公司待了不到两个小时，我就全懂了，在互联网时代，哪是光纸媒小说将要被废，电影、电视剧这些“传统”视听手段都将被废。特别是电视剧，都是通过差不多大小的电子屏幕观看，得到差不多视觉效果的，如果可以自己给自己播放，并且可以参与到故事的进程中，左右人物的命运，甚至冲进去充当主人公，或者挨个演一遍，谁还会傻帽似的坐在电视前等着电视台发射编排好的故事只当观众——想这样也可以，游戏也有一个自动演示，省心，就给自己播一遍 VCD。这么说吧，拿《红楼梦》这个故事做例子，假如有这么一版游戏（现在我们看到的电影电视剧都是导演自己玩了一把，他是臭大粪除了把你气死一点脾气没有），你可以自己做导演，想让宝玉和黛玉结婚可以，你当宝玉也可以，或者宝玉黛玉都当，转着圈儿地过瘾——你都能跟着他俩入洞房。这多好玩呀！他们叫“交互式”。

我和“博库”的老板徐贝聊这个未来时，拟定一个口号式的叫法“所有人和作者一起创作”还是“所有人一起搞艺术”我也忘了。总而言之，你不再是一个尸位素餐的傻帽了，“艺术”也不是少数被选中的人的专利了。往大了说，有史以来艺术——娱乐产生的方式将被彻底颠覆，所有名著都可以改写，无穷改写，那得出多少艺术——娱乐家呀？没有谁再可以在这儿上自恃地位优越，有资格撒娇，要求别人养着他们。

徐贝听了两眼放光，说那咱们就干吧，我给你建一个实验室，给你配技术人员，咱们就叫这个新玩意儿“网络连续剧”，大有从今儿起就把电视剧废了的气势。

怎么从“尚洋”又转到“博库”去了？这里我省略了一些过程。纽约小子跟我说得热闹，可他不是管钱的人，真到谈钱的时候，他们公司那小气劲儿就出来了，他真是想既合作又让我高兴，可从他们公司口袋里掏不出钱，说了半天我发现他们是想不花钱也办事儿，那在现在这样一个知识经济时代，我这么一个高级人才，没那好事儿。

徐贝是一“华裔美人儿”，在旧金山搞了个网络公司，第二个进大陆收作家作品电子版权的，我在不包括“改编为网络电视剧、电影、卡通游戏等电子产品，以及随着高科技发展而出现的任何新的电子产品形式”的前提下，把作品的电子出版权，所谓“纯文学”卖给了他。那天是大家第一次见面吃饭，我一高兴就把在“尚洋”刚得来的启发讲给了他听，“这多有意思啊”，我说，“这跟‘亚马逊’改变了人们的购物方式——等于改变了人类的生活方式有同样的意义。谁先干，将来就跟比尔·盖茨有一拼，你除了提供服务还有实打实的产品，比尔·盖茨不就是靠一‘视窗’然后不断升级嘛，到那时一个不断升级的游戏软件——

故事原型，就是一棵越长越粗的摇钱树，你再一上市，投资者还不疯了？将来，我写完小说，我就指着这个当世界首富了！”

“为什么你不现在就干呢？”徐贝问。

“带宽”，我说，现在还有“带宽”问题。当然这是托词，我还要写小说，当世界首富怎么也要拿出毕生的精力为之奋斗，最损得二十年吧？我准备用四十五到六十五这二十年，六十五以后就欢度晚年了。光当世界首富小说写了半截儿我也不觉得人生圆满。

为什么不阴着，把这些发横财、起码能诳不少钱的招儿都给挑明了？底在我不信别人能比我干得好，还是那句老话：让你们先跑出二百米去。谁又懂文学又掺和过影视，还都搞得有响儿啊？这里玩的是创意，懂技术——没戏！

徐贝是省油的灯吗？美国、澳洲一通瞎混，画家来的，脑瓜多好使呀。前些天给我打过一电话，说他已经攒起一堆人干起来了，就是拿不准该选择什么故事。我在电话里得意地对他说，你以为攒故事拍个脑袋就能干的，那得专业人士。

就是他们干成了，我也无所谓，这碗饭大了去了，够大伙一起伸着脖子扒着碗儿吃上三口五口的。

再讲几个信息：一、日间肥皂剧在美国从1991年以来观众人数下降了百分之八十三，仅在1998年秋季至1999年秋季十八岁至四十九岁的妇女观众就下降了四分之一。这条消息中对此分析原因是越来越多的女性不再在家待着，出去工作，难道没有原因是人们解闷不再是盯着电视，而是自己的电脑？

二、“老牌”电影导演中有两个人，张建亚、叶大鹰在苦练电脑技术，很有可能成为第一批染指电子游戏业的专业导演。

《三联生活周刊》1999 年第 11 期 58 页写道："如果按照最有效的资源配置方式来说，今后娱乐公司最大的资源不是几个大牌导演或演员，而是几个原创故事、人物的所有权。"

写字的同志们，留神点，别瞎卖电子版权，那是将来咱们的一条财路。

|唯物论史纲|

一、上帝等于物质

1．听说过物质携带信息吗？——信息等于知识。——谁拥有全部信息就是全知。

——假如物理学家说得不错，宇宙当真起源于一次大爆炸，全部能量曾聚于比 0 还小的一点，一颗原子携带并保存宇宙全部信息可以想象吧？电脑——超级芯片，可以想见吧？

——全能还用聊吗？物质世界的每一变化都是物质在反应。包括人的活动，概莫能外。

全知——全能即上帝。物质全知——全能。——物质等于上帝。

——只要放下生命是物质的高级形式，人是此地唯一智慧生物这一观念。

2．——人是物质构成的。上帝照自己的样子搭建了人。但你是上帝你乐意自己像原子塔——人，这么累吗？以上帝之全能，非要存在一定只在最小粒子里存在。

不立偶像是对的。万物皆有无上觉悟也是对的。相对于人寿百年，原子丈夫——质子自宇宙诞生0刻经上百亿光年至今00刻无有衰变，可说是不增不减，本性不动。

凡劳累的到我这里歇息。——原子塔坍塌后，有机物在泥土中降解，还原为一颗颗原子。

——有质量的都走不开，逃一颗抓一颗，收入山川草色；收入风流云雨；为生物唐突摄入不得已重为菌胞芽木虫虾鱼鸟禽兽人——由微渐著，沿着食物链。

一颗原子——质子携带海量信息包括有生之涯——这生涯是可视的——可视灵魂。

倏尔雷电穿云，裂为鬼魅。

3．——原子集团湮灭后跃为光子小孩。——宇宙无非是一幅幅小孩嬉闹光景图。人间如视窗；天国如视窗——物质反应的结果——生命春天尘埃落定；只有物质家族鼎盛时期三千大千世界一堂堂过往辉煌在飞行。

老光携带着物质文明史——每个曾被照亮的星球的视觉全记录跨星际旅行，在越跨越大，越跨越深的——无限远当中苍然失色，颓为辐射。光髅了，镂在光上的物质五色史也瓶空碗净了。光输大能力于辐射。

辐射——打着黑伞飞渡长夜的密使。

4．在物质世界一角——地球，物质碰撞摩擦引起周围物质一圈又一圈集体回头叫声音。

忽疾忽徐连续发生摩擦一圈回头人多一圈回头人少有态度的——叫音乐。

风生水起，旱天雷——物质名曲。

只快不慢一圈圈集体倒下的——噪声。噪声也代表态度。

——碰撞摩擦也是接触交流。声音——物质在交头接耳；噪声——强迫症；音乐——在交谈。

音乐修改，凝聚光传递的影像。噪声——在光脸上画道儿，把镜头摔裂。——因碰撞摩擦而起，振荡当中当然列队挥舞花环，鞠躬致歉——水分子还有花样游泳队。——或者拧巴了。

音乐——一种绘景语言。

人语讲述私情。音乐一旦勾勒出一处景象就和这影壁灯笼拉拉扯扯，悬浮在那一刻，倒映为景水河子，时光之箭也不能飞剥其釉。曲折运笔二度涟漪散开，那一笼屉琉璃走马灯随之出现，蹬我旧时车，进我旧时门，迎我旧时人——这是物质在回忆。看上去极像时光倒流——声浪标出物质过往大气游弋犁开的嘹亮尾迹。

身为物质的造像——人，也在回忆；——音乐是物质国通行语言。

——给奶牛听琵琶——植物还听电子乐呢。

5. 物质只占宇宙的百分之五，其余百分之九十五黑暗世界什么情况？

问题之二：上帝又叫造物主。

二、百分之五能代表大多数吗？

1. 以宇宙之美，之井井有条，之丝丝入扣，无不让人痛感其间存在一个巨大意志。意志——注定是要追求目的。

无论宇宙意志为何，他只有两个选择，有序和混沌。他两个都选了，在巨观世界有序，在量子尺度混沌。

全选也可表述为放任——全不选。

宇宙机遇法则之一：以宇宙之大，没有偶然，再小的几率也会发生，一切偶然都是必然。

宇宙机遇法则之二：以宇宙之大，无往不在其中，不发生也是事件之一，0 几率，也是几率，有无都是当然。

——宇宙无限，宇宙无邪，所以宇宙不需要意志。——互相湮灭后只剩下秩序。

2．观点——观测点。知识——可以观测到的情况。问题——情况超出视野。求知——小尺度向大尺度了解情况。

宇宙真理标准：尺度是检验真理的唯一标准。

观点——视野定律：尺度越大，问题越少；最大尺度，没问题——见全盘即见真相。

——运动不终止，都是过程。——如果宇宙无限，宇宙将永无真相。

先知——先一步观看过程。

3．理性——二元论——历史宿命主义领袖；逻辑野马的主人；断定事事皆有起源，都是历次事件的后果——今次来自昨次，明次取决今次。

逻辑——严苛工整的前后蹄；因果链舞龙快骑手；理性驾驭客观驯服感性放飞主观——胯下骑的风筝线。

逻辑——二元骑兵：有起必有循。反之亦然。——觉醒来自东方，降没必至西方。反之亦然。

——宇宙有起点，必有回车点。反之亦然——宇宙无止境，也就不需要一个曝光点。——不必啦。

理性——二元绞车；亦称历史虚无主义剑客。

4. 激情——一元论——历史宿命的追随者；天真的守护者；端信万木皆有起缘，皆是同一粒种子的后果——今林来自昨株——明森也来自昨株。

一，随着时间拉长，即为一条直线——直线无限延长，就叫道，第一名叫大，大道——但是无终点。

无终点——等于无目的。无目的——等于无动机。

激情一元论——也兼历史虚无闪客。

5. 历史——现实阴影重重掩映回声隆隆的时光大道。

宿命——光阴洒下无新人，影影憧憧似是故人来。

虚无——前不见古木，后不见来巢，纵使有脚步，有风声，也无从，不必，不可侦察——来人是0。

宿命搭着虚无——守恒的信仰者。

6. 能量守恒原理：凡原点出发的必返回原点。

原点为0，能量为0——不管曾经跑多快，走多远，长多大，见多少，飞多高，有多亮。

7. 原理——原初的理想。预先给定动机和条件，不受任何后续环境后续条件和新增动机的干预，再优待再良好也不接受。

不可知原理：原点深不可测。

8. 0、平静，苍白，空虚，自亢，既是开始又是结束，无有始终……这就是周行不殆了。

一、平坦，平顺，平正，唯一，压倒一切，就推你了——无限——无限伟大。

一，掉转九十度就是 ·

一元表述： · 生一，一生二，二生三，三生万物。

二元表述：010101

中国数字表述：零一零一零一

如果把——视作一的延长线，还可表述为：0——0——0——

汉字表述：圈棍圈棍圈棍——串。

四维切下一片：⊙

一哥哥狡猾、调和的说法：一元本质，二元表达。

三、从无到有——说谁呢？

1．没光，没时间，看不见任何起伏和航向，一切都很平坦，一切都很一样，前面一样，后面一样，左面一样，右面一样，上下也一样，什么飞？夹这儿了。

所谓飞渡长夜的黑天使——辐射，若硬要在二维电脑白屏上标出来只能是最小的0——·

——等于扎在空中，等于凝眸于漆黑，等于全盘漆黑——此刻，黑可颠倒为白。

——你要一身轻功背负宇宙能量以为自己在飞却发现挤在蚊子屁眼里而且黑墙还不停夹你以为能夹断你——你还有劲儿吗？

2．狭义相对论公式：能量 = 质量 ×光速的小2

速度为0，0乘任何数都是0，质量为0。——劲儿为0。

相对论只适合描述大尺度，小尺度——量子不服从。

——辐射从不追求质量，赤条条来去无牵挂，不服从相对论。

3．公式——定律：物质界在约定尺度内建立的限制各方力量，调整各方关系的具有强制力的公共安全等式和法定周律。

4．宇宙大法第一条：凡宇内物质及其衍生物及未来一切可能自以为有智能的存在形式擅自颁行的宇宙原理，地方法规，小道定律及公式，至本宇宙出道前0点失效。

5．无理，无法，无律，无公安——无法无天；——无不可能；

——无往不在旗下。

观 0 点——观自在。

6. 辐射——能量的爪牙。能量——0 点本尊。

爪牙在，本尊在。——谁说 0 就是全不在了?

0 点不平静。

四、能量创造世界——第一次宇宙大战爆发

1. 能量混成，先宇宙生，寂寞呀没有时间空虚啊没有质量，独立 0 点不服从任何原理，乘辐射周游潜行毫发不损，可以为物质母……

2. ——辐射推动，搅热能量，使 · 越来越挤，越挤越热，热得不得了，胀得不得了，憋得不得了，只得再度扩向 0——炸——喷——溅出——结石——舍利子——基本粒子。

3. 能量说：要有光。

——刚诞生的基本粒子立即投入与反粒子大规模互相湮灭之战。

战斗停止——战场充满光明，辐射翱翔天空——这是无量粒子婴儿战士与敌同归于尽，竞相升华，挽手提携的灿烂笑脸。

——时间大表开始跳字。

公元前约 200 亿光年 1 月 1 号 1 时 1 分 1 秒——在宇空无边太亮照耀下，一名排行十亿零一，属于超生的夸克兄弟发现自己面前没站着反派的自己，扭脸跳进刚汩汩流出的时间小溪向后世千秋万代奋勇游来。

橙亮的光子军团在他身后源源驰来，一层骑一层，越骑越长列，越长方，越立方，开立方——随着一峡巨闪陡然扯起一座矩

形光阵。

——光如垮坝，光如卷铝，光如扯飞银帆；——钢墙飞扯为肽幕，为钚穹，为万排铀弓——辐射连汤溅汁俯冲下来。

——光子雨如柿子雨，柠檬雨，橘子汁，糖浆，一管管射下来，浇下来，泼下来，就在夸克一迈腿当中，已经历无数生死轮回。

五、战争教育了战士——锻炼了战士

1. ——夸克通过冲撞把能量转换为质量。——这是他父母通体流给他的血——遗传。本能——天命——天性。

——尔后透过质量吸引伙伴，囚禁基本队员，维系稳定，变得更加坚实，紧密，再去进行——扛下一次光击。

——质量加倍能量加倍。

——这是他战斗里学的——文化。素质——物质性——个性。

——增大能量干什么呀?

——还是增大能量。

2. ——那时他们都是烈士，每一冲撞都是核接触，每一触下来都一脸狰狞，牙关咬碎。

接触——只为爆破；更大的爆破涌现更大的存在；哥们儿越战越多，存在不休战斗不息，在宇宙最壮观的焰火中跳来跳去不停死去活来——可叫永生。

——公元前或198亿光年年底，物质战士中出现了第一个共同遵守，奉行，流传，至今的古老价值观：生活就是战斗。

第一代社会礼仪——见面开打。

无情——无上美德。与天命合称——道德。

3．当周围渐渐凉爽，战场渐渐空旷，时间流成长河，辐射联合光子的饱和轰炸也变得稀疏，每对夸克战士发现自己紧紧抱着对方，少数质子兄弟还挎着顺手抓的轻浮俘虏——电子。不知道他们知道不知道那是他们失散多年的妹妹。

——白头兄弟相见，失散多年的妹妹也被一只大手搂在怀里。——那时他们都是同性恋，同乡恋，同胞恋。

同胞恋完抬头，周围漂浮着一个个新的同组恋小团伙——原子。

六、电子发动战场革命——第一次性解放

1．电子赠原子以性别——电荷。使哥哥除狂野对撞，凭吨位收兄弟，又多了项宇内图强宙思暮想的手段——魅力。

2．不是每次同胞相遇都要拉住一起粉身碎骨。——聪明的电子放出正负手，挑出和自己影子配伍的，对影成三人，组成原子家庭——拉着手的分子。

——小分队顷刻戴上雾，雪，冰，三重面罩；走出妖，疾，徐，三速舞步；放出痴，迷，锐，冷，光，透，纯，静，晕，温润，柔顺，舒通，开朗，均匀，矫健，金脆，淡定，广大，十八种姣好。

——太空云，太空泪，太空冰雪，太空核战仍在进行。

3．但是太空社交已经在电子妹妹带领下广泛开展起来。

活跃，不甘寂寞的妹妹使每个物质家庭有了急欲出嫁的女儿，战士有了要出墙的女朋友。

——妹妹结了离，离了结，街坊都是亲家，朋友都是亲戚，对象合成新人，合族脸盘子凑在一块，喷雾，一个鼻孔出气，唾沫

星子淹死客人，水桶打翻为浪，扭身成冰，跪在井台和尘烩岩，噙泪填井，催泪泪尽，跳下汗海聚咸为浆，淘浆为晶，再聚为版，三聚为架。

——轰炸欢庆丰收，打击举行婚礼，原子弹逼成上门女婿。

冰架，一天天旧成地层；水线，一天天揉出圆弧；雾眼，一夜夜熬得发蓝；十八种姣好踏着凌波舞步，轮番上演威武郑重欷歔不已的化水为混凝土工地灯火通明的大歌剧。

地球——这颗景泰蓝象牙球，才得以浮现后人眼里，升腾旋转，奔流起伏，巍然分明。

——这就是以天下至柔驰骋天下至坚吧?

4．物质因能量出生，在质量角逐中成长，目的只有一个：以最大质量获取最大能量。最终颠倒手段为目的：以最大能量换取最大质量。——进而使和平演化成为可能。至少在地球表面曾经有过。

——当一个原子战士风尘仆仆，从一个个因对撞猝生又因对撞猝灭的恒星脱身，经过时间空间惊骇旅行——抛出抛入，以其天性——核扫射方式空降地球，第一感觉一定是这地方不那么炽热——从空中已见蔚然斑斓；不那么拥挤——或者说尽管拥挤，但是大家很友好，手拉手拥挤在一起歌咏起伏，共生共落，大海是这样，大地也是照搬。

对一个生来到处瞄准投弹，见惯大火，燃烧，爆炸，天塌地陷的老飞行员而言，这样的情景十分错乱，可说是视觉陌生导致信仰危机。另一厢，他的但愿同赴死不愿共终生多次陪葬却一向不贞的老情儿电子——如今已成他的物质性的一部分——先春了——从风中知道此地有相好。

此地甚好，此地可以休养。战士一念刚起已沉入海底，成为一粒安静的沙子。四面八方忙忙碌碌，向他视窗冲过来刷过去的暗流暖潮一串串上升的气泡，都是先他复员的战友。

七、共和成立

1．公元前或50亿年，一些古老的物质家族联合一批厌战的老兵，在年轻的恒星太阳附近轨道上建立了银河系第一个联邦制物质共和球。史称：第一共和。

这个早初只是一片脏雪花的太空凉亭，如今已膨胀径达数万公里，紧裹密匝活蹦周腾着无尽无度兴旺的物质部落，其势厚，其力沉，其大颗，足以抗衡周边其他物质大球，也被超级大球太阳承认为利益关联球，对其半阴半阳睁一只眼闭一只眼。

第一共和元老们，废天命，改遗传，宣布个性即天性，手段即目的，战斗力保卫生存。——也非别出心裁，只是将普遍自然现象从价值观上合法化。这就是大道废，有仁义了。

第二项共和变法之惊举是将文化影响列入自己的物质属性，变——遗传本能。这就是不法天，不法地，不法祖宗，法自然，法随机应变，大写自己了。

尔等重修了道德和社会礼仪：不必见面死磕了，想发展找电子，无情未必真英雄，交往也不一定都扛着炸药包。

——交配不那么凶险了，才敢多待一会儿，日子久了叫缠绵，缠绵久了叫把玩，把玩多了成爱好——爱好生乐趣。

一时起，联欢形式日趋多元，地表面物质极大繁荣，个性极端发展，开万世太平，看似可能。

2．小结：文化进入遗传是为进化。

进化生二——生存色相；生色生三——爱怜。

——天命难违色相。

3．第一共和时期哀歌一首：

能量从上到地，亚军当然是夸克——夸克身上扯出肋骨还是夸克；

电子裙下提及女娲及其夏娃诸如此类一线天鹅；

没有交接望不见你，配合你——姿势一定很重要；

——望见你才镜见我们是美；

——镜中的自我在真实生活；

——看着美——速度——叫我如何摔下你飞越这妄想长河？

和平来自交配——

色即是——联合——过——

水彩——触碰——涟漪——影——响——出三维真实，一波又一波——

如今我在忘河上独自划筏过着随波逐流的日子，你早已不知去向；

羞耻就是我执——

4．第一共和时期民谣：

窜来无路消去

盘旋不着根据——地

流云独立风趣

日夜从容拉锯

去岁才入东海

今次又坐春雨

淋自由——

5．和平蕴生腐败。腐败滋生细菌，细菌滋生腻虫，腻虫滋生蛾子，蛾子变成蝴蝶，蝴蝶飞播花粉——大自然。

6. 运动过程就是美化过程——越转越圆。

八、圣人不死，大盗不止

（完）

王朔
主要作品年表

【1978 年】

《等待》（短篇小说）发表于《解放军文艺》第 11 期。

【1982 年】

《海鸥的故事》（短篇小说）发表于《解放军文艺》第 8 期。

【1984 年】

《空中小姐》（中篇小说）发表于《当代》第 2 期；

《长长的鱼线》（短篇小说）发表于《胶东文学》第 8 期。

【1985 年】

《浮出海面》（中篇小说）发表于《当代》第 6 期。

【1986 年】

《一半是火焰　一半是海水》（中篇小说）发表于《啄木鸟》第 2 期；

《橡皮人》（中篇小说）连载于《青年文学》第 11、12 期。

【1987 年】

《枉然不供》（中篇小说）发表于《啄木鸟》第 1 期；

《人莫予毒》（中篇小说）发表于《啄木鸟》第 4 期；

《顽主》（中篇小说）发表于《收获》第 6 期。

【1988 年】

《痴人》（中篇小说）发表于《芒种》第 4 期；

《人命危浅》（中篇小说）发表于《蓝盾》；

《毒手》（短篇小说）发表于《警坛风云》；

《我是狼》（短篇小说）发表于《热点文学》；

《各执一词》（短篇小说）发表于《文学故事报》；

中篇小说集《空中小姐》由中国青年出版社出版。

【1989 年】

《一点正经没有》（中篇小说）发表于《中国作家》第 4 期；

《千万别把我当人》（长篇小说）连载于《钟山》第 4、5、6 期；

《永失我爱》（中篇小说）发表于《当代》第 6 期；

长篇小说《玩的就是心跳》由作家出版社出版。

【1990 年】

《给我顶住》发表于《花城》第 6 期；

《王朔谐趣小说选》由作家出版社出版。

【1991 年】

《我是你爸爸》（长篇小说）发表于《收获》第 2 期；

《修改后发表》（中篇小说）发表于《小说家》第 4 期；

《无人喝彩》（中篇小说）发表于《当代》第 4 期；

《谁比谁傻多少》（中篇小说）发表于《花城》第 5 期；

《动物凶猛》（中篇小说）发表于《收获》第 5 期。

【1992 年】

《你不是一个俗人》（中篇小说）发表于《收获》第 2 期；

《懵然无知》（中篇小说）发表于《都市文学》；

《许爷》（中篇小说）发表于《上海文学》第 4 期；

《过把瘾就死》（中篇小说）发表于《小说界》第 4 期；

《刘慧芳》（中篇小说）发表于《钟山》第 4 期；

《千万别把我当人：王朔精彩对白欣赏》（王朔、魏人合著）由人民中国出版社出版；

《过把瘾就死》（著名作家新作大系）、《王朔文集》（纯情卷、矫情卷、谐谑卷、挚情卷）由华艺出版社出版；

《我是王朔》由国际文化出版公司出版。

【1993 年】

《海马歌舞厅：四十集电视系列剧》（电视剧本选集）、《青春无悔：王朔影视作品集》由中国社会科学出版社出版。

【1995 年】

《王朔文集》（1—4 卷）由华艺出版社出版。

【1998 年】

《王朔自选集》由华艺出版社出版。

【1999 年】

长篇小说《看上去很美》由华艺出版社出版。

【2000 年】

《美人赠我蒙汗药》（对话集）由长江文艺出版社出版；

《王朔最新作品集》由漓江出版社出版；

《无知者无畏》（随笔集）由春风文艺出版社出版。

【2001 年】

《文学阳台—文学在中国》、《美术后窗—美术在中国》、《电影厨房—电影在中国》、《音乐盒子—音乐在中国》等“文化在中国”网站系列丛书由上海文艺出版社出版。

【2003 年】

王朔文集（包括《顽主》、《过把瘾就死》、《我是你爸爸》、《玩的就是心跳》、《篇外篇》、《橡皮人》、《千万别把我当人》及《随笔集》）由云南人民出版社出版。

【2007 年】

小说集《我的千岁寒》由作家出版社出版；

长篇小说《致女儿书》由人民文学出版社出版；

小说随笔集《新狂人日记》由长江文艺出版社出版。

【2008 年】

长篇小说《和我们的女儿谈话》第一部发表于《收获》第 1 期，并由人民文学出版社出版。

图书在版编目（CIP）数据

知道分子 / 王朔著. — 北京 ：北京十月文艺出版社，2016.6

（王朔文集）

ISBN 978-7-5302-1568-5

Ⅰ. ①知… Ⅱ. ①王… Ⅲ. ①随笔—作品集—中国—当代 Ⅳ. ① I267.1

中国版本图书馆 CIP 数据核字（2016）第 057080 号

知道分子

ZHIDAO FENZI

王　朔　著

出　　版　北京出版集团公司

　　　　　北京十月文艺出版社

地　　址　北京北三环中路 6 号

邮　　编　100120

网　　址　www.bph.com.cn

发　　行　新经典发行有限公司

　　　　　电话（010）68423599

经　　销　新华书店

印　　刷　北京盛通印刷股份有限公司

版　　次　2016 年 6 月第 1 版

　　　　　2022 年 10 月第 11 次印刷

开　　本　850 毫米 ×1168 毫米　1/32

印　　张　12

字　　数　251 千字

书　　号　ISBN 978-7-5302-1568-5

定　　价　48.00 元

质量监督电话　010-58572393